SAS

POLONIUM 210

SAS : Je souhaite recevoir :

- le catalogue général
- les volumes cochés ci-dessous au prix de 6,99 € l'unité, soit :

N°..

....livres à 6,99 € =..............€

+ frais de port =..............€

(1 vol. : 1,25 €,1 à 3 vol. : 3,50 €, 4 vol. et plus : 5,00 €)

TOTAL................(ajouter à TOTAL abonnements)................ =....... ....€

DU MÊME AUTEUR

(* TITRES ÉPUISÉS)

N 1 S.A.S. A ISTANBUL
N 2 S.A.S. CONTRE C.I.A.
*N 3 S.A.S. OPÉRATION APOCALYPSE
N 4 SAMBA POUR S.A.S.
*N 5 S.A.S. RENDEZ-VOUS A SAN FRANCISCO
*N 6 S.A.S. DOSSIER KENNEDY
N 7 S.A.S. BROIE DU NOIR
*N 8 S.A.S. AUX CARAÏBES
*N 9 S.A.S. A L'OUEST DE JÉRUSALEM
*N 10 S.A.S. L'OR DE LA RIVIÈRE KWAÏ
*N 11 S.A.S. MAGIE NOIRE A NEW YORK
N 12 S.A.S. LES TR OIS VEUVES DE HONG KONG
N 13 S.A.S. L'ABOMINABLE SIRÈNE
N 14 S.A.S. LES PENDUS DE BAGDAD
N 15 S.A.S. LA PANTHÈRE D'HOLLYWOOD
N 16 S.A.S. ESCALE A PAGO-PAGO
N 17 S.A.S. AMOK A BALI
N 18 S.A.S. QUE VIVA GUEVARA
N 19 S.A.S. CYCLONE A L'ONU
N 20 S.A.S. MISSION A SAIGON
N 21 S.A.S. LE BAL DE LA COMTESSE ADLER
N 22 S.A.S. LES PARIAS DE CEYLAN
N 23 S.A.S. MASSACRE A AMMAN
N 24 S.A.S. REQUIEM POUR TONTONS MACOUTES
*N 25 S.A.S. L'HOMME DE KABUL
*N 26 S.A.S. MORT A BEYROUTH
N 27 S.A.S. SAFARI A LA PAZ
N 28 S.A.S. L'HÉROÏNE DE VIENTIANE
*N 29 S.A.S. BERLIN CHECK POINT CHARLIE
N 30 S.A.S. MOURIR POUR ZANZIBAR
N 31 S.A.S. L'ANGE DE MONTEVIDEO
*N 32 S.A.S. MURDER INC. LAS VEGAS
N 33 S.A.S. RENDEZ-VOUS A BORIS GLEB
*N 34 S.A.S. KILL HENRY KISSINGER !
N 35 S.A.S. ROULETTE CAMBODGIENNE
*N 36 S.A.S. FURIE A BELFAST
*N 37 S.A.S. GUÊPIER EN ANGOLA
*N 38 S.A.S. LES OTAGES DE TOKYO
*N 39 S.A.S. L'ORDRE RÈGNE A SANTIAGO
*N 40 S.A.S. LES SORCIERS DU TAGE
N 41 S.A.S. EMBARGO
N 42 S.A.S. LE DISPARU DE SINGAPOUR
N 43 S.A.S. COMPTE A REBOURS EN RHODÉSIE
N 44 S.A.S. MEURTRE A ATHÈNES
N 45 S.A.S. LE TRÉSOR DU NÉGUS
N 46 S.A.S. PROTECTION POUR TEDDY BEAR
N 47 S.A.S. MISSION IMPOSSIBLE EN SOMALIE
*N 48 S.A.S. MARATHON A SPANISH HARLEM
*N 49 S.A.S. NAUFRAGE AUX SEYCHELLES
*N 50 S.A.S. LE PRINTEMPS DE VARSOVIE
N 51 S.A.S. LE GARDIEN D'ISRAËL
N 52 S.A.S. PANIQUE AU ZAÏRE
*N 53 S.A.S. CROISADE A MANAGUA
N 54 S.A.S. VOIR MALTE ET MOURIR
N 55 S.A.S. SHANGHAÏ EXPRESS
N 56 S.A.S. OPÉRATION MATADOR
N 57 S.A.S. DUEL A BARRANQUILLA
N 58 S.A.S. PIÈGE A BUDAPEST
N 59 S.A.S. CARNAGE A ABU DHABI
N 60 S.A.S. TERREUR AU SAN SALVADOR
*N 61 S.A.S. LE COMPLOT DU CAIRE
N 62 S.A.S. VENGEANCE ROMAINE
*N 63 S.A.S. DES ARMES POUR KHARTOUM
*N 64 S.A.S. TORNADE SUR MANILLE
*N 65 S.A.S. LE FUGITIF DE HAMBOURG
*N 66 S.A.S. OBJECTIF REAGAN
*N 67 S.A.S. ROUGE GRENADE
*N 68 S.A.S. COMMANDO SUR TUNIS
N 69 S.A.S. LE TUEUR DE MIAMI
*N 70 S.A.S. LA FILIÈRE BULGARE
*N 71 S.A.S. AVENTURE AU SURINAM
*N 72 S.A.S. EMBUSCADE A LA KHYBER PASS
*N 73 S.A.S. LE VOL 007 NE RÉPOND PLUS
*N 74 S.A.S. LES FOUS DE BAALBEK
*N 75 S.A.S. LES ENRAGÉS D'AMSTERDAM
*N 76 S.A.S. PUTSCH A OUAGADOUGOU
*N 77 S.A.S. LA BLONDE DE PRÉTORIA

*N 78 S.A.S. LA VEUVE DE L'AYATOLLAH
*N 79 S.A.S. CHASSE A L'HOMME AU PÉROU
*N 80 S.A.S. L'AFFAIRE KIRSANOV
*N 81 S.A.S. MORT A GANDHI
*N 82 S.A.S. DANSE MACABRE A BELGRADE
N 83 S.A.S. COUP D'ÉTAT AU YEMEN
N 84 S.A.S. LE PLAN NASSER
N 85 S.A.S. EMBROUILLES A PANAMA
N 86 S.A.S. LA MADONE DE STOCKHOLM
N 87 S.A.S. L'OTAGE D'OMAN
N 88 S.A.S. ESCALE A GIBRALTAR
N 89 S.A.S. AVENTURE EN SIERRA LEONE
N 90 S.A.S. LA TAUPE DE LANGLEY
N 91 S.A.S. LES AMAZONES DE PYONGYANG
N 92 S.A.S. LES TUEURS DE BRUXELLES
N 93 S.A.S. VISA POUR CUBA
*N 94 S.A.S. ARNAQUE A BRUNEI
*N 95 S.A.S. LOI MARTIALE A KABOUL
*N 96 S.A.S. L'INCONNU DE LENINGRAD
N 97 S.A.S. CAUCHEMAR EN COLOMBIE
N 98 S.A.S. CROISADE EN BIRMANIE
N 99 S.A.S. MISSION A MOSCOU
N 100 S.A.S. LES CANONS DE BAGDAD
*N 101 S.A.S. LA PISTE DE BRAZZAVILLE
N 102 S.A.S. LA SOLUTION ROUGE
N 103 S.A.S. LA VENGEANCE DE SADDAM HUSSEIN
N 104 S.A.S. MANIP A ZAGREB
N 105 S.A.S. KGB CONTRE KGB
N 106 S.A.S. LE DISPARU DES CANARIES
*N 107 S.A.S. ALERTE AU PLUTONIUM
N 108 S.A.S. COUP D'ÉTAT A TRIPOLI
N 109 S.A.S. MISSION SARAJEVO
N 110 S.A.S. TUEZ RIGOBERTA MENCHU
N 111 S.A.S. AU NOM D'ALLAH
*N 112 S.A.S. VENGEANCE A BEYROUTH
*N 113 S.A.S. LES TROMPETTES DE JÉRICHO
N 114 S.A.S. L'OR DE MOSCOU
N 115 S.A.S. LES CROISÉS DE L'APARTHEID
N 116 S.A.S. LA TRAQUE CARLOS
N 117 S.A.S. TUERIE A MARRAKECH
*N 118 S.A.S. L'OTAGE DU TRIANGLE D'OR
N 119 S.A.S. LE CARTEL DE SÉBASTOPOL
N 120 S.A.S. RAMENEZ-MOI LA TÊTE D'EL COYOTE
*N 121 S.A.S. LA RÉSOLUTION 687
N 122 S.A.S. OPÉRATION LUCIFER
N 123 S.A.S. VENGEANCE TCHÉTCHÈNE
N 124 S.A.S. TU TUERAS TON PROCHAIN
N 125 S.A.S. VENGEZ LE VOL 800
N 126 S.A.S. UNE LETTRE POUR LA MAISON-BLANCHE
N 127 S.A.S. HONG KONG EXPRESS
N 128 S.A.S. ZAÏRE ADIEU

AUX ÉDITIONS GÉRARD DE VILLIERS

N 129 S.A.S. LA MANIPULATION YGGDRASIL
N 130 S.A.S. MORTELLE JAMAÏQUE
N 131 S.A.S. LA PESTE NOIRE DE BAGDAD
*N 132 S.A.S. L'ESPION DU VATICAN
N 133 S.A.S. ALBANIE MISSION IMPOSSIBLE
N 134 S.A.S. LA SOURCE YAHALOM
N 135 S.A.S. CONTRE P.K.K.
N 136 S.A.S. BOMBES SUR BELGRADE
N 137 S.A.S. LA PISTE DU KREMLIN
N 138 S.A.S. L'AMOUR FOU DU COLONEL CHANG
*N 139 S.A.S. DJIHAD
N 140 S.A.S. ENQUÊTE SUR UN GÉNOCIDE
*N 141 S.A.S. L'OTAGE DE JOLO
*N 142 S.A.S. TUEZ LE PAPE
*N 143 S.A.S. ARMAGEDDON
N 144 S.A.S. LI SHA-TIN DOIT MOURIR
N 145 S.A.S. LE ROI FOU DU NÉPAL
N 146 S.A.S. LE SABRE DE BIN LADEN
*N 147 S.A.S. LA MANIP DU « KARIN A »
N 148 S.A.S. BIN LADEN : LA TRAQUE
N 149 S.A.S. LE PARRAIN DU « 17-NOVEMBRE »
N 150 S.A.S. BAGDAD EXPRESS
*N 151 S.A.S. L'OR D'AL-QUAIDA
*N 152 S.A.S. PACTE AVEC LE DIABLE
N 153 S.A.S. RAMENEZ-LES VIVANTS
N 154 S.A.S. LE RÉSEAU ISTANBUL
*N 155 S.A.S. LE JOUR DE LA TCHÉKA
N 156 S.A.S. LA CONNEXION SAOUDIENNE
N 157 S.A.S. OTAGE EN IRAK
N 158 S.A.S. TUEZ IOUCHTCHENKO
N 159 S.A.S. MISSION : CUBA
N 160 S.A.S. AURORE NOIRE
N 161 S.A.S. LE PROGRAMME 111
N 162 S.A.S. QUE LA BÊTE MEURE
N 163 S.A.S. LE TRÉSOR DE SADDAM Tome I
N 164 S.A.S. LE TRÉSOR DE SADDAM Tome II
N 165 S.A.S. LE DOSSIER K.
N 166 S.A.S. ROUGE LIBAN

COMPILATIONS DE 5 SAS

LA GUERRE FROIDE Tome 1 (20 €)
LA GUERRE FROIDE Tome 2 (20 €)
LE CONFLIT ISRAËLO-PALESTINIEN (20 €)
LA TERREUR ISLAMISTE (20 €)
GUERRE EN YOUGOSLAVIE (20 €)
GUERRES TRIBALES EN AFRIQUE (20 €)
L'ASIE EN FEU (20 €)
LA GUERRE FROIDE Tome 3 (20 €)
LES GUERRES SECRÈTES DE PÉKIN (20 €)
RÉVOLUTIONNAIRES LATINOS (20 €)
RUSSIE ET CIA
LA GUERRE FROIDE Tome 4

AUX ÉDITIONS VAUVENARGUES

LA CUISINE APHRODISIAQUE DE S.A.S. (10 €)
LA MORT AUX CHATS (10 €)
LES SOUCIS DE SI-SIOU (10 €)

GÉRARD DE VILLIERS

POLONIUM 210

Éditions Gérard de Villiers

COUVERTURE
Photographe : Thierry VASSEUR
Armurerie : Courty et fils
44 rue des Petits-Champs 75002 PARIS
maquillage/coiffure : Marion MAZO

ISBN 978-2-84267-834-0

PROLOGUE

Vladimir Vladimirovitch Poutine contemplait par une des fenêtres de son bureau de travail aux murs beiges les corbeaux qui ne cessaient de s'abattre sur les tours du Kremlin, se laissant glisser en croassant le long des bulbes dorés. Tous les jours c'était le même spectacle. Des nuées d'oiseaux noirs tourbillonnaient au-dessus de la vieille forteresse. Depuis des siècles, ils se succédaient, poussés par un mystérieux instinct génétique. Personne n'avait jamais pu expliquer l'attirance de ces oiseaux pour le centre du pouvoir russe. Même les faucons dressés à la demande de Boris Nikolaïevitch Eltsine n'avaient pu en venir à bout.

Une sorte de malédiction à laquelle le pragmatique Vladimir Vladimirovitch n'était guère sensible.

Il enclencha un CD de Tchaïkovski et alluma son ordinateur. C'est lui qui avait fait installer dans cette pièce une stéréo sophistiquée sur laquelle il écoutait de la musique classique. Sa seconde passion était de surfer inlassablement sur Internet, à la recherche des sites d'opposition. Le FSB[1] lui signalait les plus virulents pour qu'il puisse s'en faire une idée par lui-même.

Il tomba d'abord sur celui d'Alexandre Litvinenko,

1. Service fédéral de sécurité, ex-KGB.

un ancien major du FSB qui s'était enfui de Russie six ans plus tôt, pour rejoindre un petit noyau d'opposants irréductibles regroupés autour de l'oligarque Simion Gourevitch, devenu l'ennemi juré de Vladimir Poutine qu'il avait pourtant beaucoup aidé dans son ascension à l'époque Eltsine.

Il le parcourut rapidement. En sus des accusations habituelles sur sa supposée implication dans les deux attentats criminels qui avaient causé plus de trois cents morts à Moscou, en 1999, et déclenché la seconde guerre de Tchétchénie, le site relayait des accusations de pédophilie, avec des détails répugnants.

Vladimir Poutine eut une grimace méprisante et passa au site de Simion Gourevitch.

Là, il eut un choc : l'oligarque venait de déclarer à plusieurs journaux qu'il allait consacrer une partie de sa fortune à fomenter un coup d'État en Russie, afin de se débarrasser de Vladimir Poutine !

Celui-ci demeura figé devant l'écran, ressentant la même fureur que lorsque le même Simion Gourevitch, se croyant tout permis, pénétrait sans frapper dans son bureau de président de la Russie.

Ce qui plongeait Vladimir Poutine dans une colère indicible. On devait respecter la hiérarchie et l'autorité. C'est ce qu'on lui avait appris au KGB, lorsqu'il avait vingt-trois ans. Il en avait aujourd'hui cinquante-quatre et continuait à adhérer aux mêmes principes. Or, qui, plus que le président de la Russie, méritait d'être respecté ?

Il revint au site de Simion Gourevitch, maudissant l'oligarque félon. Le procureur général de Russie avait, sur son ordre, lancé un mandat d'arrêt international contre lui pour différents délits financiers, mais les Britanniques s'obstinaient à ne pas l'exécuter, ayant accordé à Gourevitch le statut de réfugié politique.

Il avança encore dans le site et une photo apparut, celle de la journaliste d'opposition Anna Politkovskaïa, encadrée, lors d'une de ses visites à Londres, par Simion Gourevitch et Alexandre Litvinenko. Celle-là aussi, il la détestait. Elle ne cessait de défendre ces « *tchernozopié* [1] » de Tchétchènes.

Vladimir Poutine eut soudain l'impression qu'à travers lui, c'était le drapeau à trois bandes qui flottait sur la plus haute tour du Kremlin que cette clique souillait. Le regard fixé sur l'écran, il était encore plus pâle que d'habitude.

Il éteignit l'ordinateur d'un geste sec, prit un rectangle de bristol et y écrivit rapidement quelques lignes qu'il signa, avant de sonner. Un « homme en gris » apparut quelques secondes plus tard et il lui tendit l'enveloppe sur laquelle était écrit le nom du destinataire.

La nuit était tombée. Il était temps de regagner sa datcha de Joukovska, à dix-huit kilomètres de Moscou, là où demeuraient la plupart des dirigeants russes. La route qui y menait était la seule en Russie à ne comporter aucun feu rouge, afin de ne pas ralentir les convois officiels. Vladimir Poutine commençait à éprouver une sorte de lassitude à remplir sa tâche présidentielle. Pourtant, en apparence, la Russie allait bien. Le pétrole et le gaz faisaient entrer trois milliards de dollars par semaine dans les caisses de l'État, les salaires étaient payés, les « Organes », reconstitués après la débâcle de 1992, tenaient d'une main de fer l'immense pays où, comme à la belle époque de l'Union soviétique, les *narodnû* [2] ne disaient plus jamais en public ce qu'ils pensaient réellement.

Seuls quelques éléments isolés osaient encore se dresser contre l'autorité centrale, mais ce ne serait bientôt plus qu'un mauvais souvenir.

Et pourtant, Vladimir Vladimirovitch Poutine

1. Culs noirs.
2. Les gens du peuple.

consacrait de plus en plus de temps à ses promenades à cheval ou au sport et, certains jours, n'arrivait plus au Kremlin que vers une heure de l'après-midi. Or, il restait moins d'un an et demi avant l'élection présidentielle de mai 2008 et il était bien décidé à laisser à son successeur une Russie débarrassée de toute opposition.

Les dernière têtes qui dépassaient devaient être tranchées sans pitié.

CHAPITRE PREMIER

Sergueï Gossak fit signe au barman à la veste d'un blanc douteux de lui apporter une nouvelle bière. Une douzaine d'ivrognes emmitouflés dans des vestes de cuir, la casquette de cuir vissée sur la tête, occupaient quelques-unes des tables du buffet n°3 de la gare de Biélorussie, tout en haut de Tverskaïa. Un lieu particulièrement sinistre, la destination principale des trains étant Minsk, capitale de la Biélorussie, encore à l'âge de pierre du communisme. Chaque train embarquait des dizaines de *babouchkas* [1] chargées comme des mulets de sacs de voyage en tissu plastifié à carreaux, emportant à Minsk des denrées introuvables dans le paradis biélorusse.

À une table voisine de Sergueï Gossak, un vieil homme sortit discrètement d'un sac de toile une bouteille sans étiquette et versa un peu de liquide dans sa tasse de café vide. De la vodka frelatée, achetée dans un des innombrables kiosques de la banlieue moscovite. Infiniment moins chère que celle vendue au bar, inaccessible à ce retraité. Alors, pour dix roubles [2], il commandait un café et pouvait lire tranquillement un

1. Femmes âgées.
2. Un dollar = 26 roubles.

journal trouvé dans une poubelle, en étant bien assis et au chaud. Il y avait maintenant beaucoup de millionnaires à Moscou, mais encore plus de pauvres gens tirant le diable par la queue. Vladimir Vladimirovitch Poutine avait beau promettre des lendemains qui chantent, ils tardaient à venir.

De nouveau, Sergueï Gossak regarda sa montre, une copie chinoise de Rolex récupérée sur le corps d'un *boivik*[1] tchétchène deux ans plus tôt.

Il s'impatientait.

Enfin, son portable sonna et il le porta rapidement à son oreille.

– *Da ?*

– Sergueï, c'est Sacha. Elle va sortir du Ramstore.

– *Spassiba*[2], grommela Sergueï Gossak.

Il glissa le portable dans sa poche, posa quatre billets de dix roubles sur la table et sortit du buffet n° 3. Bien que ce 7 octobre fût exceptionnellement doux pour la saison, il releva le col de son manteau noir pour traverser la place Tverskaïa, contournant ensuite le monument élevé à Maxime Gorki, gloire de l'Union soviétique, une sorte d'obélisque hideux dans le goût de l'art communiste d'avant-guerre. Jadis, l'interminable avenue Tverskaïa, qui partait de la place du Manège face à la place Rouge et devenait Leningradski Prospekt à la hauteur de la gare, s'appelait Maxime-Gorki. La vague de décommunisation de 1991 l'avait débaptisée, mais l'obélisque à la gloire de Maxime Gorki était toujours là.

Marchant d'un pas rapide, Sergueï Gossak respirait à pleins poumons l'air froid qui balayait la place. Après six mois passés dans l'abominable prison de Lefortovo, il savourait chaque instant de liberté. Il s'engouffra ensuite dans le passage souterrain permettant

1. Partisan.
2. Merci.

de traverser Tverskaïa sans se faire écraser, ignorant les *babouchkas* alignées le long des murs et proposant toutes sortes de produits, y compris de petits animaux vivants.

Ici, au-delà du Koltso[1] et à seulement quatre kilomètres des tours du Kremlin, on était déjà dans la Russie profonde.

L'ancien *praportchik*[2] du régiment Vostok, se retrouva à l'air libre de l'autre côté de Tverskaïa et s'engagea dans Lesnaya Ulitza[3], qui s'éloignait perpendiculairement à la grande avenue, traversant un quartier résidentiel de petits immeubles à peu près restaurés. Envahi par une brusque sensation de puissance, il serra, au fond de la poche de son manteau, la crosse du pistolet remis par son *kricha*[4].

Sergueï Gossak était fou de bonheur à l'idée de se venger enfin de la salope qui l'avait envoyé en prison pour une broutille.

Au cours des ratissages en Tchétchénie, les hommes du régiment Vostok, une unité en uniforme du FSB, avaient parfois la détente facile, ce qui enrichissait leur tableau de chasse. Une fois mort, rien ne différenciait un *boivik* d'un innocent Tchétchène, si toutefois il y avait des Tchétchènes innocents.

Bien entendu, personne ne venait réclamer les cadavres des véritables *boiviki* que l'on enterrait dans un coin de cimetière vacant. En revanche, les familles des villageois abattus par erreur venaient réclamer les corps de leurs parents. C'est en observant cette coutume que le *praportchik* Sergueï Gossak avait eu une idée de génie : revendre cher les cadavres de ces gens qui, vivants, ne valaient pas grand-chose. Jouant sur

1. Périphérique intérieur.
2. Adjudant.
3. La rue Lesnaya.
4. Protecteur.

l'attachement des familles à leurs morts, il parvenait à en obtenir jusqu'à cinq cents dollars pièce.

Évidemment, il y avait des frais. Il fallait arroser celui qui prêtait sa chambre froide pour conserver les corps pendant les négociations, et aussi les témoins du régiment, mais il restait encore un coquet bénéfice. Peu à peu, les soldats du régiment Vostok avaient eu vent de la combine et n'hésitaient pas à rafaler généreusement au cours des ratissages, pour obtenir de la « matière première ». Ils revendaient chaque cadavre cent dollars au *praportchik* Gossak, qui seul menait les discussions avec les familles tchétchènes.

Sergueï Gossak n'avait plus que huit mois à effectuer en Tchétchénie quand Anna Politkovskaïa, une journaliste de *Novaïa Gazeta*, le dernier journal – bihebdomadaire – moscovite d'opposition, était venue fourrer son nez dans ses affaires ! Spécialiste de la Tchétchénie, cette emmerdeuse avait réussi à obtenir la confession d'une *babouchka* tchétchène qui avait dû vendre tout ce qu'elle possédait pour récupérer le cadavre de son fils de seize ans, abattu « par erreur » par un soldat du régiment Vostok. Heureusement, pour l'état-major russe *tous* les Tchétchènes étant des ennemis, ce genre d'incident n'était jamais sanctionné.

L'article d'Anna Politkovskaïa dans *Novaïa Gazeta* avait eu un grand retentissement et le colonel commandant le régiment Vostok, sur l'ordre de sa hiérarchie, avait été obligé de sévir : il avait fait arrêter et passer en jugement le *praportchik* Sergueï Gossak.

Dieu merci, les quelque dix mille dollars gagnés grâce à cet innocent trafic dormaient en lieu sûr, à Moscou, chez sa mère, et n'avaient pu être confisqués.

Le séjour à la prison de Lefortovo n'avait pas été trop pénible. Étant donné le motif de sa condamnation, Sergueï Gossak avait joui de l'estime des gardiens et des autres prisonniers. Il avait quand même été content d'en sortir.

À la porte de la prison, il avait eu la surprise de découvrir un de ses copains, le *praportchik* Igor Stretenski. Ils étaient d'abord allés vider quelques bières, puis, avant que Sergueï ne soit plus en état d'entendre ce qu'il voulait lui dire, Igor Stretenski lui avait expliqué le motif de sa visite.

– Le régiment tout entier a été choqué par ta condamnation, lui avait-il révélé. Les divagations de cette salope d'Anna Politkovskaïa ont souillé le nom de notre unité qui s'est distinguée durant la Grande Guerre patriotique. Il faut laver l'honneur du régiment Vostok.

– Comment ? avait demandé naïvement Sergueï Gossak.

Son copain s'était penché à son oreille.

– En faisant en sorte qu'elle ne puisse plus recommencer…

D'abord, Sergueï Gossak n'avait pas compris, puis un geste expressif de son copain, passant l'index devant sa gorge, l'avait éclairé. Les enfants tchétchènes, lorsqu'ils croisaient une patrouille russe, faisaient parfois ce geste.

– Tu veux que je l'égorge ? avait demandé Sergueï Gossak.

Igor Stretenski s'était écrié aussitôt :

– *Niet*. Nous ne sommes pas des *zveris* [1]. Non, il faut se conduire de façon civilisée. Avec ça.

Il avait sorti d'un sac un paquet enveloppé de toile imperméable noire, le poussant vers son collègue.

– Voilà de quoi laver ton honneur. Le régiment s'est cotisé. On a acheté ce qu'il fallait et on a réuni cinquante mille roubles [2] pour t'aider à redémarrer dans la vie.

1. Animaux sauvages.
2. Environ 2 000 dollars.

Pour sceller leur accord, il avait commandé de la vodka et ils avaient choqué leur verre.

– *Na rodina*[1] *!*

– *Na rodina !* avait répété Sergueï Gossak, à la fois flatté, heureux et un peu anxieux.

Après la troisième vodka, il s'était quand même inquiété.

– Dis-moi, Igor Nikolaïevitch, je ne sais rien de cette salope, pas même à quoi elle ressemble, ni où elle habite !

Le *praportchik* Stretenski, désignant une enveloppe gonflée de billets jointe au paquet, avait expliqué :

– Là-dedans, il y a tout ce qu'il faut. Des photos, son adresse, les endroits où elle va. Dans son quartier, elle se promène toujours à pied. De toute façon, deux de mes camarades vont l'observer. Elle va faire ses courses tous les samedis, toujours au même marché, le Ramstore, pas loin de chez elle. On pourrait faire cela samedi prochain. D'ici là, repose-toi ! Je t'appellerai vendredi matin.

Il avait payé les bières et les vodkas, laissant le paquet à Sergueï Gossak. Celui-ci avait alors pris le métro à la station Baumanskaïa pour regagner le petit appartement de sa mère, au fin fond de Leningradski Prospekt, presque au MK[2]. Pour sa sortie de prison, elle lui avait préparé un vrai repas de Nouvel An russe : des harengs, du caviar rouge, du poulet, des zakouskis et un énorme *vatrouchka*[3]. Tout le temps de leur repas, elle avait maudit cette journaliste qui préférait les « *tchernozopié* » aux bons Russes.

Avant de se coucher, Sergueï Gossak avait ouvert le paquet remis par son camarade et découvert un long pistolet noir de petit calibre muni d'un silencieux incorporé. Il avait sorti le chargeur et vérifié qu'il était

1. À la patrie !
2. Périphérique extérieur.
3. Gâteau au fromage.

plein. Après avoir fermé à clef la porte de sa chambre, il avait ouvert la fenêtre et, visant le ciel, appuyé sur la détente.

Il y avait à peine eu un « plouf » discret et il avait ressenti une petite secousse dans le poignet.

Après avoir refermé la fenêtre, il avait ramassé la douille encore chaude et l'avait mise dans sa poche avant d'ouvrir l'enveloppe. La vue des cinquante billets bleus de mille roubles l'avait rendu euphorique. Il les avait comptés avant de les glisser dans la poche de son jean, puis il avait dissimulé le pistolet sous son matelas. Le lendemain matin, sa mère s'était inquiétée :

– Sergueï Ivanovitch, qu'est-ce que tu vas faire maintenant ?

Sergueï l'avait rassurée.

– Ne t'en fais pas, *mamouchka*, j'ai plein d'amis que j'ai connus là-bas, en Tchétchénie. Ils vont m'aider à trouver du travail.

En plus, il avait toujours son pécule amassé grâce à son trafic, dissimulé sous une lame du parquet de sa chambre.

***

Sergueï Gossak était arrivé à la hauteur du 58 Lesnaya Ulitza quand son portable sonna à nouveau.

– Elle vient de sortir du Ramstore ! annonça son copain Sacha. Elle est à pied et a un gros sac. Elle porte un manteau beige.

– *Dobre*[1] *!* répondit Sergueï Gossak, je ne suis pas loin.

La rue Miusskaïa où se trouvait le Ramstore coupait Lesnaya à une centaine de mètres devant lui.

Le jeune homme était à mi-chemin du croisement

1. Bien.

quand une femme répondant à la description faite par Sacha tourna le coin de la rue, s'éloignant dans la direction opposée. Il n'eut pas le temps de voir son visage mais fut certain que c'était sa cible. Machinalement, il hâta le pas. Au fond de sa poche, ses doigts serraient la crosse du pistolet qui avait déjà une cartouche dans le canon. Il était tendu, mais moins que lors des opérations contre les *boiviki* dans les petits villages ou les bois de Tchétchénie.

Ici, Dieu merci, c'était beaucoup moins dangereux.

La veille, il était venu repérer l'immeuble du 8-12 Lesnaya Ulitza. Une seule entrée, un ascenseur et six étages. En ce samedi après-midi, les rues étaient relativement animées, beaucoup de ménagères faisant leurs courses, comme Anna Politkovskaïa.

Sergueï Gossak accéléra encore l'allure. Sa cible se rapprochait de chez elle, ne se doutant de rien.

Il attendit qu'elle soit entrée dans l'immeuble et se hâta de pénétrer dans le petit hall, presque sur ses talons. La journaliste était déjà devant l'ascenseur qui descendait.

Entendant la porte d'entrée s'ouvrir, elle se retourna machinalement. Pour la première fois, Sergueï Gossak vit son visage, les lunettes en forme de papillon, les traits plutôt harmonieux, pas de maquillage... une ménagère comme les autres. Il n'arrivait pas à croire que cette femme en apparence si banale eût un tel pouvoir !

L'ascenseur arrivait : il n'avait plus beaucoup de temps.

Il sortit le pistolet de sa poche, d'un geste naturel, et vit la femme reculer, les traits brutalement figés.

– *Kto vuie khatite*[1], commença-t-elle.

Elle n'eut pas le temps d'en dire plus. Le bras tendu, Sergueï Gossak tira, visant la poitrine. Anna

1. Qu'est-ce que vous voulez ?

Politkovskaïa recula sous le choc, laissant tomber son cabas. Il lui tira une deuxième balle dans la poitrine.

La journaliste s'effondra au milieu du petit hall, perdant ses lunettes. Bien que le hall soit exigu, les détonations n'avaient presque pas fait de bruit.

Sergueï Gossak s'approcha, se baissa légèrement et tira une troisième balle dans l'oreille de sa victime, qui avait déjà le regard vitreux. Précaution indispensable qu'on lui avait apprise au régiment Vostok. Même grièvement blessé, un homme peut encore réagir avec plusieurs balles dans la poitrine. Pas quand son cerveau a été pulvérisé.

Une petite mare de sang commençait à s'agrandir sur le marbre verdâtre du hall. Le jeune homme ressortit sans encombre, après avoir remis le pistolet dans sa poche. Il s'éloigna en direction de Tverskaïa.

Il ne ressentait absolument rien.

Comme si c'était un jeu vidéo.

Une fois dans la rue, il regarda sa fausse Rolex. Cinq heures et demie. Il avait largement le temps, son rendez-vous avec son copain Igor Stretenski était fixé à sept heures sur Leninski Prospekt, de l'autre côté de la Moskova, à l'entrée du parc Gorki. Il devait lui rendre le pistolet et discuter de son avenir. Ensuite, il irait dîner avec Sacha et Nikolaï, les deux copains qui avaient collaboré à l'*osobskié papski*[1].

Il préférait ce terme à celui de *zakasnoïé*, le meurtre sur commande, utilisé par les mafieux. Lui n'avait pas conscience d'avoir commis une mauvaise action : au contraire, il avait débarrassé la Russie d'un être malfaisant. Comme ces oligarques qui avaient sucé le sang du pays, dans les années 1990.

Quand il pensait à sa mère, il avait le cœur serré. À l'époque de l'Union soviétique, elle était *dejournaya*[2]

1. L'opération spéciale
2. Femme d'étage

à l'*Hôtel Metropole* et ramenait des tas de choses de valeur à la maison, y compris, une fois, du caviar trouvé devant la porte d'un client. Une boîte entamée certes, mais c'était la première fois qu'ils en avaient mangé.

Il se retourna machinalement. Aucune animation inquiétante. Pourtant, on devait avoir découvert le corps. Mais le temps que la *Milicija*[1] se déplace…

Arrivé à Tverskaïa, il plongea dans le passage souterrain et gagna la station de métro Bielorusskaïa. C'était son jour de chance : une rame arrivait du nord, au moment où il débouchait sur le quai. Une fois installé, Sergueï Gossak se détendit, regardant les parois sombres du tunnel défiler à toute vitesse, puis le métro s'arrêta à la station Mayakovskaïa. Soudain, tandis qu'il regardait distraitement les voyageurs sur le quai, Sergueï Gossak sentit son pouls s'envoler. Trois miliciens en tenue grise, groupés devant la sortie, inspectaient les voyageurs qui descendaient.

Bien sûr, cela pouvait être un des innombrables contrôles de routine pointilleux, à la recherche des resquilleurs, mais Sergueï avait dans sa poche l'arme qui venait de tuer une journaliste célèbre… Il compta les secondes tandis que le métro restait à quai et ne recommença à respirer normalement que lorsque la rame redémarra.

La prochaine station était Pouchkinskaïa. La rame à peine arrêtée, il sauta hors du wagon et se rua dans les escaliers, se sentant mieux en débouchant en face de l'immeuble blanc des *Izvestia*.

Il traversa la place Pouchkine et se mit à descendre Tverskaïa à pied, avec l'intention de reprendre le métro place du Manège. Il était à mi-chemin lorsque son regard accrocha une enseigne jaune et bleu, ronde : *The Night Flight*.

1. Police.

Il ralentit machinalement. C'était, depuis la fin du communisme, un des bars à putes les plus célèbres de Moscou. La plupart de ceux qui avaient ouvert au début des années 1990 avaient disparu, mais le *Night Flight*, lui, tenait bon.

Deux videurs gigantesques en bomber et bonnet de laine veillaient devant une enceinte de velours rouge destinée à canaliser les clients.

À cette heure-ci, personne ne se pressait encore à la porte. L'un des deux videurs barra presque la route à Sergueï Gossak, avec un large sourire.

– *Dobrevece, gospodine*[1] *!* Venez passer un bon moment chez nous !

En même temps, il lui ouvrait la porte toute grande. Sergueï Gossak aperçut dans la pénombre piquetée de lumière deux femmes en robe longue qui faisaient face à l'entrée. Il était très en avance pour son rendez-vous à Leninski Prospekt et il se dit qu'après tout, il méritait bien une petite récompense.

*
* *

Le jeune homme ne vit d'abord que des seins ! Une demi-douzaine de filles étaient alignées le long de l'escalier menant au premier étage, toutes vêtues de longues robes d'hôtesse au décolleté vertigineux.

– *Dobrevece*, lança d'une voix caressante une brune moulée dans un haut bleu électrique décolleté en V.

Plus petite que ses voisines, le regard particulièrement provocant, elle portait un pantalon de satin assorti qui paraissait cousu sur elle. Le regard de Sergueï s'immobilisa sur les longues pointes de ses seins en poire qui tendaient le tissu bleu.

Un peu intimidé, il se hâta de filer vers les toilettes. Là, il fit passer le pistolet de la poche de son manteau

1. Bonsoir monsieur !

à celle de sa veste et revint au vestiaire. Jamais de sa vie il n'avait vu autant de filles superbes offertes comme des fruits sur un marché.

Lorsqu'il regagna la salle, trois nouveaux venus – des étrangers – résistaient mollement aux assauts d'une horde de vautours parfumés. Les filles qui travaillaient au *Night Flight* n'avaient pas de fixe et versaient une redevance au patron de la boîte. Elles ne survivaient qu'en faisant boire les clients et en leur offrant diverses prestations sexuelles…

Instinctivement, Sergueï Gossak s'engagea dans l'escalier menant au premier étage. Au fond, il n'était pas entré là pour « consommer », mais plutôt par curiosité. À cette heure-ci, les box tendus de velours rouge étaient encore vides. Mais à peine fut-il assis qu'une serveuse presque aussi sexy que les filles d'en bas vint déposer une carte devant lui. Il choisit du caviar rouge et une bière, préférant ne pas trop regarder les prix. De toute façon, il avait cinq mille roubles sur lui.

La brune en bleu électrique arriva en même temps que le caviar rouge.

Elle se planta devant la table, légèrement penchée en avant pour que le regard de Sergueï puisse plonger entre ses seins, et demanda :

– Je peux m'asseoir avec toi ? Je m'appelle Glinka.

Sans attendre la réponse, elle se glissa dans le box, collant sa cuisse à celle du jeune homme. Celui-ci n'arrivait pas à détacher les yeux de ses seins énormes aux pointes grosses comme des crayons.

La serveuse revint, demandant ce qu'elle voulait boire.

– La bière, c'est bon pour les Cosaques ! lança Glinka. Apporte-nous du champagne français. Tu veux bien, *goloubtchik*[1] ?

Sergueï Gossak n'osa pas refuser. Cette atmosphère pourtant glauque le désarçonnait complètement. En

1. Petit pigeon.

plus, il n'avait jamais bu que du mauvais champagne de Crimée… Glinka se pencha vers lui.

– Comment t'appelles-tu ?

– Sergueï, fit-il d'une voix étranglée.

Elle venait de poser une main entre ses cuisses et il se sentait tout bête devant la serveuse en train de déboucher la bouteille de Taittinger. Le bouchon sauta avec un bruit joyeux et Glinka se rua sur sa flûte tandis que la serveuse disparaissait discrètement. Entre la pénombre et la musique douce, Sergueï Gossak se détendait. En un rien de temps, il eut vidé trois flûtes de champagne. Les box voisins étaient libres et cela ajoutait à leur intimité.

De nouveau, Glinka glissa la main entre ses cuisses et commença à le masser. Sergueï Gossak sentit son sexe se développer comme une poupée gonflable. Glinka lui adressa un regard d'authentique salope.

– Je te fais bander, *goloubtchik* !

Ça lui était difficile de prétendre le contraire. Son sexe tendait le tissu du pantalon à le faire craquer. Glinka interrompit sa caresse, prit la main de Sergueï et la glissa entre ses cuisses à elle.

– Tu sens mon *kotik*[1] ? murmura-t-elle. Il a envie qu'on le nourrisse, avec une belle queue comme la tienne. Il y a longtemps que tu n'as pas baisé ?

– Euh…, marmonna Sergueï.

– Tu es marié ?

– Non. J'arrive de Tchétchénie, dit-il, je suis militaire.

Glinka lui glissa une langue impérieuse dans l'oreille, et murmura :

– Alors tu dois avoir les couilles bien pleines… Tu n'aimerais pas les vider ?

Sergueï Gossak ne répondit pas. La tête lui tournait et son sexe bandé lui faisait mal. Il se tortilla dans le box, mal à l'aise. Glinka l'observait comme un faucon.

1. Petit chat.

– J'ai une piaule tout près, dit-elle, derrière la grande poste. On peut bien s'amuser là-bas. Et ça ne te coûtera pas cher…

Sergueï Gossak regarda sa montre.

– Je n'ai pas le temps ! bredouilla-t-il.

Il était déjà six heures dix. Glinka ne se démonta pas et souffla :

– Tu veux que je te suce, alors ? Je suis la meilleure suceuse du *Night Flight*. Tu peux te renseigner. Et ça ne te coûtera que cent dollars.

Il fit un calcul rapide : cela faisait deux mille cinq cents roubles ! Une fortune, le quart de ce qu'il avait touché pour tuer la journaliste. Mais son sexe lui faisait trop mal… Maladroitement, il posa la main sur le décolleté de Glinka.

– Oui, suce-moi, bredouilla-t-il.

Comme elle ne réagissait pas, il plongea la main dans sa poche.

– Si tu veux que je te suce *vraiment* bien, précisa Glinka, c'est cent vingt dollars. Tu t'en souviendras toute ta vie.

Sergueï n'en demandait pas tant, mais ajouta cinq billets de cent roubles.

Glinka les glissa dans son pantalon, puis, rapidement, descendit le Zip de celui de Sergueï, écarta le caleçon et referma les doigts autour de son sexe, le décalottant brutalement.

– Dis donc, tu as une grosse queue ! fit-elle, je ne sais pas si elle va tenir dans ma petite bouche…

Elle savait utiliser les mots qu'il fallait… Serguei se sentit partir et, comme un fou, se mit à pétrir les longs seins en poire. Tout à coup, Glinka lui échappa, glissant sous la table. Agenouillée, invisible à l'abri de la nappe, elle enfourna d'un coup le sexe tendu dans sa bouche. Sergueï Gossak poussa une exclamation étouffée : il n'avait jamais rien éprouvé de pareil.

Déjà, la langue de la jeune femme s'activait tandis qu'elle le masturbait furieusement.

Sergueï avait rêvé de se faire branler entre ses seins magnifiques, mais il n'en eut pas le temps. Sans même s'en rendre compte, il donnait de violents coups de reins, s'enfonçant encore plus au fond du gosier de Glinka. La table recula sous ses mouvements désordonnés, découvrant Glinka, et la vue de cette vestale agenouillée, son sexe enfoncé verticalement dans sa bouche, le rendit fou. Il appuya sur les cheveux noirs, sentant son sperme partir comme une fusée.

Glinka eut un hoquet, mais dut l'avaler, impuissante à se dégager de la grande main qui pesait sur sa nuque.

Sergueï Gossak avait l'impression d'avoir de la lave dans les veines. C'était trop bon ! Glinka retira enfin sa bouche de son sexe encore dur et lâcha :

– Petit salaud ! Tu as failli m'étouffer.

Elle se releva, tira sur son haut et adressa un sourire artificiel à Sergueï Gossak.

– Si tu changes d'avis, je suis en bas. *Dosvidania*[1].

Il suivit des yeux quelques secondes la croupe moulée par la satinette noire, puis se rajusta. En dépit du plaisir violent qu'il avait éprouvé, il était un peu déçu de cette prestation trop détachée.

Il jeta un coup d'œil à sa Rolex chinoise : six heures trente. Il avait juste le temps de se rendre à Leninski Prospekt.

***

Sergueï Gossak arriva un peu essoufflé devant l'entrée principale du parc Gorki, en retrait de Leninski Prospekt. Comme toujours, il y avait foule devant la monumentale entrée et autour des kiosques offrant des glaces ou des saucisses.

1. Au revoir.

Il se fraya un chemin dans la foule, cherchant des yeux ses amis.

Il les aperçut tout au fond à gauche, à côté d'un fourgon gris foncé, et se dirigea vers eux. Ils étaient entourés de plusieurs hommes en bonnet de laine et bombers kaki, à l'allure de militaires. Un peu intrigué, Sergueï Gossak les rejoignit et ils s'étreignirent très chaleureusement.

– Qui sont ces types ? demanda-t-il.

Les cinq hommes qui tapaient la semelle autour du véhicule n'étaient pas rassurants, avec leur regard dur et leurs traits inexpressifs.

Igor Stretenski baissa la voix.

– Des gens de Ramzan Kadyrov. C'est eux qui vont nous exfiltrer de Moscou. Ils ont un camp d'entraînement dans le nord.

Sergueï Gossak regarda ses nouveaux amis, soudain méfiant. C'étaient des Tchétchènes appartenant à la milice du nouveau président Kadyrov, successeur de son père assassiné trois ans plut tôt à Grozny par des *boiviki*. Ramzan Kadyrov, le fils, soutenu par le Kremlin, faisait régner la terreur en Tchétchénie, protégé par les Russes qui le laissaient se charger des sales besognes.

Le jeune Kadyrov, haï par la population tchétchène, avait repris le flambeau de son père Akhmad et comptait bien le garder, ce qui arrangeait les Russes, débarrassés d'une épine dans le pied.

– Tu les connais depuis longtemps ? demanda Sergueï Gossak.

– Quelques mois.

Un des Tchétchènes s'approcha d'eux et lança d'un ton rogue :

– *Davai*[1] !

Il désignait les portes arrière du fourgon, grandes

1. Allons-y !

ouvertes. Sergueï Gossak, jetant un coup d'œil à l'intérieur, aperçut des caisses en bois, des bancs, des armes en tas dans un coin. Il monta le premier, satisfait d'échapper à la *Milicija*, mais regrettant de ne pas avoir eu le temps de prévenir sa mère. Il l'appellerait de son portable quand elle reviendrait de son travail. Katerina Gossak était *domazabotskaïa* et faisait des ménages toute la journée. Bien entendu, elle n'avait pas de portable.

Sergueï Gossak s'installa sur un banc au fond du fourgon, prit un paquet de cigarettes dans sa poche et en alluma une, tandis que ses trois copains venaient à leur tour s'asseoir à côté de lui.

Un des Tchétchènes referma un des battants de la porte arrière. Au moment où Sergueï Gossak tirait sa première bouffée, un autre apparut devant le battant encore ouvert. Il avait déboutonné sa canadienne verdâtre, laissant apparaître une Kalachnikov modèle « para » à crosse pliante, prolongée d'un énorme silencieux. Posément, il commença à arroser les quatre hommes de projectiles de 7,62. La dernière sensation de Sergueï Gossak fut un choc violent dans l'œil droit. La balle lui traversa le cerveau, s'écrasa ensuite sur la paroi métallique séparant la cabine de l'intérieur du fourgon.

***

Le faible bruit des détonations avait été noyé dans les flonflons d'un manège voisin. Personne n'avait rien vu, les autres Tchétchènes dissimulant le tireur. Celui-ci, après avoir refermé sa canadienne, vérifia les résultats de son tir.

Les quatre Russes étaient étalés en vrac sur le plancher du fourgon. Sans un mot, trois des Tchétchènes prirent place à l'avant, tandis que les deux autres grimpaient à l'arrière. La porte à peine refermée, ils tirèrent les corps au milieu du fourgon et le chef du commando, sortant de sa poche un poignard à la lame dentelée, le planta quatre fois de suite dans le cœur des victimes.

Précaution de routine.

Ce fourgon avait été aménagé pour les *osobskié papski*, la paroi avant les séparant de la cabine était renforcée par une plaque de blindage, ce qui permettait des exécutions discrètes à l'intérieur même du fourgon.

Un des Tchétchènes entreprit de fouiller les cadavres, récupérant le pistolet qui avait servi à tuer Anna Politkovskaïa, les téléphones portables, les papiers et le peu d'argent que les quatre Russes avaient sur eux.

Le fourgon s'engagea ensuite sur le Krymski Most[1] pour reprendre la route du nord. À la sortie du pont, une voiture bleu et gris de la DPS[2] démarra brusquement derrière eux et mit sa sirène. Le Tchétchène qui conduisait ne se troubla pas et s'arrêta le long du trottoir, attendant le policier.

Celui-ci arriva à sa hauteur, renfrogné, et lança :

– Tu es passé au rouge ! Tes papiers !

Sans même lui adresser la parole, le Tchétchène lui tendit un laissez-passer orné d'une étoile rouge. Un ordre de l'armée russe, interdisant tout contrôle sur ce camion militaire.

Furieux, le policier lui jeta presque le laissez-passer à la tête et repartit. Un bakchich de moins.

Le voisin du conducteur s'étira. À neuf heures, tout serait terminé, les corps enterrés au fond de la zone boisée qui servait de champ de tir, dans des fosses assez profondes, pour que les animaux ne viennent pas les déterrer. Et on n'entendrait plus jamais parler d'eux.

Ce commando ignorait même *qui* ils avaient exécuté. Du moment que c'était un ordre du *polkovnik*

1. Le pont Krymski.
2. Police de la route : *Dozusno Patrounpyd Slujba.*

Rimaiev, le colonel du FSB faisant la liaison avec leur unité et le FSB local russe, il n'y avait pas à se poser de questions.

Tous les jours, en Tchétchénie, des gens disparaissaient ainsi, sans laisser de trace. Bientôt, le président Ramzan Kadyrov n'aurait plus aucun opposant.

CHAPITRE II

Rem Tolkatchev pénétra à 18 h 30 dans la salle du conseil de sécurité du Kremlin aux murs décorés de tapisseries des Gobelins exaltant des thèmes patriotiques. La réunion, qui se tenait chaque samedi avec tous les *siloviki*[1] et, en général, tout ceux concernés par les problèmes de défense et de sécurité, était déjà commencée depuis une heure et touchait à sa fin.

Normalement, elle était présidée par Vladimir Poutine en personne, mais, celui-ci étant absent de Russie, c'est Nikolaï Patrouchev, patron du FSB et ami d'enfance du président, qui en avait établi l'ordre du jour.

Le nouveau venu s'assit sagement et discrètement au bout de la table, adressant un petit signe au chef du FSB qui lui rendit son sourire, tout aussi discret. Certains, dans l'assistance, ne connaissaient pas les fonctions de Rem Tolkatchev et le considéraient comme le responsable des « hommes en gris » du Kremlin, dont les tâches variées pouvaient aussi bien consister à apporter son thé à Vladimir Poutine qu'à organiser une opération de désinformation…

Pourtant, Rem Tolkatchev, qui disposait d'un petit bureau dans l'aile sud du Kremlin, le *korpus* 14, était

1. Les hommes des services de sécurité.

un des hommes les plus importants de la machine présidentielle. La porte de son bureau ne portait aucun signe visible, même si son épaisseur et la sophistication de son digicode d'accès indiquait un lieu stratégique. Les rares personnes au courant de son existence l'appelaient le bureau des *osobskié papski.*

Personne n'aurait su dire depuis combien de temps il était là. On avait l'impression de l'avoir toujours vu. Ce qui n'était pas entièrement faux. Depuis seize ans, Rem Tolkatchev avait servi sans états d'âme tous les « tsars », de Gorbatchev à Vladimir Poutine.

Né en 1934 à Sverdlovsk, fils d'un général du NKVD, il avait fait toute sa carrière dans les « Organes ». C'était un *silovik* biologique. Gorbatchev l'avait fait venir au Kremlin lors de la réorganisation du Second Directorate du KGB, devenu le FSB, après avoir lu sa fiche qui ne contenait que des éloges et pas la moindre trace de corruption ou de légèreté. La mission de Rem Tolkatchev était simple, sans avoir été vraiment définie. Il était là pour résoudre les problèmes difficiles ou impossibles à aborder d'une façon ouverte.

Il suffisait d'en mentionner un en quelques lignes, sans même évoquer une solution précise, pour qu'il s'attelle à le résoudre.

Dans son armoire blindée reposaient les secrets brûlants de la période agitée qui avait succédé au communisme, de la « perestroïka » à la Russie post-communiste. La plupart des instructions qu'il donnait étaient orales. Lorsqu'il fallait un ordre écrit, c'est lui qui le tapait, en un seul exemplaire, sur une vieille Olivetti. Il se méfiait de l'électronique, trop facilement pénétrable. Et cet homme à la puissance inouïe n'avait même pas de secrétaire ! Par contre, tous les responsables des différents systèmes de sécurité, civils et militaires, connaissaient son nom et savaient qu'ils devaient lui obéir sans discuter.

C'était le bras armé du tsar.

Malgré ses soixante-treize ans, personne ne pensait à lui parler de retraite. Par qui le remplacer ?

Alors, tous les matins, il franchissait la porte Borozki du Kremlin, dans une vieille Volga toujours impeccablement briquée, venant de son appartement de la rue Kastanaievskaïa, tout à l'ouest de Moscou. Ceux qui croisaient dans la cour du Kremlin ce petit bonhomme à la crinière blanche, haut comme trois pommes, au visage impassible, ne se doutaient pas de sa puissance.

Veuf depuis treize ans, il n'avait guère de vie sociale, déjeunant la plupart du temps au buffet n°1 où on mangeait pour moins de cent roubles[1].

Anonymement.

Ceux qui connaissaient son bureau n'étaient pas plus impressionnés. Les murs étaient nus, à l'exception d'un calendrier, d'un portrait du président en exercice et d'un vieux poster édité en 1926, à l'occasion de la mort de Félix Dzerjinski, le créateur de la Tcheka – ancêtre du KGB –, l'homme qu'il admirait le plus au monde.

D'ailleurs, Rem Tolkatchev allait régulièrement méditer devant son masque mortuaire au musée du KGB de Bolchaïa Loubianka.

Il n'offrait jamais d'alcool à ses visiteurs, seulement du thé que lui-même sucrait beaucoup.

Son bureau était tout aussi nu que la pièce, à l'exception de deux téléphones et d'un registre noir régulièrement tenu à jour, fermé avec une petite clef qui ne le quittait jamais, et contenant tous les numéros dont il pouvait avoir besoin.

Bien entendu, son téléphone était relié au réseau intérieur du Kremlin, mais n'était pas listé parmi les numéros officiels. D'ailleurs, seule une poignée de gens le possédaient. Pour la plupart des hauts fonctionnaires, à

1. Environ 4 dollars.

qui on apprenait à leur nomination qui était Rem Tolkatchev, mais qui ignoraient à quoi il ressemblait. On ne connaissait que sa voix un peu aiguë, avec un accent du sud de la Russie.

Dans l'armoire grise blindée, derrière son bureau, il gardait les fiches de tous ceux qu'il avait utilisés au cours des seize dernières années, avec leurs tenants et aboutissants. Même les morts étaient là.

Il y avait de tout : *siloviki*, escrocs, tueurs, mafieux, religieux, ex-agents des « Organes ».

Pour manipuler tous ces auxiliaires, Rem Tolkatchev disposait de fonds illimités, en liquide. Des liasses de billets rangées sur une des étagères de l'armoire blindée. Lorsque la pile baissait, il remplissait un bon de commande à l'intention de l'intendant du Kremlin. L'argent lui était apporté dans la journée, sans aucun justificatif, mais Rem Tolkatchev était d'une honnêteté absolue, maladive. Il n'aurait pas distrait un seul kopeck des sommes mises à sa disposition. Son seul véritable plaisir était de servir la *rodina*[1] et celui qui l'incarnait, le président.

Depuis son veuvage, il ne sortait presque plus, se contentant d'une soirée mensuelle au Bolchoï dont il payait la place sur ses deniers personnels, ou d'un dîner dans un restaurant italien de la place Rouge.

Lorsqu'il était sous tension, il fumait de minces cigarettes multicolores à petites bouffées avides.

Son rôle était immense : sous la carapace d'un État légaliste, la Russie grouillait de services parallèles, clandestins, d'officines prêtes à tout pour aider le Kremlin à régler ses problèmes. Sans parler de tous ceux qui, dans l'appareil légal, ne pouvaient rien refuser au représentant du tsar.

La réunion se terminait. Dans le brouhaha, il

1. Patrie.

s'approcha discrètement de Nikolaï Patrouchev qui lui serra aussitôt la main avec un sourire chaleureux.

– Je sais que vous aurez Vladimir Vladimirovitch au téléphone demain, dit Rem Tolkatchev. Pouvez-vous lui souhaiter un bon anniversaire de ma part ?

Lui n'oserait pas appeler le président, même pour une mesure importante. Nikolaï Patrouchev, en temps que chef du FSB et, surtout, ami d'enfance de Vladimir Poutine, pouvait le faire.

– Je le joindrai tout de suite après cette réunion, assura Nikolaï Patrouchev. C'est tout ce qu'il faut lui dire ?

– C'est tout, assura Rem Tolkatchev.

Vladimir Poutine comprendrait. Rem Tolkatchev aurait pu régler le problème Anna Politkovskaïa une semaine plut tôt, mais il avait tenu à offrir ce cadeau d'anniversaire au président de la Russie.

Une attention délicate, en quelque sorte.

Il regarda autour de lui et aperçut un général du GRU en grande conversation avec un membre de la FAPSI[1]. Patiemment, il attendit qu'ils aient terminé et s'approcha de l'officier. Il s'agissait d'Evgueni Timokhine, qui avait été à la tête pendant deux ans de la direction des agents illégaux, à la 9e direction du GRU.

– Général Timokhine. Pouvez-vous me rejoindre dans mon bureau avant de partir ? demanda-t-il poliment.

– *Vsié normalnu*[2], assura l'officier supérieur, qui savait très bien qui était Rem Tolkatchev.

Celui-ci quitta la salle et regagna sa tanière sans se presser. La première partie de sa mission accomplie, il se sentait totalement détendu. Anna Politkovskaïa était une des dernières voix à s'élever contre le pouvoir. À plusieurs reprises, elle avait reçu des avertissements.

1. Service chargé des écoutes.
2. Pas de problème.

Deux journalistes de *Novaïa Gazeta* avaient été éliminés.

Cela n'avait pas suffi.

Il fallait que l'ordre règne dans la maison Russie. On parlerait de cet assassinat pendant quelques semaines, puis la rumeur s'éteindrait d'elle-même. On oublie très vite les morts, surtout en Russie. Jamais on ne saurait qui l'avait tuée. Ceux qui avaient liquidé ses assassins ne savaient même pas qui ils étaient.

Rem Tolkatchev nota sur son bloc de faire récompenser le colonel Rimaiev qui avait couvert l'opération. Par une mutation avantageuse qui lui permettrait de gagner quelques milliers de roubles.

On frappa à la porte et il se leva pour aller ouvrir. Il était impossible de le faire de l'extérieur.

Le général Evgueni Timokhine s'assit sur le vieux fauteuil au cuir usé qui accueillait les rares visiteurs. Mal à l'aise. Au GRU, on ne se mêlait gère des opérations spéciales du FSB ou du Kremlin. C'était trop risqué, les militaires préféraient se cantonner au militaire. Il y avait assez à faire.

Rem Tolkatchev le laissa mijoter quelques secondes avant d'annoncer avec son accent traînant :

– Général Timokhine, j'ai un problème à régler et je pense que vous pouvez m'y aider.

– Je le ferai certainement, répondit aussitôt l'officier du GRU. De quoi s'agit-il ?

Rem Tolkatchev leva ses yeux sans expression et dit lentement, d'une voix mesurée :

– De punir quelqu'un qui cause beaucoup de tort à la *rodina*. Un traître.

Le général eut une grimace de dégoût. Au GRU, on n'aimait pas les traîtres.

– Ce sera avec plaisir, *gospodine* Tolkatchev, assura-t-il.

– Bien approuva Rem Tolkatchev. Il faut que ce traître soit puni d'une façon spectaculaire. Qu'il mette longtemps à mourir, qu'il sache pourquoi il meurt et qui est responsable de cette mort. Que sa disparition soit la preuve éclatante qu'on n'échappe pas à notre glaive.

Le général du GRU demeura quelques instants silencieux, songeant aux différentes expériences menées dans son service. Enfin, il leva la tête.

– Je pense pouvoir régler ce problème, conclut-il.

Rem Tolkatchev l'écouta attentivement tandis qu'il faisait sa proposition. C'était *exactement* ce qu'il avait souhaité et il en fut réconforté.

– Très bien, conclut-il. Nous allons rester en contact. Combien de temps vous faut-il ?

– Une semaine à dix jours.

Il griffonna un numéro de téléphone sur un bloc et le tendit au général Timokhine.

– Voici ma ligne directe. Si nous nous parlons au téléphone, vous ferez allusion à l'opération « Vulcan ». Personne ne doit savoir de quoi il s'agit et qui est visé.

– Mais, *gospodine* Tolkatchev, vous ne me l'avez pas dit ! fit remarquer le général du GRU.

– C'est mieux ainsi, fit Rem Tolkatchev avec un sourire imperceptible.

Vladimir Poutine, ayant appartenu aux deux « maisons » rivales, le KGB puis le FSB, avait des relations plutôt distantes avec le GRU.

Après avoir raccompagné son visiteur, Rem Tolkatchev s'installa à son bureau et alluma une de ses petites cigarettes multicolores. Se félicitant d'avoir constitué des dossiers d'objectifs sur tous ceux qui étaient susceptibles d'encourir un jour la colère du tsar. L'homme qu'il allait frapper était déjà entouré depuis des mois d'une toile d'araignée invisible de faux amis, ou d'amis faciles à retourner, qui permettait d'accéder à lui sans problème.

Cette action constituerait le point d'orgue d'une campagne commencée au début de l'ère Poutine.

Bientôt, toute l'œuvre destructrice de Boris Eltsine aurait été effacée, les «Organes» rétablis dans toute leur puissance, et tous ceux qui avaient trop volé ou défié le pouvoir punis à hauteur de leurs méfaits.

*
* *

Malko Linge descendit de la limousine de l'hôtel *Kempinski* et dit au chauffeur de l'attendre. Inutile de se dissimuler. Dès qu'il avait franchi l'Immigration, à l'aéroport de Cheremetievo, le FSB avait appris sa présence sur le territoire russe. Donc, automatiquement, il était en danger.

Car ceux qui s'étaient opposés à lui lors de sa dernière mission, deux ans plus tôt[1], étaient toujours au pouvoir et n'avaient certainement pas oublié.

En descendant l'interminable Leningradski Prospekt, qui menait de l'aéroport au centre, il n'avait pu s'empêcher de penser à la somptueuse Irina, qui l'avait tellement aidé dans sa mission et qu'il n'avait pu sauver. Il se sentait presque coupable de revenir, ne sachant même pas où elle avait été enterrée.

Il marcha rapidement jusqu'à la *North Gate* de l'ambassade américaine qui se dressait sur le Koltso, le périphérique intérieur, et dut crier son nom au Marine de garde dans sa guérite, tant la circulation sur le Koltso était bruyante. La queue était toujours aussi longue devant la porte du consulat US. La Russie exportait du pétrole, du gaz, des pâtes et des oligarques, mais gardait ses pauvres.

Un Marine ouvrit la grille, fit passer Malko sous le portail magnétique et un autre le prit en charge, le menant jusqu'au second bâtiment, en retrait de l'ambassade. Des bureaux insonorisés, «dératisés» et fonctionnels, gardés par des Marines au crâne rasé.

1. Voir SAS n° 155 : *Le Jour de la Tcheka.*

Brian King, le chef de station de la CIA à Moscou, l'attendait devant la porte de son bureau, au cinquième étage. Toujours aussi « danseur mondain », avec ses cheveux gominés, grand, brun, beau garçon, amateur d'art moderne. Il serra vigoureusement la main de Malko.

– *Welcome back in Moscow*[1].

– Apparemment, depuis deux ans, les choses n'ont pas vraiment changé, ici, remarqua Malko.

L'Américain éclata de rire.

– Si. Les prix ! C'est de plus en plus dingue. Maintenant, quand vous allez dans les boîtes, les filles ne regardent même plus les étrangers, tant il y a d'oligarques prêts à les couvrir de fourrures et de bijoux. Pas trop fatigué ?

– Non.

– Vous avez de la chance, il fait doux. Il n'a même pas encore neigé. Venez, nous allons déjeuner dans un des nouveaux restaurants de la ville. J'ai des tas de choses à vous expliquer.

– Comment va le colonel Piotrovski ?

Leur « contact » au FSB de Moscou.

– Muté ! sourit l'Américain, quelque part en Sibérie, à Irkoutsk, je crois. Venez.

***

Rem Tolkatchev recevait en temps réel la liste des personnes arrivant en Russie, du moins celles qui pouvaient l'intéresser. Son doigt s'arrêta sur un nom et il le lut deux fois, surpris.

Pourquoi le prince Malko Linge, chef de mission de la CIA qui lui avait déjà donné du fil à retordre, revenait-il à Moscou ? Il regarda le mur nu en face de lui. Perplexe. Cela ne pouvait pas être à cause de sa

1. Bon retour à Moscou.

dernière action, une affaire intérieure russe, même si les partisans des droits de l'homme et les ONG avaient hurlé à la mort dans toute la presse internationale. La CIA n'envoyait pas un brillant chef de mission pour une affaire aussi banale.

Tous les jours, on assassinait des journalistes et des gens importants, à Moscou.

Intrigué, il décrocha son téléphone et appela son contact au FSB, le colonel Anatoli Schverchkov. Un officier sûr. Il lui demanda de surveiller le nouvel arrivant.

Lorsqu'il eut raccroché, il se dit soudain que c'était peut-être un clin d'œil du destin. La première demande de Vladimir Vladimirovitch avait été exaucée, la seconde était en cours. Cet homme avait réussi deux ans plus tôt à sortir de Russie un dossier extrêmement compromettant sur Vladimir Poutine que les Américains n'avaient pas encore exploité mais qui restait une bombe à retardement.

Il y avait donc un compte à régler.

S'il parvenait à l'éliminer de façon discrète, sans provoquer de drame avec les Américains, Vladimir Vladimirovitch en serait sûrement ravi.

Jamais deux sans trois.

CHAPITRE III

L'Appartement 44, dans Bolchaïa Nikitskaïa, était certainement un des restaurants les plus agréables de Moscou. Installé dans un véritable logement privé, au premier étage d'un vieil immeuble, on y servait un mélange de cuisine russe et internationale de très bonne qualité.

Malko acheva le petit saladier de caviar beluga de la Volga arrivé là en contrebande, vida son verre de *Standarte,* la meilleure vodka sur le marché, et laissa son regard errer sur une somptueuse blonde aux yeux d'un bleu très pâle qui semblait s'ennuyer prodigieusement à côté de sa « malédiction », un jeune oligarque à la nuque rasé et au visage aussi expressif qu'un lavabo, vêtu d'une veste de cuir noir bien coupée et d'un col roulé assorti. Sa compagne avait gardé sur les épaules une zibeline blonde qui avait dû coûter le prix d'un petit immeuble. Elle adressa à Malko un regard direct accompagné d'une esquisse de sourire. En croisant lentement ses interminables jambes moulées de bottes en fin cuir noir s'ajustant sur un caleçon de même couleur.

À cause des reflets, il ne put distinguer dans ses yeux si son prix s'exprimait en roubles ou en dollars. Ce qui faisait une *très* grosse différence. Mais, avec les

Russes, on ne savait jamais. Un coup de cœur et de vodka associés, elle pouvait aussi bien se donner pour rien… Aux autres tables, il y avait également plusieurs très jolies femmes, parfois en couple. Ce restaurant était un ravissant nid de rapaces parfumés. Une douce musique, moitié folklo, moitié classique, sortait des murs. Boiseries et bibliothèques, tableaux anciens, on se serait cru revenu avant la révolution de 1917. C'était la Russie que Malko aimait.

Brian King, le chef de station de la CIA, le fit brutalement redescendre de sa rêverie.

– Vous avez entendu parler du meurtre d'Anna Politkovskaïa ? demanda-t-il à brûle-pourpoint.

Malko hocha la tête.

– Évidemment, mais ce n'est hélas pas la première journaliste assassinée en Russie, je suis bien placé pour le savoir.

Sa dernière mission à Moscou, deux ans plus tôt, avait justement été déclenchée par l'assassinat sauvage d'une journaliste du journal *Kommerzant*, propriété de l'oligarque anti-Poutine Simion Gourevitch, Macha Ivanovna Iakouskhine, qui avait eu le tort de vouloir enquêter sur le passé de Vladimir Poutine.

Après une épopée sanglante à travers la Russie, Malko avait réussi à faire sortir du pays un épais *kompromat*[1] sur le chef du Kremlin, qui avait peut-être déjà servi dans de discrètes négociations. Lui-même n'avait échappé aux tueurs du Kremlin que de justesse.

– Anna Politkovskaïa avait un passeport américain, laissa tomber d'une voix égale Brian King.

Malko fronça les sourcils.

– Elle était américaine ?

Le chef de station corrigea aussitôt :

– Techniquement, oui. Née aux États-Unis, où ses parents étaient diplomates. Son père appartenait au

1. Dossier compromettant.

Premier Directorate du KGB. Elle possédait d'ailleurs un de nos passeports qu'elle utilisait dans ses déplacements en Europe. Plus pratique que le passeport russe.

– Ce détail a-t-il une importance ? interrogea Malko en se reversant un peu de vodka et en surveillant du coin de l'œil la blonde à la zibeline.

Son cavalier se leva et disparut vers les toilettes. Malko ne perdit pas une seconde. Prenant une de ses cartes de visite, il y griffonna le téléphone du *Kempinski* et le numéro de sa chambre, 411, se leva et avec un sourire laissa tomber la carte dans le grand sac ouvert posé aux pieds de la blonde.

– Vous la connaissez ? demanda Brian King, estomaqué.

– Non, avoua Malko, mais je vais peut-être la connaître. Si les sbires de Vladimir Vladimirovitch Poutine ne me liquident pas avant. Je ne pense pas que mon dernier passage ici ait laissé de bons souvenirs. D'ailleurs, il y a eu quelques contrats de « sous-traitance » contre moi. Vous vous souvenez ?

– Oui, reconnut sobrement Brian King. Il est certain que le tsar ne vous porte pas dans son cœur. Mais j'ai pris soin d'avertir mon homologue du FSB de votre arrivée, expliquant que vous étiez ici pour des raisons privées.

Un ange traversa le restaurant en se tordant de rire.

– Et il vous a cru ? demanda Malko.

– Le problème n'est pas là, expliqua l'Américain. Nos deux pays sont *officiellement* amis. Ils ne feront rien de spectaculaire. Mais ce serait bien que vous vous trouviez une couverture. Un « civil » à rencontrer.

Malko réfléchit rapidement et pensa soudain à Alexandra Portanski, la ravissante femme d'un peintre à qui il avait acheté quelques tableaux. Bien qu'elle lui ait administré avec la timidité qui sied à une femme bien élevée une exquise et imprévisible fellation, leur intimité n'était pas allée au-delà, Malko étant entraîné dans le tourbillon de sa mission.

– Il y a la femme de votre ami le peintre Alexei Portanski, dit-il. Nous avions sympathisé…

Le visage de Brian King s'assombrit.

– Jésus-Christ ! Vous savez ce qui lui est arrivé ? Il a eu une attaque à force d'écluser des tonneaux de vodka, et il est dans une chaise roulante.

– Triste ! Et elle ?

– Elle est admirable ! assura l'Américain. Elle veille sur lui comme si c'était son enfant. Heureusement, il avait deux cents tableaux d'avance et elle a un peu d'argent.

– Je vais tenter de joindre l'agréable à l'utile, conclut Malko. À part cela, que puis-je faire pour l'Agence ?

– *Beaucoup* ! laissa tomber le chef de station. Vous savez que les rapports entre Vladimir Poutine et notre cher George W. Bush se sont aigris, ces derniers temps. Le Président a donc signé un *finding* demandant de tenter de remonter aux sponsors du meurtre d'Anna Politkovskaïa. C'est-à-dire au Kremlin.

– Vaste chantier ! soupira Malko.

Le Kremlin disposait d'une myriade de tueurs à gages, qui étaient le plus souvent liquidés après usage. La nébuleuse des anciens du FSB, d'Afghanistan, de tous les groupes tchétchènes. Il y avait le choix : l'assassin ne coûtait pas cher, en Russie. Pour quelques milliers de dollars, on pouvait faire exécuter à peu près *n'importe qui*.

Dans l'indifférence générale.

L'oligarque à la nuque rasée était revenu des toilettes, avait payé et la zibeline filait vers la sortie. Mais, avant de s'engager dans l'escalier, la blonde se retourna, lançant à Malko un regard qui était déjà une fellation.

Celui-ci en éprouva une démangeaison agréable à l'épigastre.

Brian King se pencha sur la table et lança à mi-voix :

– Vous êtes impossible ! Je vous parle de choses *sérieuses.*

Malko sourit.

– La vie est aussi une chose sérieuse. Et cette blonde sublime fait partie de la vie.

– Le bureau du FBI de Moscou a enquêté *officiellement*, enchaîna Brian King. Ils ont vu tout le monde, y compris le juge chargé de l'affaire.

– Et alors ?

– Rien. Les *gumshoes*[1] ne sont pas dans leur élément naturel, ici. Ils ne parlent pas russe et sont tenus à une procédure stricte. Pour leur rapport à Washington, ils ont pratiquement recopié les journaux. Il n'y avait pas de témoin, les trois projectiles retirés du corps de la journaliste ne mènent nulle part et les autorités se moquent éperdument de ce meurtre. Alors, votre ami de la Maison Blanche a pensé à vous !

– Excellente idée, ironisa Malko.

Frank Capistrano, le *Special Advisor for Security* de la Maison Blanche, avait fini par le prendre pour Superman. Un superman taillable et corvéable à merci.

Brian King lui reversa sournoisement un peu de vodka et enchaîna :

– *Moi*, je pense qu'il y a une chance d'avancer dans ce dossier. Avec vous.

– Comment ?

– Je travaille avec un « privé ». Un ancien colonel du FSB reconverti dans la protection et le renseignement, Ivan Ilichev. Un « bon » type. Il nous a déjà rendu pas mal de services, parce qu'il a conservé des copains dans son ancienne maison. J'ai abordé le problème avec lui et il m'a dit qu'il aurait « peut-être » quelque chose…

1. Chaussures à clous.

L'Américain tira une carte de sa poche et griffonna une adresse.

– Voilà, c'est au 48 Varchavskoïé Chossé, au sud du Koltso, pas loin de la gare Rechnoy.

Malko empocha la carte. Sceptique. Mais, puisqu'il était à Moscou, autant suivre les instructions de Brian King.

– J'y vais, en sortant d'ici, promit-il.

***

La plaque de cuivre portait, en plus de l'inscription en caractères cyrilliques, une seconde en anglais : « AMULET LTD »

Les bureaux se trouvaient dans le premier *korpus* d'un vieil immeuble mal entretenu où des fils pendaient partout et où l'ascenseur servait depuis longtemps de soute à charbon. Chose courante à Moscou. Malko sonna et une ouverture automatique se déclencha. Une blonde grassouillette fumait, installée derrière une table dans une entrée exiguë. Elle posa ses yeux bleu porcelaine sur Malko et demanda d'une voix fatiguée :

– *Gospodine* ?

– *Gospodine* Linge. Je suis un ami de Brian King. Est-ce que Ivan Ilichev est là ?

– Je vais voir, fit la blonde en se levant.

Elle portait une mini qui moulait une chute de reins épanouie et des escarpins qui n'arrivaient pas à la grandir. Elle réapparut quelques instants plus tard, dégoulinante d'amabilité, et montra le couloir à Malko.

– *Pajolsk*[1] !

Le couloir était étroit, la poitrine de la blonde imposante et ils se frôlèrent, ce qui ne sembla pas lui déplaire. Malko pénétra dans un bureau qui empestait

1. Je vous en prie !

la cigarette. Ivan Ilichev avait le teint blafard et le cheveu gras, une tignasse noire rejetée en arrière, la chemise prête à éclater sous la pression d'un ventre énorme, plusieurs mentons cascadant sur la poitrine. Il se leva et roula jusqu'à lui.

– *Gospodine Linge ! Dobredin ! Vni gavaritie pa russki* [1] *?*

– *Da*, répondit Malko.

Rassuré, le gros homme retourna à son bureau en soufflant et alluma une cigarette. Il avait dû être beau, quarante kilos plus tôt, et avait encore le regard vif. Malko ne perdit pas de temps, attaquant en russe :

– Brian King vous a dit ce qui m'intéressait.

– Anna Politkovskaïa ?

– *Da.*

– C'est une *zakasnoié* [2], laissa tomber Ivan Ilichev. Celui qui a fait ça est mort ou déjà en Sibérie. Sauf s'il a un très bon *kricha*.

– Aucune idée ?

Ivan Ilichev souffla comme un vieux phoque et laissa tomber :

– À Moscou, pour cinquante mille petites roubles, on a ce qu'on veut. D'après les témoins, c'était un homme jeune. Il a pu être recruté dans un asile de nuit, dans un bar, ou par des copains.

– Par qui ?

Nouveau souffle.

– *Gostnaya* Politkovskaïa avait beaucoup d'ennemis. Des Tchétchènes, des Russes, des militaires. Elle se battait trop pour les droits des Tchétchènes. Elle était imprudente. On l'avait prévenue. Le pouvoir n'aime pas *Novaïa Gazeta.* C'est le dernier journal qui dit la vérité.

1. Monsieur Linge ! Bonjour ! Vous parlez russe ?
2. Un contrat.

– Donc, on ne sait rien du tueur…

– Un type jeune, avec un manteau et une casquette noire. Mince. Il utilisait une arme avec un silencieux.

Il écrasa sa cigarette au sommet d'un véritable terril qui débordait du cendrier. Pas enthousiaste. Malko sentit que c'était le moment de le motiver. Tirant une liasse de billets bleus de mille roubles, il en compta cinquante et les posa sur le bureau.

– *Gospodine* Ilichev, vous devez encore avoir des amis dans votre ancienne maison. Je voudrais effectuer une enquête discrète, mais il me faut une piste.

La blonde grassouillette passa la tête et le détective jeta à Malko :

– *Tchaï*[1] ?

– *Da*.

Aussitôt, il se pencha, écrasant de son énorme torse les dossiers étalés un peu partout, et fit disparaître les billets avant le retour de la blonde, puis lâcha :

– J'ai un copain, un colonel « sans lumière[2] », qui travaille à la Section des crimes graves à la Bolchaïa Loubianka. Je peux lui demander s'il a entendu dire des choses. Mais il faudra le motiver, parce qu'il risque gros…

Malko réussit à garder son sérieux. Le FSB de Moscou était une des institutions les plus corrompues de la Russie, et pourtant, la concurrence était rude.

– Pour un *bon* renseignement, confirma-t-il, je suis prêt à payer. Mais, *après*.

La blonde potelée apporta le thé, dans un nuage de parfum. Visiblement, elle était intime avec son patron. Celui-ci but son thé et annonça :

– *Dobre*. Revenez demain. Fin de journée. Il vaut mieux ne pas se téléphoner…

1. Thé ?
2. Sans avenir.

***

Malko avait arrêté une Lada presque neuve qui le ramena au *Kempinski* en faisant un détour bizarre. À Moscou, le transport relevait du système D. Il y avait très peu de taxis, mais chaque automobiliste était prêt à dévier de son trajet pour une somme modique. Moscou avait beaucoup changé en deux ans. De colossales tours de quarante étages s'élevaient entre le Koltso et le MK, enlaidissant encore cette ville plate.

Revenu dans sa chambre, il se retrouva face à la basilique Saint-Basile qui occupait toute la vue depuis la démolition de l'énorme hôtel *Rossia*.

En épluchant son carnet d'adresses, il retrouva le numéro d'Alexandra Portanski. Celle-ci décrocha à la première sonnerie.

– *Da* ?

– Alexandra ?

– *Da. Ya vam slichov*[1].

– Malko.

Il y eut un court silence, puis la jeune Russe poussa un petit cri ému.

– Malko ! Tu es à Moscou ?

– Oui, je suis arrivé hier soir.

– Tu sais ce qui est arrivé à Alexei ?

– Oui. C'est horrible.

La voix de la jeune femme se brisa.

– Je pleure tous les jours.

– Il est resté chez toi ?

– Bien sûr, fit la jeune femme d'un ton offusqué. Il a besoin que l'on s'occupe de lui tout le temps. Il est si malheureux : je le vois dans ses yeux. Il ne peut plus bouger, ni parler. Seulement regarder. Il doit être si frustré de ne plus pouvoir peindre…

1. Oui. Je vous écoute.

– Cela me ferait plaisir de te voir, dit Malko. Si nous dînions ensemble ?

Alexandra Portanski poussa un long soupir.

– Impossible, je ne bouge plus, je lui donne à manger comme à un enfant. Même quand je sors pour vendre des tableaux, il est malheureux. Le dimanche, quand je vais prier à l'église, je l'emmène. Si tu veux, viens manger quelque chose à la maison.

– Ce serait plus gai de sortir, insista Malko. Tu ne peux pas t'arranger ?

Alexandra Portanski soupira à nouveau.

– Il y a tellement longtemps que je ne suis plus allée au restaurant... Écoute, fit-elle soudain, je vais voir si je peux m'arranger pour le faire garder, mais il ne faudra pas rentrer tard. Tu es au *Kempinski* ?

– Oui.

– Je te rappelle.

Elle le rappela dix minutes plus tard, heureuse comme une petite fille.

– Un ami va venir lui donner à manger. Huit heures et demie. Tu te souviens de l'adresse ?

– Bien sûr, dit Malko. À tout à l'heure.

*
* *

Rem Tolkatchev avait commencé à parcourir le rapport du FSB concernant les faits et gestes de Malko Linge, l'agent de la CIA qui lui avait causé tant de problèmes deux ans plus tôt. Pourquoi était-il à Moscou ?

Sa visite à l'ancien colonel du FSB Ivan Ilichev l'intriguait. Il alla ouvrir sa petite armoire blindée et sortit la fiche de l'ex-officier. Parcours classique. Il vivotait de différents petits business, conseillait les sociétés étrangères voulant travailler en Russie et avait des liens étroits avec la CIA qu'il enfumait consciencieusement, tout en donnant parfois de vrais tuyaux. Il avait encore des copains au FSB, mais n'était pas considéré comme un ennemi du régime. Rem Tolkatchev referma le coffre. On frappa à sa porte. Un « homme en gris » lui remit sans un mot une enveloppe qu'il ouvrit.

Cela venait de son contact au FSB, le colonel Anatoli Schverchkov.

« Ivan Ilichev a rendu visite au colonel Dimitri Ivanov, de la 3e section », disait la note.

La Section des crimes graves.

Donc, la CIA avait envoyé son « contact » aux nouvelles... Rem Tolkatchev décrocha son téléphone et appela Anatoli Schverchkov.

– J'ai besoin de savoir ce que Ivan Ilichev est venu demander à Dimitri Ivanov, demanda-t-il.

– Je vous rappelle dans une heure, dit son interlocuteur. Moins, si c'est urgent.

– Ce n'est pas très urgent, assura Rem Tolkatchev. Juste une vérification.

Son correspondant rappela vingt minutes plus tard et annonça simplement :

– Ivan Ilichev cherchait des informations sur celui qui a liquidé la journaliste. C'est ennuyeux ?

– Non, assura Rem Tolkatchev. Merci.

Après avoir raccroché, il alluma une de ses cigarettes multicolores et réfléchit. L'homme recherché par les Américains reposait sous six pieds de terre dans un bois, à la périphérie de Moscou, il n'y avait donc aucun risque de le retrouver. Il sourit tout seul, se disant que les Américains étaient décidément bien naïfs. À Moscou, on arrêtait rarement les assassins. La démarche de l'ancien colonel du FSB ne présentait aucun danger. Il regarda sa montre : il était peut-être temps d'aller voir un ballet qu'il appréciait. Le Bolchoï était fermé pour réparation, mais les représentations continuaient dans un bâtiment voisin du grand théâtre.

Il avait déjà éteint la lumière lorsqu'une idée lui traversa l'esprit.

Une idée qui fit monter son pouls de satisfaction. Il ralluma, se remit à son bureau et rappela le colonel Schverchkov, son correspondant à la Bolchaïa Loubianka.

– Je peux vous parler ? demanda-t-il.

– Oui.

– Vous allez convoquer Dimitri Ivanov. Il faut qu'il donne certaines informations à Ivan Ilichev.

– Lesquelles ? demanda son correspondant d'une voix égale.

– Je vais vous l'expliquer, annonça Rem Tolkatchev.

Plus aucun journal ne parlait du meurtre d'Anna Politkovskaïa. Comme si elle n'avait jamais existé. D'ailleurs, les uns après les autres, les médias russes hostiles au pouvoir avaient été rachetés ou liquidés. Et les individus qui s'obstinaient à se conduire mal avec la *rodina* finissaient sous les balles de tueurs jamais identifiés ou succombaient à de mystérieuses maladies.

L'ordre régnait sur la Russie de Vladimir Poutine. Et comme pour le récompenser, Dieu lui donnait un hiver clément. Alors qu'on aurait dû grelotter, il faisait cinq ou six degrés au-dessus de zéro. Du jamais vu fin octobre, à Moscou.

Malko traversa le hall du *Kempinski*, envahi par les habituels groupes de businessmen de toutes les nationalités et quelques putes esseulées rencognées dans les canapés du fond, et s'installa dans la limousine du *Kempiski*. Pas besoin de se cacher pour aller chez Alexandra Portanski.

Il retrouva facilement la petite rue près de Petrovski Boulvar, puis le vieil immeuble où les Portanski demeuraient au cinquième étage. L'odeur de chou le prit à la gorge lorsqu'il entra. Des fils électriques pendaient partout, les murs étaient noirs de crasse, mais, miracle, l'ascenseur fonctionnait. Il l'emmena au cinquième à une allure d'escargot.

Alexandra Portanski l'attendait devant la porte ouverte du cinquième, ses cheveux blonds sagement nattés autour de sa tête, vêtue d'une longue robe vert émeraude qui avait autant de boutons qu'un mille-pattes a de pattes. Elle l'avait senti arriver, comme un chat.

Sans un mot, elle l'étreignit de chaque centimètre carré de son corps, le visage dans son cou. Elle en tremblait presque. Malko sentit s'éveiller sa libido et Alexandra s'en rendit compte, s'écartant vivement.

– Je suis si contente de te voir ! lança-t-elle, viens. Alexei va être heureux aussi.

Elle le prit par la main et l'entraîna à travers le vieil appartement qui n'avait pas été refait depuis soixante-dix ans. Rien n'avait changé depuis la dernière visite de Malko. Celui-ci eut un choc en découvrant le peintre, installé dans une chambre aux sombres tentures, devant une télévision, dans un fauteuil roulant. Sa barbe descendait jusqu'à sa ceinture, il avait les cheveux en broussaille et, quand il tourna la tête vers Malko, celui-ci découvrit un regard vide. Sa main gauche tremblait légèrement.

Alexandra se mit à lui parler à l'oreille et le regard du vieil homme s'anima ; il essaya de prononcer quelques mots, mais n'émit qu'un bruit incompréhensible. Malko en avait le cœur serré. Il ne put que lui sourire et prendre sa main dans la sienne.

– Il te reconnaît ! affirma Alexandra. Il se souvient que tu lui as acheté plusieurs tableaux. Tu les as toujours ?

– Bien sûr !

Un jeune homme pénétra dans la pièce, un *baian* [1] à la main, salua d'un signe de tête, s'installa sur un tabouret et se mit à jouer doucement de son instrument.

1. Accordéon russe.

Alexandra alla prendre un carafon de vodka sur une commode, en remplit un verre et le fit boire à son mari.

– Quand je sors, je lui donne toujours un peu de vodka, dit-elle. *Davai.*

Dans l'ascenseur, elle se serra de nouveau contre lui et cette fois, il caressa sa chute de reins, lui arrachant un petit soupir ravi qu'elle ravala aussitôt.

– Il ne faut pas me tenter ! supplia-t-elle, je vis comme une nonne, désormais.

Cela ne devait pas la changer beaucoup. Deux ans plus tôt, elle avait avoué à Malko que son mari ne la touchait plus, trop absorbé par la peinture et la vodka...

– Où veux-tu aller ? demanda-t-il.

Elle rougit presque.

– Il y a un nouvel endroit, dit-elle timidement. Le *Turandot*, à côté du *Café Pouchkine*, mais c'est très cher.

– *Davai*, dit Malko.

*
* *

Les deux « hommes en gris » qui n'avaient pas quitté Malko d'une semelle depuis son départ du *Kempinski* ne savaient même pas qui il était. Ils devaient seulement noter tout ce qu'il faisait, tous ceux qu'il rencontrait.

Aucune action offensive et de la discrétion.

Ils rendaient compte à la section du FSB chargée de la surveillance des étrangers. La suite ne les regardait pas. La surveillance des étrangers était facilitée par le fait que les anciennes installations du Second Directorate du KGB, les chambres sonorisées, les informateurs dans les hôtels, les caméras parfois, n'avaient pas disparu. Elles avaient seulement été modernisées.

Ils le regardèrent sortir de la limousine et disparaître dans un immeuble. Ils notèrent soigneusement l'adresse. Plus tard, on arriverait à savoir chez qui il était allé.

CHAPITRE IV

Un serveur en perruque, déguisé en valet du XVIIIe siècle mais arborant une bonne tête ronde de moujik, servit maladroitement à Alexandra Portanski une louche de caviar prise dans un saladier de cristal, tandis qu'un autre débouchait avec effort une bouteille de Taittinger Comtes de Champagne Rosé. Le *Turandot* était installé dans un magnifique palais XVIIIe reconstitué, avec des serveurs en costumes, des bougies, des boiseries. Un décor hors du temps, comme un théâtre.

Tout était de style.

La salle du premier était à moitié vide, car les Russes n'appréciaient pas trop le côté guindé des lieux. À côté, au *Café Pouchkine*, c'était nettement plus gai. L'endroit, sélect à sa création, en 1996, était devenu une sorte de brasserie chic.

Alexandra Portanski trempa sa cuillère de cristal dans le caviar, des étoiles plein les yeux, et fixa Malko.

– Comme je suis heureuse ! Je rêvais de venir ici depuis longtemps, j'ai l'impression de retourner des siècles en arrière, d'être à la cour du tsar !

Malko regarda autour de lui : le personnel déguisé était aussi mal à l'aise que les clients. Il laissa la jeune femme déguster son caviar avec délicatesse, comme un chat, avant de demander :

– Tu as entendu parler de l'assassinat d'Anna Politkovskaïa ?

Alexandra Portanski pâlit d'un coup.

– Bien sûr, répondit-elle en baissant la voix, mais il ne faut pas en parler. Ce sont les « Organes » qui l'ont tuée. Elle attaquait tout le temps le Kremlin. Déjà, elle avait reçu un avertissement. On l'avait un peu empoisonnée. Elle aurait dû se taire…

La jeune Russe regarda autour d'elle, les cristaux, les valets en tenue et les clients élégants et guindés, avant de murmurer :

– Avant, du temps du drapeau rouge, quand on se conduisait mal, on était déporté. En Sibérie ou dans l'Oural. Mais, parfois, on revenait. Désormais, on vous abat comme un chien, sans que personne s'en soucie. Anna Politkovskaïa ne reviendra plus jamais. Comme tous ceux qui sont tombés sous les balles des « huissiers » du pouvoir. Pendant soixante-dix ans, le KGB a rêvé d'un pouvoir sans partage. Il l'a, grâce à Vladimir Vladimirovitch. La différence, c'est qu'avant personne n'avait d'argent, même pas les apparatchiks les plus élevés. Maintenant, les roubles coulent par milliards, pour un petit nombre. Ces imbéciles d'Occidentaux croient que Poutine est comme eux, mais ils se trompent. C'est un tsar qui ne respecte que la force et l'ordre. Mais comme, désormais, on a le droit de gagner de l'argent, le *narod*[1] est content.

Elle eut un petit rire nerveux et ajouta, encore plus bas :

– Je parle comme ça parce que j'ai bu, mais il y a peut-être des micros. Après, je risque d'être renversée par une voiture. Et qu'est-ce que deviendrait Alexei Sergueïevitch ?

1. Peuple.

Un valet en perruque lui reversa du Taittinger qu'elle but lentement. Puis elle prit la main de Malko, radieuse.

– Je crois que c'est la première fois depuis l'accident d'Alexei que je me détends !

Ils terminèrent avec un *vatrouchka* et encore un peu de champagne. Alexandra regarda sa montre et s'écria :

– *Bolchemoi !* Il est tard, il faut que je rentre.

Ils se retrouvèrent dans la limousine du *Kempinski*, conduite par un chauffeur qui ressemblait à Frankenstein. Alexandra Portanski posa sa tête sur l'épaule de Malko et garda sa main dans la sienne pendant tout le trajet. Quand la voiture s'arrêta en bas de son immeuble, elle sursauta et se tourna vers lui.

– Tu reviendras me voir ?

– Je t'accompagne ! proposa Malko.

Il jeta au chauffeur :

– Vous pouvez rentrer à l'hôtel.

Alexandra ne protesta pas. Dès qu'ils furent dans l'ascenseur, elle embrassa soudain Malko, incrustée contre lui. Leur baiser se prolongea jusqu'au cinquième étage... Essoufflée, la jeune femme eut du mal à trouver sa clef. L'appartement était sombre et silencieux. Elle alluma et Malko la vit filer vers la chambre. Il l'attendait dans la salle à manger, appuyé à la lourde table de bois sombre. La jeune femme revint, visiblement contrariée.

– Ce petit salaud de Guennadi est parti ! Et il a fait boire trop de vodka à Alexei... Je lui avais pourtant donné cent cinquante roubles !

– Alexei est malade ?

– Non, il dort, dans son fauteuil. Je n'aurai jamais la force de le porter sur son lit. Enfin, *nitchevo*, c'était une soirée magnifique !

Ils se regardèrent, à quelques centimètres l'un de l'autre. Puis, Alexandra s'approcha de lui et dit à voix basse :

– Un tout petit baiser…

Mais c'est presque avec rage qu'elle vint s'incruster contre Malko, l'embrassant à perdre le souffle, pressant son bassin contre le sien. Il se mit à la caresser à travers sa longue robe et elle gémit. Sous le tissu, il sentit durcir les pointes de ses petits seins. Appuyée à la table, Alexandra s'abandonnait de plus en plus.

Sournoisement, Malko commença à défaire les innombrables boutons de la longue robe, jusqu'à dégager les cuisses gainées de bas noirs, le petit triangle de dentelle du slip. Alexandra eut un sursaut.

– Non, il ne faut pas !

Il la massait déjà à travers la dentelle et sentit son excitation, ce qui l'excita encore plus. Oubliant la présence d'Alexei dans la chambre, chauffé à blanc par ce flirt torride, il baissa son Zip, dégageant son sexe tendu. Aussitôt, Alexandra s'arracha à sa bouche et souffla :

– Non, Alexei est là !

Malko ne pensait plus à Alexei. En dépit des protestations d'Alexandra, il fit descendre le triangle de dentelle noire le long de ses jambes, défit encore quelques boutons, écarta doucement les cuisses de la jeune femme avec son genou. Alexandra s'accrochait à son cou comme une noyée. Elle tressaillit de tout son corps quand elle sentit le membre dur s'enfoncer dans son ventre. C'était la première fois qu'ils faisaient l'amour. Elle demeura d'abord sans réaction, puis son bassin s'anima et elle embrassa Malko avec encore plus de violence. Doucement, il pesa sur ses épaules, la renversant sur le bois sombre de la table. Les pieds d'Alexandra décollèrent du sol et, lorsqu'elle fut allongée complètement sur la table, Malko passa les mains sous ses cuisses, dressant ses jambes à la verticale. Dans cette position, il se mit à la marteler à coups puissants. Chaque fois que son membre s'enfonçait au fond de son ventre, Alexandra émettait un râle bref, s'accrochant des deux mains au rebord de la table pour ne pas glisser. Quand elle sentit Malko la prendre de plus en plus vite, son râle s'accentua, se transformant en hurlement au moment où il se répandait en elle.

Ses jambes retombèrent, mais elle resta sur la table, le sexe encore fiché en elle. Malko était en train de redescendre sur terre lorsqu'il entendit un grincement répété venant du fond de l'appartement.

Alexandra le repoussa soudain comme une folle, se remit debout, tâchant de reboutonner fébrilement sa robe. Affolée. Malko tourna la tête vers le fond de la pièce et vit soudain surgir le fauteuil roulant d'Alexei Portanski.

Son pouls grimpa au plafond. Déjà, Alexandra s'était placée devant lui et lançait :

– Alexei ! Je suis là !

Dès qu'il entendit sa voix, son mari arrêta son fauteuil roulant. Le cœur dans la gorge, Malko finissait de se rajuster. Mort de honte. Alexandra Portanski courut vers son mari, murmura quelques mots à son oreille, fit pivoter le fauteuil et le poussa dans sa chambre.

Lorsqu'elle revint, elle avait le regard brouillé.

– Il n'a rien vu, affirma-t-elle tout de suite. Il a entendu du bruit et a eu peur. *Bolchemoi !*

Elle prit la main de Malko et la plaça sur son sein gauche. Il sentit les battement affolés de son cœur.

– J'ai cru que j'allais mourir de plaisir ! dit-elle, je n'avais pas fait l'amour depuis si longtemps... *Tebe mavitsa*[1] ? ajouta-t-elle plus bas.

– Beaucoup, affirma Malko. Mais la prochaine fois, tu viendras au *Kempinski*.

– Il n'y aura pas de prochaine fois, assura Alexandra d'une voix presque ferme. Je ne veux pas faire de peine à Alexei. Va-t'en, maintenant.

Malko lui baisa les doigts.

1. Tu as aimé ?

– Je t'appelle demain.

Elle le raccompagna jusqu'à l'ascenseur et l'embrassa encore avec passion.

En sortant dans la rue sombre et déserte, il regarda autour de lui. Une Audi foncée était stationnée en face. Il lui sembla qu'elle était déjà là avant. Il essaya de voir de loin si elle était occupée. N'y parvenant pas, il décida de passer à côté d'elle et aperçut à l'intérieur deux hommes immobiles comme des momies.

Il continua sans se retourner. Lorsqu'il arriva au coin du boulevard, la voiture n'avait pas bougé. Ce n'est qu'au moment où il tournait qu'il vit ses phares s'allumer.

Brian King avait peut-être fait preuve de trop d'optimisme.

***

Le chef de station de la CIA se trouvait dans le « *yellow submarine*[1] » quand Malko arriva à l'ambassade. C'était une survivance de la guerre froide, lorsque le KGB piégeait frénétiquement toutes les ambassades étrangères. Un caisson métallique de trente mètres carrés auquel on accédait par trois portes blindées, suspendu sur coussin d'air, sans aucun appareillage électronique.

L'Américain était en train de téléphoner à Langley. Malko attendit qu'il ait terminé pour lui faire son rapport. Omettant de mentionner la conclusion de son dîner avec Alexandra Portanski.

Brian King tendit à Malko un mince dossier jaune.

– Voilà le dossier du FBI. Il n'y a pas grand-chose.

Malko l'ouvrit. À part une photo pas très nette d'un jeune homme en casquette noire sortant de l'immeuble de la journaliste, il n'y avait aucune information

1. Le « sous-marin jaune ».

utilisable. Anna Politkovskaïa vivait seule, ses deux enfants habitant un peu plus loin. Elle avait été enterrée le mardi suivant son assassinat au cimetière de Troparovskoïe.

– On a diffusé cette photo ? demanda-t-il.

L'Américain leva les yeux au ciel.

– *Of course, not*[1] *!*

– Aucune idée de l'identité de cet individu ?

– Aucune. Le juge chargé de l'enquête cherche parmi les hommes qui ont servi en Tchétchénie et ont été démobilisés. Anna Politkovskaïa a dénoncé beaucoup d'exactions.

– C'est chercher une aiguille dans une botte de foin, conclut Malko. Je vais retourner voir Amulet Ltd… À propos, je suis suivi.

Brian King réagit avec modération.

– C'est de l'intimidation, affirma-t-il. Ils ne feront rien. Vous voulez une arme ?

– À quoi bon ? soupira Malko. Il faudrait me donner aussi une armure.

*
* *

Le colonel Dimitri Ivanov avait donné rendez-vous à son copain Ivan Ilichev au *Chit y Metch*[2], le restaurant situé juste en face du siège du FSB de Moscou, dans Bolchaïa Loubianka. Là, il n'y avait que des *siloviki*, dans une atmosphère enfumée et bruyante. Le colonel Ivanov était installé au fond, près du bar, devant une platée de saucisses et une énorme bière. Son copain en commanda une aussi. Un peu étonné que l'autre ait réagi aussi vite.

– *Dobre*, fit le colonel du FSB lorsqu'il eut terminé sa saucisse, petit frère, tu as de la chance !

1. Bien sûr que non !
2. Le glaive et le bouclier.

– Ah bon ! Pourquoi ? s'étonna Ivan Ilichev.

– J'ai vu un copain à la Section des crimes graves. Ils ont identifié le type qui a tiré sur la journaliste !

– *Bolchemoi !* Tu plaisantes ?

– J'ai l'air de plaisanter ?

– Non, reconnut l'ancien du FSB. Mais ils n'ont rien dit au juge ou au procureur ?

Le colonel Ivanov se pencha au-dessus de la table.

– Ils ne diront rien. C'est une affaire *besprosvetni*[1]. Les militaires ne diront rien. Le type qui a fait ça avait de très bonnes raisons.

– Qui est-ce ?

Dimitri Ivanov sourit et tendit la main, paume en l'air.

– Pour deux cent mille roubles, tu sauras *tout*.

– C'est beaucoup d'argent.

– C'est une information qui vaut beaucoup d'argent, souligna le colonel du FSB. Si je me fais prendre, je me retrouve à Lefortovo. Ou pire. Tu es preneur ?

– Je te le dis ce soir.

*
* *

Cette fois, la blonde potelée introduisit Malko chez son patron sans aucune question. Ivan Ilichev semblait très excité.

– Je crois que je n'ai pas perdu mon temps ! annonça-t-il. Mon copain a identifié le tueur d'Anna Politkovskaïa.

– Qui est-ce ?

– Il veut trois cent mille roubles, précisa le Russe, et il ne baissera pas.

Malko fit un calcul rapide. Cela ne faisait jamais qu'un peu plus de dix mille dollars.

– Je vais en parler à Brian King, dit-il. Je reviens dans deux heures.

1. Sans avenir.

***

Cela ne tenait pas beaucoup de place. Une *grosse* enveloppe marron. Brian King regarda Malko, soudain inquiet, puis plongea la main dans un tiroir. Il la ressortit, tenant par le canon un Glock 9 mm qu'il tendit à Malko.

– Prenez ça. C'est l'argent des contribuables américains. Je ne voudrais pas qu'on vous le pique…

Malko glissa le pistolet dans sa ceinture, à la hauteur de la colonne vertébrale. Son enquête avançait plus vite qu'il ne l'aurait cru. C'était presque trop beau… Le chef de station n'avait pas hésité à accepter la proposition d'Ivan Ilichev, allant immédiatement dans son coffre prendre l'argent. Il n'avait plus qu'à repartir à Varchavskoïé Chossé. Cette fois, Malko arrêta une voiture sur le Koltso et, pour cent roubles, arriva à destination.

La blonde potelée lui jeta un regard langoureux mais ne posa pas de question. Lorsque Malko posa l'enveloppe sur le bureau, le gros Russe passa la main dans ses cheveux gras.

– Vous avez fait vite, remarqua-t-il.

Regrettant de ne pas avoir demandé le double…

– Comment procédons-nous ? questionna Malko.

– Je vais voir tout de suite mon ami, à la Bolchaïa Loubianka. Vous connaissez le *Vogue Café*, à côté du *Metropole* ?

– Je trouverai, assura Malko.

– À six heures là-bas, commandez-moi une pizza !

***

À peine Malko avait-il claqué la porte que Tania, la secrétaire d'Ivan Ilichev, se glissa dans le bureau de son patron. Occupé à compter les liasses de billets, Ivan

Ilichev ne l'entendit pas entrer et n'eut pas le temps de les dissimuler. Tania était déjà contre lui, le regard luisant de convoitise.

– Tu ne crois pas que je mérite quelques petits roubles ? roucoula-t-elle.

– Ce n'est pas pour moi, prétendit Ivan Ilichev.

Oubliant qu'il avait déjà fait deux tas... Tania se glissa entre le bureau et son patron, poussant son petit corps entre ses énormes cuisses. Ivan Ilichev dut provisoirement abandonner les billets, car ses bras n'étaient pas assez longs. Tania savait comment le prendre. Sans un mot, elle défit d'abord sa ceinture sur son ventre imposant, puis le caleçon rouge, qu'elle fit descendre d'un coup sec, découvrant un énorme gourdin rougeâtre qui pendait le long de sa cuisse.

Elle le prit à deux mains, ouvrit la bouche toute grande et ses lèvres se refermèrent sur le gland, réussissant à avaler une bonne partie du monstre. Une spécialité qu'elle avait apprise en regardant le vieux film X américain *Deep Throat*. Elle se mit à le pomper goulûment, passant une main au fond du caleçon pour agacer ses énormes testicules.

Ivan Ilichev, conquis, râlait comme une forge. Cette minuscule salope savait le satisfaire.

En quelques minutes, son membre d'âne se dressa vers le ciel. Tania se leva vivement, lui tourna le dos, se tortilla un peu pour placer le membre à l'entrée de son sexe. Ensuite elle se laissa tomber et l'engloutit d'un coup. Ça lui remontait jusqu'à l'estomac...

Ivan Ilichev referma alors ses énormes battoirs sur ses hanches, l'empalant encore plus. Souvent, les autres femmes minaudaient devant ses attributs monstrueux, mais Tania engloutissait tout, comme si son ventre avait été élastique.

Pendant qu'il essayait de l'ouvrir en deux, la secrétaire se pencha vers le bureau et ramassa à pleines mains des liasses de billets qu'elle glissa sous son pull.

Les yeux fermés, tout à son truc, son patron ne vit rien. Lorsqu'il jouit avec des grognements de verrat en rut, Tania lui échappa très vite, le laissant avec son gros mandrin qui commençait à s'incliner comme un drapeau en berne. Elle s'arrêta à peine à la réception. Enfournant les billets en vrac dans son sac, elle fonça dans l'escalier. Ivan Ilichev serait capable de l'écorcher vive pour lui reprendre cet argent…

Dans son bureau, Ivan Ilichev était en train de se rajuster quand il réalisa le larcin. Fou de rage, il se rua vers la réception dans un concert de jurons. Sa rage s'accrut encore lorsqu'il constata la disparition de sa secrétaire.

Il dut ensuite reprendre les billets et les compter un par un, mettant de côté les deux cent mille roubles du colonel Ivanov. Il ne lui restait plus que quatre-vingt mille roubles, qu'il rangea dans un coffre dont Tania n'avait pas la clef.

C'était quand même une bonne journée. Il bénit sa chance de travailler avec les *Amerikanski*. En Russie, avec de l'argent, on pouvait tout se procurer.

Le *Vogue Café* avait une clientèle jeune et branchée. Des filles superbes à la moue hautaine, accompagnées de garçons au crâne rasé et à l'air dur, qui buvaient avec affectation du vin rouge, plus chic que la vodka. Malko était là depuis vingt minutes quand Ivan Ilichev fit son apparition, dans un manteau de cuir fatigué. Il se glissa à côté de Malko, ébaucha un vague sourire et demanda :

– Vous avez de quoi écrire ?

Celui-ci sortit son stylo, intrigué. Penché au-dessus de la table, Ivan Ilichev dit à voix basse :

– Il s'appelle Sergueï Gossak. C'est un ancien *praportchik* du régiment Vostok, qui a servi en Tchétchénie.

– Comment a-t-il été identifié ? demanda Malko, sceptique.

– Grâce aux caméras. Il a été photographié en sortant de l'immeuble d'Anna Politkovskaïa.

Malko sentit son scepticisme grandir.

– C'est un peu juste. J'ai vu ce cliché. Des gens comme lui, il y en a des milliers.

Ivan Ilichev eut un sourire malin.

– *Da*. Mais Sergueï Gossak était *déjà* connu de la police. Il avait été arrêté l'année dernière en Tchétchénie où il servait, par une unité spéciale du FSB. Pour une affaire de trafic de cadavres. Il revendait aux familles tchétchènes les corps des gens abattus au cours des opérations, souvent par erreur. Il a été jugé et condamné à six mois de prison qu'il a effectués à Lefortovo. Il en est sorti dix jours avant le meurtre de Politkovskaïa.

Malko commençait à sentir des démangeaisons au bout de ses doigts. Tout cela *sentait* le vrai.

– Il a été loué pour une *zakasnoïé* ? interrogea Malko.

Schéma classique. Le détective hocha la tête et tira de sa poche un morceau de journal plié qu'il ouvrit.

– C'est possible, mais il y a une autre explication, lisez.

C'était la photocopie d'un article de journal. Un numéro de *Novaïa Gazeta* vieux d'un an. L'histoire du trafic de cadavres à Grozny. Le nom du régiment Vostok et celui de Sergueï Gossak s'y trouvaient, expliquant le rôle du *praportchik* dans l'abominable trafic.

L'article était signé Anna Politkovskaïa...

– Gardez-le, fit le Russe avec un ricanement. Il vaut deux cent mille roubles...

Malko l'avait déjà plié et mis dans sa poche.

– Où est ce Sergueï Gossak maintenant ?

Ivan Ilichev leva les yeux au ciel.

– Le FSB voudrait bien le savoir... Ils ont interrogé

tous ses copains. Après le meurtre, il a disparu et n'a plus donné signe de vie.

– Pourquoi veulent-ils le retrouver ? Pour le liquider ?

Ivan Ilichev réussit à avoir l'air choqué.

– *Niet !* C'est un ordre de Nikolaï Patrouchev. Qui lui-même l'a reçu du Kremlin. Vladimir Vladimirovitch veut faire un exemple. Montrer qu'il protège la liberté de la presse et punit ceux qui tuent ou intimident des journalistes.

Un ange traversa le *Vogue Café*, volant en zigzag tant il se tordait de rire. Hélas, c'était vraisemblable... Ivan Ilichev lança à Malko à mi-voix :

– Bien entendu, personne ne doit savoir ce que je vous ai dit. C'est un secret d'État.

– Pourtant, cela aiderait les recherches...

– Le FSB veut l'attraper lui-même, sans y mêler un service de police local ou le MVD[1]. Ils sont les seuls à posséder cette information. Même le juge ne l'a pas. Mon copain m'a dit qu'ils avaient mis la mère de Sergueï Gossak sur écoutes. Il va bien finir par lui donner signe de vie. Il y a aussi des gens qui planquent chez elle. *Karacho*, vous êtes content ?

– Pas tout à fait, corrigea Malko. Je voudrais pouvoir parler à ce Sergueï *avant* qu'on le retrouve.

– C'est impossible !

– Pas forcément. Votre copain apprendra où il se planque, s'il appelle sa mère. Je paierai très cher pour pouvoir l'interviewer. Dites-le-lui.

Le Russe ne manifesta pas un enthousiasme délirant.

– Vous vous rendez compte ! Vous êtes un agent *étranger*, *amerikanski*. C'est un coup à se retrouver à Lefortovo pour vingt ans. Ou avec une balle dans la nuque.

Malko ne se laissa pas démonter, connaissant la vénalité des officiers supérieurs du FSB.

1. Ministère de l'Intérieur.

– Retournez voir votre copain, dit-il. Dites-lui que, cette fois, c'est un million de roubles qu'il aura. Et deux cent mille pour vous. *Karacho ?*

Ivan Ilichev se leva, le visage fermé. Il n'avait même pas touché à son expresso.

– Je vais essayer, fit-il, mais n'y comptez pas.

– *Nitchevo !* conclut Malko. Essayez. Il s'agit de beaucoup d'argent.

Ils sortirent en même temps et il vit le gros Russe partir à pied vers la place Loubianka. Il allait transmettre son offre. Lui marcha jusqu'au *Metropole* où il savait pouvoir trouver un taxi, et lança :

– *Amerikanski posolstro*[1] *!*

*
* *

Le *Chit y Metch* était bourré et on s'entendait à peine, tant les vociférations des clients étaient fortes. Ivan Ilichev se fraya un chemin jusqu'au bar et commanda une bière. Il avait donné rendez-vous de son portable au colonel Ivanov. Son portable sonna. C'était lui.

– Rejoins-moi au *rinog*[2], dit le colonel du FSB.

Ivan Ilichev paya sa bière sans même avoir envie de la boire. Le *Loubianka rinog* se trouvait un peu plus bas. Il retrouva son ami en extase devant des bocaux de champignons, la folie des Russes. Ensuite, l'officier du FSB fila au rayon du caviar noir et discuta longuement l'achat d'une boîte de cinq cents grammes, après en avoir goûté une dizaine. Le marchand azerbaïdjanais le laissa faire. Il devait savoir à qui il avait affaire... Ce n'est qu'à la sortie que le colonel *besprosvetni* adressa la parole à Ilichev.

1. Ambassade américaine !
2. Marché.

– Il ne faut pas qu'on nous voie trop ensemble… Alors, ton client est content ?

– *Da*. Mais il veut autre chose.

– Quoi ?

– Quand tu l'auras retrouvé, que tu lui dises où est Sergueï Gossak ! Pour l'interroger. Il offre un million de roubles.

Le colonel du FSB éclata de rire.

– Il est fou ! Tu sais bien que c'est impossible.

– Je sais, reconnut Ivan Ilichev, piteux.

L'autre avait déjà fini de rire. Ses yeux gris dans les siens, il pointa son gros index sur la poitrine d'Ivan Ilichev.

– *Deux* millions. Payables d'avance, ici, au marché.

CHAPITRE V

– Vous êtes sûr que cela vaut la peine ? demanda Brian King. Du moment que les autorités russes veulent réagir, notre mission n'a plus d'objet. Il s'agissait *éventuellement* d'embarrasser Poutine si on pouvait le mêler à ce meurtre, même indirectement. Une sorte de *kompromat*.

Malko regarda le chef de station. Décidément, les Américains étaient indécrottablement naïfs. Les deux hommes s'étaient installés sur les fauteuils spartiates du « *yellow submarine* » pour être sûrs de ne pas être écoutés.

– Brian, dit Malko, je vous ai répété ce que pense le FSB, mais ne n'est qu'une *hypothèse*. Ils ignorent si Sergueï Gossak n'a pas été approché par une officine quelconque qui lui a donné une *zakasnoïé*. Et là, nous retomberions sur le cas numéro un.

L'Américain alluma une cigarette, pensif.

– Évidemment, reconnut-il, cela tient la route. Mais deux millions de roubles, cela fait beaucoup d'argent…

– Environ trois minutes de guerre en Irak, corrigea suavement Malko.

– O.K., je vais demander des instructions à Langley, conclut le chef de station sans relever. En attendant, profitez de l'été indien moscovite.

Tout était relatif. Il ne faisait guère plus de six degrés…

– De toute façon, conclut Malko, je n'ai pas l'intention de m'éterniser. Il y a pas mal de chasses en Haute-Autriche que je ne voudrais pas rater.

Et Alexandra n'aimait pas le savoir à Moscou.

En sortant, il partit à pied sur le Koltso. Pour l'instant, il n'avait plus rien à faire à Moscou. Sauf une chose, dont il n'avait pas voulu parler à Brian King pour ne pas lui causer de fausse joie : retrouver la mère de Sergueï Gossak. Ce qui ferait peut-être économiser deux millions de roubles à l'Agence. Mais il fallait confier cette recherche à une Russe, non surveillée par le FSB.

Tandis qu'il marchait, son portable sonna, affichant un numéro inconnu, russe. Il répondit.

– *Gospodine* Linge ?

– *Da.*

– C'est vous qui avez des yeux en or ?

La voix féminine pouffait. Les neurones de Malko démarrèrent au quart de tour.

– Et vous, une très belle zibeline, sans parler de vos yeux magnifiques.

– Vous vous y connaissez en fourrure ! roucoula l'inconnue.

– J'en ai beaucoup offert dans ma vie, rétorqua Malko, ne disant que la vérité. Je n'espérais pas que vous m'appelleriez ! Quand nous voyons-nous ? Et d'abord, comment vous appelez-vous ?

– Lena.

– Nous dînons ce soir ?

– *Karacho.* Cela vous ennuie si je viens avec une amie.

Tous les feux rouges s'allumèrent dans sa tête, mais il ne pouvait plus reculer.

– Si elle est aussi jolie que vous, *da.*

– Elle l'est. Ainsi vous aurez le choix ! Où allez-vous nous emmener ?

– À la *Galleria*. Au coin de Petrovka Ulitza et du boulevard Petrousky.

– Je connais. Vous avez bon goût. À neuf heures.

– Voulez-vous que je vous prenne quelque part ?

Nouveau gloussement.

– Vous nous prendrez *après*.

Elle avait déjà raccroché… Une voiture s'arrêtait et Malko, intrigué par le coup de fil, monta, négociant rapidement son trajet. Cette Lena ne pouvait pas être envoyée par le FSB. Donc, il y avait une autre explication qu'il trouverait plus tard. Il donna plus de précisions au chauffeur, lui expliquant où se trouvait l'appartement d'Alexandra Portanski.

– Avant, dit-il, on va essayer de trouver des fleurs.

*
* *

Alexandra Portanski ouvrit la porte et demeura figée, tétanisée de bonheur devant l'énorme bouquet d'œillets. Elle l'écarta et se jeta dans les bras de Malko, écrasant au passage quelques fleurs sur le mur.

– *Ya loublou*[1] *!* Tu es fou ! Pourquoi tu n'as pas dit que tu venais ! Je me serais changée.

Ses cheveux blonds partaient un peu dans tous les sens et elle arborait une vieille robe grise, style blouse d'écolière, qui lui arrivait aux chevilles.

– Tu es toujours belle, assura Malko.

À peine à l'intérieur, elle prit les fleurs et s'enfuit vers la cuisine, revenant avec un énorme vase où elle disposa les œillets. À ce moment, Malko lui tendit la boîte de caviar, achetée aussi au passage.

– Pour Alexei !

Cette fois, des larmes lui vinrent carrément aux yeux

1. Je t'aime !

et elle se jeta dans les bras de Malko, tremblant comme une feuille.

– Oh, je voudrais te faire l'amour tout de suite, mais le petit Guennadi est là.

– Ça ne fait rien.

Elle le serra encore plus fort et dit d'une voix contrite :

– Et puis, je ne pourrai même pas dîner avec toi. J'ai promis à Alexei de lui faire la lecture.

Son pubis collé à lui comme une ventouse exprimait très bien son regret.

Malko remercia silencieusement le ciel qui venait à son secours.

– Je peux te demander un service ? dit-il.

– Tout ce que tu veux..., assura Alexandra.

– C'est facile, dit Malko. Tu as déjà fait cela pour moi, il y a deux ans.

Il lui expliqua l'histoire de Sergueï Gossak. Et l'importance de trouver sa mère.

– Je vais essayer, promit la jeune femme. Si tu as son prénom c'est relativement faisable. Sinon...

*
* *

Rem Tolkatchev lisait attentivement la longue note rédigée à son intention par son contact au FSB, le colonel Schverchkov. Celui qui « nourrissait » en informations le colonel Ivanov, l'ami d'Ivan Ilichev, le détective. Ravi, il ne put s'empêcher de sentir son pouls s'emballer. Il avait bien calculé son coup... La CIA s'était précipitée tête baissée dans son piège. Désormais, le poisson avait mordu à l'hameçon. Il s'agissait de le sortir de l'eau et là, c'était moins facile.

Il s'accorda le temps de fumer une cigarette, puis se mit à rédiger des instructions de sa petite écriture fine. À partir de maintenant, l'opération se scindait en deux. La seconde partie serait pilotée entièrement par lui. En puisant dans son stock personnel d'assassins. Des gens qui ne pouvaient rien lui refuser, des professionnels capables de tuer un être humain de cinquante façons différentes, toutes plus désagréables les unes que les autres.

Bien entendu, il ne les gérait pas directement. Celui qui s'en chargeait leur versait une modeste pension tous les mois, pour qu'ils puissent vivre chichement, sans plus. Aussi étaient-ils contents d'améliorer leur train de vie.

À partir de là, tout devait fonctionner comme un mécanisme d'horlogerie.

Rien ne devait alerter sa cible qui était sur ses gardes. Il rédigea une autre note, ordonnant que l'on cesse toute surveillance de l'agent de la CIA Malko Linge à partir du lendemain.

À quoi bon ?

Même s'il ne savait pas ce qu'il faisait à l'heure actuelle, Rem Tolkatchev serait forcément au courant de son dernier rendez-vous, celui où il rencontrerait la Mort. Peu importe ce qu'il aurait fait avant. Qu'il vive, sans souci et sans méfiance. Il ne fallait jamais trop pourchasser le gibier, sinon, sa chair avait mauvais goût. Trop d'acides.

***

Malko sortit du *Kempinski* et monta les escaliers menant au pont Moskvoreki qui franchissait la Moskova, presque à la hauteur du quatrième étage du *Kempinski*. Une brise glaciale soufflait de la place Rouge et il remonta le col de son manteau de vigogne. Après avoir contourné la basilique Saint-Basile, il longea les arcades de l'ex-Goum transformé en *department store* de luxe pour boutiques étrangères et gagna la place du Manège, toujours en travaux.

Après avoir suivi Okhotny Ryad, il arriva en face du théâtre Bolchoï et s'engagea dans le passage souterrain où se tenaient les vendeurs de billets à la sauvette. Aussitôt entouré par plusieurs d'entre eux, il négocia pour mille roubles une place d'orchestre pour la séance de dix-neuf heures et ressortit sur la place en face du théâtre Bolchoï. Celui-ci était fermé pour travaux et les spectacles avaient lieu au Petit Théâtre, le Maly, juste de l'autre côté de Petrovka.

Sa Breitling indiquait six heures et demie et il gagna l'entrée où les spectateurs se pressaient déjà. Même avec les DVD, la télévision et le modernisme, les spectacles du Bolchoï restaient un mythe pour les Russes.

Ce soir, c'était un ballet sans grand intérêt, mais il s'en moquait.

Le rideau se leva trois quarts d'heure plus tard. Malko laissa encore s'écouler une demi-heure puis quitta discrètement son siège, sous les regards courroucés de ses voisins. On n'interrompait pas un ballet, sauf en cas d'incendie.

Et encore.

Murmurant des «*pajolsk*» désolés, Malko gagna la coursive déserte, puis sortit par une porte donnant sur Petrovka Ulitza. Il n'avait pas envie de traîner derrière lui le FSB à son étrange rendez-vous avec la mystérieuse Lena.

*
* *

Piotr et Leonid, les deux agents du FSB chargés de surveiller Malko, le virent pénétrer dans le théâtre avec soulagement. Piotr consulta sa montre.

– On a le temps d'aller se taper une pizza à la pizzéria de Rachmanovsky Pereulok [1].

– *Davai !* approuva son copain. Il faut qu'on soit là à dix heures.

Ils s'éloignèrent dans Petrovka, la conscience

1. Ruelle Rachmanovsky.

tranquille. Aucun Russe *normal* ne pouvait imaginer qu'on abrège un spectacle théâtral. Du temps de l'Union soviétique, c'était la récompense suprême, pour ceux qui avaient bien dénoncé.

***

La *Galleria* était bondée, comme tous les restaurants à la mode de Moscou, en dépit de leurs prix prohibitifs. Un bras se leva et s'agita, venant d'un des box, sur le côté. Lena avait toujours sa zibeline, jetée à côté d'elle, un col roulé en soie noire moulant deux seins aigus et une mini si petite qu'on avait du mal à la distinguer, offrant aux regards la quasi-intégralité de ses interminables jambes mises en valeur par de hautes bottes noires.

Ses yeux bleus pétillaient de bonne humeur. Elle se tourna vers une grande brune portant des lunettes qui l'accompagnait et annonça :

– Voici Macha, ma meilleure copine. Elle est belle, n'est-ce pas ?

Malko s'inclina successivement sur les deux mains et les baisa.

Macha arborait une robe classique rouge avec des bottes aussi, et une poitrine beaucoup plus forte. Derrière ses lunettes, son regard était difficile à décrypter, mais quelque chose d'indéfinissable fit penser à Malko qu'elle était la plus salope des deux.

– On adore le champagne ! lança Lena, mais on vous a attendu.

Salopes, mais bien élevées. Malko essayait de les situer. Elles parlaient un russe châtié, étaient habillées avec goût et, d'après leur bijoux, n'étaient pas à la soupe populaire. Il avança un pion.

– Votre ami vous a abandonnée, ce soir ? demanda-t-il à Lena.

Celle-ci eut un rire de gorge.

– Mais, je ne suis pas en laisse ! Ce soir, j'avais

envie de m'amuser, de voir des têtes nouvelles. Votre façon de m'aborder m'a amusée. Vous n'avez pas froid aux yeux. Stal est très jaloux : s'il vous avait vu, il vous aurait tué. Il pense que je le trompe avec tout Moscou…

Il n'avait peut-être pas tort.

– C'est un violent, remarqua Malko.

– Non, c'est un *banditt*. Il a gagné beaucoup d'argent, mais il n'aime pas partager.

Le garçon apporta une bouteille de Taittinger Comtes de Champagne Rosé millésimé 2000 et fit sauter le bouchon. Lena leva sa flûte.

– *Na zdarovié !*

Avec le Taittinger, le caviar s'imposait. Dieu merci, il y en avait. Venant du Kazakhstan, précisa le garçon, et de la dernière pêche… Malko croisa le regard de Lena et se dit qu'elle avait une idée derrière la tête. Nettement plus sulfureuse que l'innocente Alexandra Portanski.

Ils attaquèrent le monticule de grains noirs, parlant de choses et d'autres. Soudain, le regard de Malko glissa sur la banquette et son pouls grimpa en flèche. Les deux femmes étaient assises côte à côte en face de lui et il voyait très bien ce qui se passait. Tranquillement, Macha avait posé ses doigts sur la cuisse de Lena et remontait doucement, entraînant la mini avec elle. Il était tombé sur deux lesbiennes.

***

Un chat n'aurait rien trouvé à lécher dans le bol de cristal ayant jadis contenu les cinq cents grammes d'osciètre. On était passé à la vodka pour quelques toasts et les deux amies ne dissimulaient plus leur passion réciproque… Lena, le torse rejeté en arrière, les yeux mi-clos, laissait les doigts de sa copine s'activer entre ses cuisses, visiblement pour son plus grand plaisir.

Malko en était gêné.

Discrètement, il demanda l'addition. Lorsqu'il se leva, après avoir payé de quoi s'acheter une voiture, les deux femmes se réveillèrent.

– On s'en va ! lança Lena. Dommage...

Ils se retrouvèrent sur le trottoir. Personne n'avait de voiture.

– Je peux vous ramener quelque part ? demanda poliment Malko.

Lena le regarda bien en face.

– Oui, chez vous.

Seul un goujat aurait pu refuser. Résigné, Malko demanda au portier de lui trouver un taxi.

Dix minutes plus tard, ils traversaient le hall du *Kempinski*. À peine dans la chambre, Lena se rua sur sa copine, l'étreignit, et les deux femmes se lancèrent dans un flirt brûlant, tanguant au milieu de la pièce comme deux ivrognes. Résigné au pire, Malko, prudent, commanda deux bouteilles de champagne et une de Stolychnaya.

Quand le garçon arriva avec sa table roulante chargée de bouteilles et de zakouskis, Lena haletait, plaquée contre le mur par Macha qui avait descendu ses collants et lui avait enfoncé pratiquement la main jusqu'au poignet dans le ventre... Le garçon fit comme s'il n'avait rien vu. Lena poussa un cri aigu comme il refermait la porte et se laissa tomber sur le lit.

Malko s'occupait en ouvrant une des bouteilles de champagne... Macha s'éclipsa soudain dans la salle de bains et Lena, après s'être débarrassée de ses collants, s'approcha de lui. Malko lui tendit une flûte.

– Un peu de champagne ?

– *Niet, spassiba*, dit-elle. Tu es gentil, je vais te sucer.

En un clin d'œil, elle l'eut libéré et poussé dans un

fauteuil. Ou Lena était merveilleusement douée ou elle avait pris des leçons. Malko en oublia ses véritables penchants. Agenouillée sur la moquette, elle l'avalait à grands coups de tête lents, et restait majestueuse en pleine action. Elle sentit en même temps que lui son plaisir monter, serra la base de son sexe et l'engoula jusqu'à la glotte.

Malko hurla, ayant la sensation de vider sa moelle épinière. Elle méritait sa zibeline.

Il redescendait à peine sur terre que Macha émergea de la salle de bains.

Sans lunettes, entièrement nue à part ses bottes et harnachée comme un pur-sang.

De fines sangles de cuir noir fixaient au bas de son ventre un olisbos d'ivoire d'une longueur imposante et d'un diamètre à la base impressionnant. Elle s'approcha de Malko, eut un sourire en jetant un coup d'œil à son sexe apaisé.

– Lena t'a bien fait jouir, remarqua-t-elle. Mais il va falloir que tu retrouves des forces…

Lena s'approcha de sa copine et l'enlaça, caressant le membre d'ivoire comme si c'était un véritable sexe. Elle semblait follement amoureuse de Macha. Celle-ci se dégagea et s'approcha de Malko. Elle l'embrassa, habilement, mais sans âme. Puis Lena envoya une main entre eux et entreprit de le caresser. Quand il commença à se redresser, Macha s'écarta et Lena prit à nouveau Malko dans sa bouche lui faisant rapidement retrouver une érection.

Pendant ce temps, Macha, debout à côté d'eux, expliquait calmement ce qu'elles attendaient de lui…

En très peu de temps, il fut dur comme du bois… Macha jeta un coup d'œil satisfait à son sexe dressé puis poussa Lena sur le grand lit, après avoir ouvert les portes en miroir de la penderie, de façon qu'elles reflètent la scène. Lena, docile comme une vestale, s'était allongée à plat ventre sur le lit, un coussin sous le ventre, afin de faire ressortir sa croupe.

Macha la rejoignit. Malko se demandait ce qui allait se passer, s'attendant à quelque chose de plutôt sauvage. Il ne fut pas déçu…

Macha s'agenouilla d'abord derrière son amie, puis écarta ses cuisses brutalement, l'ouvrant comme un compas. Ensuite, penchée sur elle, elle saisit sa fausse verge et la mit en place avec précautions. Malko réalisa qu'elle était presque verticale. Elle n'avait pas l'intention de se servir de son ventre…

En appui sur un bras, le corps à l'horizontale, elle se laissa soudain tomber de quelques centimètres.

Lena poussa un hurlement. Macha venait de forcer l'entrée de ses reins avec le monstrueux olisbos.

Lena hurla :

– *Niet! Niet!* Arrête ! J'ai trop mal !

Macha la calma d'une voix douce.

– N'aie pas peur, *douchetska*[1] ! Je vais tout te mettre…

Joignant le geste à la parole, elle se laissa lentement tomber sur sa compagne et Malko vit l'olisbos disparaître progressivement au fond des reins de Lena. Celle-ci hurlait, sanglotait, suppliant Macha, désormais immobile sur elle, et qui lui caressait la nuque tendrement.

Elle se tourna vers Malko et dit simplement :

– *Davai.*

Celui-ci s'approcha du lit, prodigieusement excité par la sauvagerie sexuelle de ces deux femmes. Quand son sexe effleura Macha, celle-ci se cambra un peu, retirant du coup quelques centimètres des reins de sa copine.

Malko s'ajusta à son sphincter. Elle s'était encore plus cambrée, se retirant presque des reins de Lena.

1. Petite colombe.

Pendant quelques secondes, tous les trois demeurèrent strictement immobiles, puis Malko fit ce qu'elle lui avait demandé. Une poussée modérée d'abord, pour forcer l'anneau des muscles et s'enfouir un peu en elle. Ensuite, il se laissa tomber de tout son poids, violant la jeune Russe jusqu'à la garde. Et, du coup, l'enfonçant dans les reins de Lena.

Les deux femmes poussèrent presque le même hurlement. Pourtant Malko s'était enfoncé sans difficulté dans l'étroit conduit et son ventre était désormais collé aux fesses rondes de Macha. Une sensation grisante. Le sang battait follement dans ses tempes. Il se retira un peu, puis entreprit de sodomiser lentement sa partenaire. Celle-ci en faisait autant à Lena, dans un mouvement bien synchronisé. Lena ne criait plus, en dépit de l'énormité du pieu d'ivoire qui la taraudait. Au contraire, d'une voix rauque elle encouragea Macha :

– Mets-le-moi bien, *goloubtchka*[1].

Macha pouvait indéfiniment sodomiser sa copine avec son énorme olisbos, mais il n'en était pas de même pour Malko. Une seconde fois, il sentit la sève monter dans ses reins. Sans pouvoir se retenir, il se mit à pilonner Macha de plus en plus vite. Jusqu'à ce qu'il explose dans ses reins en hurlant.

Macha avait glissé les mains sous le torse de sa copine et lui arrachait presque les seins avec ses ongles…

Malko imagina l'énorme olisbos enfoncé profondément dans la blonde aux yeux pâles et il en eut presque une nouvelle érection.

***

Piotr et Leonid scrutaient les gens qui sortaient du théâtre Maly, de plus en plus inquiets.

1. Petite pigeonne.

– Il a dû partir dans la foule, dit Piotr.

Leonid rétorqua aussitôt :

– Il était à pied, il est peut-être rentré au *Kempinski*.

Pas une seconde ils n'imaginaient que leur client ait pu partir au milieu du spectacle. Il se ruèrent dans leur Moskwa de service et filèrent au *Kempinski*. Leonid fonça à la réception, exhibant discrètement sa carte du FSB, et demanda si le client de la 411 était là.

– Il est là, confirma le réceptionniste.

Comme les deux hommes ne lui demandèrent pas depuis quand, il ne leur dit pas... Piotr et Leonid, soulagés, se regardèrent.

– On va rester encore un peu et prendre une bière, suggéra Piotr.

*
* *

Les deux femmes s'étaient rhabillées et Malko avait passé un peignoir en éponge. Tous trois devisaient dans la *sitting room* de la suite.

Détendus.

Lena regarda sa Breitling pleine d'émeraudes et laissa tomber :

– Il va falloir y aller. Stal a dû revenir...

Elle se leva et fit face à Malko.

– J'ai eu raison de te téléphoner. Voilà mon portable. Si tu as encore envie de baiser ou si tu as besoin de *kricha*, tu me téléphones.

– De *kricha* ? s'étonna Malko.

– *Da*. Stal a une société de protection. (Elle cligna de l'œil.) Ici le business n'est pas toujours facile. Les huissiers s'appellent tous Kalachnikov. Stal a toujours besoin de nouveaux clients, car certains disparaissent...

Macha embrassa légèrement Malko sur la bouche et souligna :

– Tu me l'as très bien fait. *Dosvidania*.

Elles s'éclipsèrent la main dans la main, laissant

Malko vidé mais paisible. Il s'était donné une semaine avant de décrocher. Peut-être que, pour un million de roubles, Ivan Ilichev allait retrouver la piste de l'assassin d'Anna Politkovskaïa.

CHAPITRE VI

Alexandra Portanski but une gorgée de thé avant de se remettre devant son ordinateur. Les lettres dansaient devant ses yeux. Depuis la veille, elle essayait de trouver le téléphone et l'adresse d'une certaine Mme Gossak, la mère de Sergueï Gossak, l'assassin présumé d'Anna Politkovskaïa. Ce qui, à cause du système moscovite, se révélait à peu près impossible. Elle avait commencé en composant le 059, numéro des renseignements payants.

La *babouchka* de service lui avait récité d'un ton monocorde les informations dont elle avait besoin : le nom et le prénom de l'abonné, sa date de naissance, le prénom du père… Lorsque Alexandra lui avait expliqué qu'elle ne possédait que le nom, elle lui avait raccroché à la figure…

L'amie de Malko essaya un autre numéro, le 9759230. Là, on lui proposa d'écrire, en lui laissant peu d'espoir.

Découragée, Alexandra fit une pause pour aller s'occuper de son mari. À Moscou, il n'y avait que les Pages jaunes, les particuliers n'étaient pas répertoriés dans un annuaire.

Lorsqu'elle revint, elle appela Malko pour l'avertir de l'échec de ses recherches.

*
* *

Le ciel gris pesait comme une chape de plomb sur Moscou, mais la température était très supportable. Malko vit le numéro d'Alexandra s'afficher et son pouls grimpa en flèche. Si la jeune femme avait retrouvé la mère de Sergueï Gossak, il gagnerait peut-être beaucoup de temps et d'argent. Bien que ce soit délicat de débarquer chez la mère de l'assassin d'Anna Politkovskaïa, sûrement surveillée par le FSB.

– Malko ?

– *Da*. Tu as trouvé ? demanda-t-il, plein d'espoir.

Alexandra eut un soupir découragé.

– Il *faut* que tu me donnes plus d'informations. Au moins, le prénom de cette femme.

– Je ne l'ai pas, avoua Malko.

Et il était difficile de le demander au FSB. En plus, tous les cas de figure étaient possibles : le téléphone pouvait par exemple ne pas être à son nom. Il y avait peu de chances qu'il soit à celui de Sergueï, qui n'habitait plus avec elle depuis longtemps.

– Alors, on n'y arrivera pas, conclut la jeune femme. Il y a des millions de gens à Moscou.

– Essaie encore, demanda Malko. Je t'en prie.

Il n'avait absolument aucun autre moyen de retrouver la mère de Sergueï Gossak.

– Bon, conclut-elle, je vais essayer par Internet.

– Ce soir, proposa Malko, je t'emmène dîner au *Café Pouchkine*. Demande à Guennadi de garder Alexei.

– Je vais tâcher, soupira Alexandra, si je ne suis pas trop crevée. Mais il faudra rentrer tôt. Alexei n'est pas bien.

*
* *

Ivan Ilichev poussa la porte du *Chit y Metch*. Il n'avait pas de rendez-vous, mais savait que son copain colonel passait toujours y prendre une bière après son service. Effectivement, il l'aperçut au bar, lui fit un petit signe et alla s'asseoir à une table. Il ne voulait pas l'importuner, mais la perspective de gagner deux cent mille roubles lui mettait l'eau à la bouche.

Dix minutes plus tard, le colonel du FSB le rejoignit à sa table, sa bière à la main. Ils bavardèrent quelques instants du temps trop doux pour la saison, puis Ivan Ilichev demanda à mi-voix :

– Tu n'as rien de nouveau ?

L'officier du FSB lui jeta un regard interrogateur.

– Tes amis *amerikanski* sont vraiment prêts à allonger deux millions de roubles ?

– *Da*, affirma le détective privé, plein d'assurance.

Il n'avait pas encore reçu la réponse, mais savait qu'on ne la discuterait que pour la forme. La CIA était son meilleur client.

Son vis-à-vis ricana.

– Les *Amerikanski* sont très riches… *Niet*, je n'ai rien encore. Peut-être qu'on ne reverra jamais ce type…

Il se leva et regagna le bar, laissant Ivan Ilichev découragé.

Le rez-de-chaussée du *Café Pouchkine* était devenu une brasserie chic où on ne prenait pas de réservations. Alexandra et Malko trompaient leur attente au bar en grignotant des zakouskis arrosés de *Standarte*. La jeune femme arborait comme toujours une de ses longues robes, verte cette fois, avec des bottes.

Elle tira de son grand sac fatigué une liasse de papiers et la tendit à Malko.

– J'ai peut-être trouvé quelque chose…

– Tu l'as retrouvée ? fit-il, plein d'espoir.

La jeune femme but sa vodka, comme pour se donner du courage.

– *Niet*. Mais j'ai été sur un site Internet payant qui se targuait de dénicher l'impossible. Ils m'ont débité dix mille roubles rien que pour me répondre. Et ensuite, pour cinquante mille roubles, ils m'ont communiqué ceci.

Elle semblait outrée du prix. Malko prit les papiers et les examina. Il s'agissait d'une liste de noms. Les prénoms étaient différents, mais les patronymes tous identiques : Gossak. Il y en avait quatre feuilles, avec les adresses et les numéros de téléphone !

Une bonne centaine de noms !

Le maître d'hôtel vint les avertir qu'une table était prête pour eux. Devant le découragement visible d'Alexandra, Malko commanda du caviar. De l'osciètre, avant le poulet à la Kiev, spécialité de la maison. Avec une bouteille de Taittinger Comtes de Champagne Blanc de Blancs 1998. Cela ne suffit pas à dérider Alexandra Portanski. C'est Malko qui prit le taureau par les cornes.

– Il faut que tu me rendes ce service, dit-il. Dès demain, tu loues une voiture et tu pars à la recherche de la mère de Sergueï Gossak.

La jeune femme le regarda, effarée.

– Mais cela va me prendre un temps fou ! Pourquoi ne le fais-tu pas toi-même ? Tu parles parfaitement russe...

– Merci, reconnut Malko, mais je ne suis pas russe et les gens s'en rendent compte tout de suite. De plus, cette femme est probablement sous la surveillance du FSB. Toi, tu peux passer pour une copine de son fils, même vis-à-vis d'elle. Tu n'éveilleras pas l'attention.

– *Karacho*, mais...

– Dînons, dit Malko, on discutera plus tard.

Alexandra, nerveuse, se mit à manger, presque sans parler. Elle regardait sans cesse sa montre et ne prit même pas de dessert.

Malko la raccompagna dans une des limousines du *Kempinski.* En arrivant devant chez elle, il réalisa soudain qu'ils n'avaient pas été suivis. Le FSB avait dû décrocher, comme l'avait escompté Brian King... Arrivée au cinquième, Alexandra lui fit face.

– Tu es adorable, dit-elle, mais...

Malko la fit taire d'un baiser et, aussitôt, elle s'enflamma. Pour se détacher aussitôt.

– Alexei doit m'attendre...

Elle mit la clef dans la serrure et se précipita à l'intérieur. Malko, resté seul, prit des billets dans sa poche et posa vingt mille roubles sur la table, avant de s'esquiver. Il n'avait pas envie de recommencer le coup de l'autre soir. Faire l'amour à la femme d'un infirme devant lui, c'était un peu limite... Son portable sonna cinq minutes plus tard.

– Pourquoi es-tu parti ? demanda Alexandra, indignée. Et tu me laisses de l'argent comme à une putain...

– Ce n'est pas pour acheter ton corps, dit Malko en riant, mais ton esprit. Il faut que, dès demain, tu te mettes en route.

– Je te promets, fit-elle, mais la prochaine fois, tu ne te sauveras pas...

– Je préfère que tu viennes me voir au *Kempinski*, précisa Malko. Je ne peux pas, chaque fois, te faire l'amour à la sauvette sur la table de la salle à manger.

Alexandre roucoula.

– Pourquoi ? C'est assez excitant...

*
* *

Brian King avait la tête ailleurs. Le service de sécurité venait de découvrir qu'un des Marines de l'ambassade avait été recruté par le SVR [1]. Il était obligé de

1. Service de renseignements extérieur russe.

pondre des kilomètres de rapports pour s'expliquer. On se serait cru au temps de la guerre froide. Malko lui expliqua ses recherches, mais l'Américain écoutait d'une oreille distraite.

– S'il n'y a rien, à la fin de la semaine, vous décrochez, conclut-il. Si le FSB recherche réellement ce type, cela nous ôte notre motivation... Si ce n'était pas vous, on aurait déjà abandonné, mais je me fie à votre instinct.

En ce moment, se dit Malko, Alexandra Portanski avait dû commencer à tourner dans Moscou avec sa liste...

Il se retrouva sur le Koltso, désœuvré. Il n'y avait pas d'antiquaires à Moscou et aucune production locale : tout était importé. En marchant, il composa le numéro de Lena, tombant sur la voix caressante d'un répondeur. Trois minutes plus tard, la Russe rappelait.

– Tu es libre pour déjeuner ? demanda Malko.

Elle hésita.

– *Seulement* pour déjeuner ?

– Seulement.

Elle ne devait pas faire l'amour seule, sous peine de se faire arracher les yeux par sa copine Macha.

– Tu connais le *Mayak* ? demanda-t-elle. Juste à côté du conservatoire Tchaïkovski, sur Gercena Ulitza...

– Je trouverai, promit Malko. Quand ?

– Une heure.

– *Karacho.*

*
* *

Rem Tolkatchev avait pris un risque en cessant la surveillance de sa cible, mais la seule chose qui pouvait faire échouer sa manip serait le départ de Moscou de l'agent de la CIA... Il fallait donc le rassurer, relâcher en apparence la pression sur lui.

Par précaution, il avait bien sûr demandé qu'on

« crible » toutes les réservations d'avion au départ de Moscou au nom de Malko Linge. Son instinct lui disait pourtant que ce n'était pas nécessaire. Au cours de la précédente histoire, il avait appris à connaître les réflexes de son adversaire : celui-ci ne lâchait pas prise.

Il avait encore besoin de deux ou trois jours de patience.

Il se leva, quitta son bureau, brouilla le code d'accès et se dirigea vers le buffet n°1 du Kremlin, réservé aux plus hauts apparatchiks. La nourriture y était délicieuse et on y mangeait pour moins de cent roubles...

***

Lena leva son verre de vin rouge.

– *Na zdarovié !*

Le *Mayak* était une brasserie moderne où on servait de la cuisine internationale. Ils avaient commandé de l'agneau et des zakouskis. C'était le Moscou branché qui venait là, à cause des prix. Pas mal de femmes seules avec leurs copines et les éternels businessmen. Très peu d'étrangers.

Ils commencèrent à manger et Lena demanda :

– Qu'est-ce que tu fais à Moscou ?

– Finance, dit Malko. Je gère un fonds. On essaie de racheter de l'immobilier et de monter une affaire de sucre. Les Russes boivent beaucoup de thé...

Lena eut un sourire complice.

– Tu es prudent ? Ici, le business, c'est dangereux. Tout le monde est corrompu.

– Je sais, reconnu Malko. Je connais bien la Russie.

Il lui reversa du vin, éprouvant une sensation curieuse. Bien que Lena l'ait fait jouir dans sa bouche et qu'ils aient partagé une intimité plutôt sulfureuse, il la considérait presque comme une copine. Il n'éprouvait plus rien de sexuel à son endroit. La Russe lui jeta un regard aigu.

– Si tu es libre, il faudra se revoir un soir. Macha m'a dit que c'était très bon. Elle adore se faire sodomiser.

– Tu ne fais jamais l'amour avec un homme ? demanda Malko.

Lena éclata de rire.

– Bien sûr, avec Stal, presque tous les jours. Il me baise comme un bûcheron.

– Il sait que...

Elle secoua la tête.

– Non. Il m'arracherait la tête. Il vient de l'Oural, de Sverdlovsk. Là-bas, les filles comme nous, ils les pendent aux arbres la tête en bas et ils s'en servent comme cendriers. Mais du moment que je le fais bien jouir, il se fout du reste. Ce n'est pas un mauvais type et il gagne beaucoup d'argent. Je te l'ai dit, si tu as besoin de *kricha* dans une affaire délicate...

Elle regarda sa montre.

– *Davai.* Il m'attend au *National.*

*
* *

Malko regardait CNN en attendant Alexandra Portanski qui avait consenti à venir le rejoindre au *Kempinski.* On sonna et il alla ouvrir. Surprise : la jeune Russe ne portait ni bottes ni robe longue. Sous son manteau bleu, il aperçut une robe noire et des bas. Et lorsqu'il la prit dans ses bras et laissa courir ses mains le long de ses hanches, il sentit les serpents d'un porte-jarretelles.

Mutine, Alexandra lui glissa à l'oreille :

– Tu m'as donné tellement d'argent que j'ai acheté des petits trucs. Pour te plaire.

– Tu me plais, assura Malko.

– Et puis, j'ai une autre surprise pour toi, ajouta la jeune femme.

Malko sentit son pouls s'envoler.

– Tu as retrouvé *gostnaya* Gossak ?

– *Niet*. Mais j'ai le portable de Sergueï, son fils.
– De Sergueï ? Mais comment l'as-tu obtenu ?
– Il y a un numéro « information » pour les portables. Là, j'avais le prénom. Tiens.
Elle tira un papier de sa poche où il lut : 776 9803.
– Il n'y avait pas d'adresse ?
– Si. À Grozny...
– Et Mme Gossak ?
– J'en ai vu onze aujourd'hui ! soupira-t-elle. Aucune ne correspond.
– Bravo quand même ! approuva Malko. Viens, on va dîner en bas.
Elle fit la grimace.
– Je n'ai pas très faim. Tu ne veux pas faire monter quelque chose ici ? Comme ça, on aura plus de temps.
Pressée contre lui, elle le regardait, presque implorante. Quand Malko effleura les pointes de ses seins, il les trouva déjà dressées sous le tissu. Elle était venue faire l'amour.
Appuyée au guéridon, elle transpirait le désir.
Communicatif.
Malko suivit vers le bas le serpent de la jarretelle, arriva au rebord de la jupe et commença à la relever, découvrant la cuisse gainée de nylon gris. Lorsqu'il atteignit la chair au-dessus des bas, il était aussi excité qu'Alexandra.
Le miroir de la penderie lui renvoya un reflet extrêmement érotique. Il n'était pas le seul à y trouver plaisir. Alexandra Portanski murmura d'une voix altérée :
– J'ai l'impression d'être une *boznipretchaya*[1] salope qui se fait baiser l'après-midi, sans même se déshabiller.
Malko avait atteint le haut de ses cuisses. Il lui arracha sa culotte et la poussa sur le lit, la robe tunique sur les hanches, découvrant le haut de ses bas et les

1. Bourgeoise.

jarretelles disparaissant sous le tissu. Quand il s'enfonça dans son ventre, elle replia les jambes, le regard toujours glué au miroir, et l'étreignit de toutes ses forces. Ils étaient trop excités tous les deux pour que cela dure longtemps...

Alexandra décolla juste avant Malko et ils crièrent ensemble. Quand elle déplia ses jambes, elle soupira :

– Maintenant, j'ai un peu faim... Et demain matin, je recommence ma tournée...

*
* *

Brian King tournait et retournait entre ses mains le papier où était noté le numéro de portable de Sergueï Gossak. Il leva la tête, fixant Malko.

– Qu'est-ce qu'on fait ?

Dès neuf heures, Malko avait foncé à l'ambassade américaine avec une seule question : comment exploiter l'information trouvée par Alexandra Portanski ?

Pas question d'appeler d'un numéro « traçable ». Mais il fallait *aussi* pouvoir laisser un message...

– Je vais appeler d'une cabine publique, suggéra Malko. Si je tombe sur lui, je lui dis qui je suis et lui propose de l'aider. Mais si j'ai son répondeur ?

– Je vais vous donner un numéro intraçable, répondit Brian King. Une « boîte aux lettres morte » sonore, que nous utilisons comme relais pour certains contacts. Plus une carte de téléphone. Attention, il n'y a presque plus de cabines publiques, sauf dans le métro. Essayez la station Barrikadnaïa, ce n'est pas loin.

Il tendit à Malko un numéro moscovite et ce dernier se leva.

– Si je lui parle, je reviens, sinon, inutile.

– *Good luck!* soupira le chef de station. Ce serait formidable.

En sortant de l'ambassade, Malko tourna à gauche dans Bolchaïa Sadovaïa, puis dans Barrikadnaïa Ulitza.

Effectivement il trouva une cabine dans le passage souterrain. Il composa le numéro après s'être assuré que personne ne l'observait, le cœur battant.

La sonnerie mit quelques secondes à se déclencher et bascula aussitôt sur un répondeur où une voix jeune annonça :

« Je ne suis pas là. Laissez votre numéro. »

Ce qu'il fit. Avec l'impression de jeter une bouteille à la mer.

Alexandra Portanski n'en pouvait plus de sillonner Moscou dans tous les sens, en métro ou en voiture, et de poser toujours les mêmes questions. La plupart du temps, elle était accueillie avec indifférence. Par prudence, elle avait décidé de se présenter en personne, plutôt que de téléphoner. C'était son sixième client de la matinée. Un certain Vladimir Gossak, qui pouvait être le mari. Elle s'arrêta devant une barre de quinze étages, au 27 Vernadskogo Prospekt. Bien entendu, la porte était fermée, déclenchée par un interphone sans noms, avec seulement les numéros des appartements.

Une voix d'homme répondit presque tout de suite et elle récita son couplet. Elle recherchait Sergueï, le fils d'une *gostnaya* Gossak qui devait savoir où il se trouvait. Elle s'attendait à la réponse habituelle – « Connais pas » – quand l'homme répondit :

– Ma femme va rentrer. Si vous voulez, je vous ouvre. Appartement 45, quatrième. Le code, c'est 5386 A.

Folle de joie, Alexandra appuya sur le digicode, puis appela Malko.

– Je l'ai trouvée ! annonça-t-elle.

Elle lui communiqua l'adresse, avec le code et le numéro de l'appartement.

– J'arrive, dit Malko.

L'ascenseur marchait. Elle se trouvait tout au nord

de Moscou, du côté de Mira Prospekt, un quartier gris, ancien, habité par des fonctionnaires et de petites gens. Au quatrième, elle sonna à la porte du 45 qui s'ouvrit aussitôt, sur un homme corpulent, les yeux injectés de sang, la chemise à carreaux ouverte sur un poitrail velu.

– *Gospodine* Gossak ? demanda Alexandra Portanski.

– *Da*. Entrez.

Elle obéit et il referma aussitôt la porte. Elle n'aimait pas son regard. Tout de suite, il attaqua :

– Tu veux boire une petite vodka, *douchetska* ? proposa-t-il familièrement. Ma femme en a pour une bonne heure.

Ses yeux luisants la déshabillaient. Gênée, Alexandra Portanski dit aussitôt :

– Ça ne fait rien, je vais revenir.

Elle marchait déjà vers la porte quand il l'attrapa par le bras.

– Mais non, *douchetska*, on va plutôt l'attendre tous les deux.

Alexandra Portanski se dégagea, mais il se plaça en travers de la porte, puis, tranquillement, descendit le Zip de son pantalon, tripota à l'intérieur et exhiba un long sexe blême et mou.

– Tu vas bien me faire une petite gâterie, lança-t-il. Après tu pourras partir, si tu veux.

Comme la jeune femme, tétanisée, ne bougeait pas, il fit un pas en avant et la saisit à la gorge, grommelant d'un ton menaçant :

– *Sukaska*[1] *!* Petite salope, je vais t'étrangler si tu n'obéis pas !

Le cou serré par la poigne furieuse Alexandra pouvait à peine respirer. L'homme la courba en avant, la forçant à s'agenouiller en face de lui. Pressant ensuite son sexe contre son visage.

1. Petite chienne.

Alexandre sentit qu'il risquait vraiment de la tuer, si elle lui résistait.

***

À tout hasard, Malko avait pris le Glock prêté par le chef de station, avant de sauter dans une limousine du *Kempinski*. Il avait au moins une demi-heure de trajet, à cause de la circulation. Alors qu'il roulait sur Mira Prospekt et venait de franchir le croisement avec Mourmanski Projezd, il appela le portable de la jeune femme.

Celui-ci passa aussitôt sur messagerie.

Surpris, Malko fit un second essai, avec le même résultat. Brusquement angoissé, il recommença une troisième fois, sans plus de succès.

Qu'avait-il pu se passer ? Est-ce que le FSB avait embarqué Alexandra ? Ou Sergueï Gossak était-il chez sa mère ? Tout en roulant, il appelait sans discontinuer. Ne s'arrêtant que pour mettre Brian King au courant.

– *My God !* Faites attention, implora le chef de station. Je n'aime pas ça...

– Vous savez où je suis, dit Malko qui lui avait communiqué l'adresse.

***

À quatre pattes sur le plancher de la petite entrée, Alexandra Portanski, affolée, essayait d'échapper au gros homme. Il parvint à la coincer, lui tira les cheveux, rejetant sa tête en arrière en lui pinçant le nez. Pour lui enfoncer aussitôt son gros sexe mou dans la bouche.

Alexandra faillit vomir, mais referma ses dents dessus, de toutes ses forces.

– Salope !

Son agresseur la repoussa violemment et fonça vers

la cuisine. Il réapparut quelques secondes plus tard, brandissant un énorme couteau de cuisine. Alexandra Portanski s'était remise debout. Il la plaqua contre le mur et appuya la pointe du couteau sur sa carotide gauche.

– Petite vipère ! lança-t-il. Je vais te saigner si tu ne me fais pas la plus belle pipe de ta vie.

Terrorisée, Alexandra, surmontant son dégoût, se laissa tomber à genoux et le laissa enfoncer son gros sexe dans sa bouche. Elle ne voulait pas mourir.

Plusieurs fois, elle avait entendu son portable sonner, mais elle se dit que Malko allait arriver trop tard. Et soudain, l'interphone bourdonna.

L'homme s'immobilisa, visiblement surpris.

Aussitôt, Alexandra arracha l'intrus de sa bouche et hurla :

– C'est la *Milicija* ! Je les avais prévenus.

– Tu mens ! C'est rien.

De nouveau l'interphone se déclencha. Le gros homme ne répondit pas et, rassuré, se tourna à nouveau vers sa victime.

– En plus, je vais défoncer ton joli petit cul. Ça t'apprendra.

Elle recommençait à le sucer lorsque la sonnette les fit sursauter tous les deux. Cette fois, c'était à la porte de l'appartement.

Alexandra sauta sur ses pieds et glapit :

– Malko ! Au secours !

Dix secondes plus tard, le battant fut ébranlé par des coups violents.

– Ouvrez ! cria une voix d'homme.

Fou de rage, le gros homme obéit, son couteau à la main, à l'horizontale. Il s'arrêta net, face à un homme blond qui braquait sur lui un gros pistolet automatique.

Alexandra se précipita comme une folle, jaillissant sur le palier en hurlant :

– Ce porc a essayé de me violer !

Le gros homme les regardait tous les deux, sans bien comprendre. Malko se dit qu'il était inutile de s'attarder. Il lui claqua la porte au nez et poussa Alexandra dans l'ascenseur. Celle-ci s'accrocha à lui, hystérique, en sanglotant. Il tenta de la calmer et elle finit par lui expliquer ce qui s'était passé. Finalement, en fait de Sergueï, elle n'avait trouvé qu'un gros dégueulasse... Choquée, elle tremblait encore de tout son corps.

– Je vais aller le dénoncer à la *Milicija* ! explosa-t-elle.

– Ce n'est pas vraiment utile, fit Malko. Où est ta voiture ?

Elle baissa les yeux.

– Je suis venue en métro.

Il l'entraîna jusqu'à la limousine, la ramenant directement chez elle. Après deux vodkas, elle allait mieux.

– Tu vas arrêter tes recherches, ordonna Malko. C'est trop dangereux. Ce type aurait pu te tuer.

– J'ai eu horriblement peur, soupira-t-elle. Si tu n'étais pas arrivé, il me violait.

– De toute façon, conclut Malko, cette histoire est pourrie. *Ich gibt' auf*[1] ! Nous ne retrouverons jamais ce Sergueï.

1. J'abandonne !

CHAPITRE VII

Rem Tolkatchev fixa avec un mélange de satisfaction et de suspicion le rapport annonçant qu'on avait appelé le portable de Sergueï Gossak. L'origine de l'appel était une cabine publique russe, mais par un étranger, et le numéro aboutissait, après un relais, en Allemagne.

C'était donc, presque à coup sûr, l'agent de la CIA qui avait passé cet appel. Seule sa mère avait essayé de joindre Sergueï Gossak sur son portable après le 7 octobre.

Comment les Américains étaient-ils remontés jusqu'à ce numéro ? L'explication la plus simple était une recherche dans les listings de portables. Rem Tolkatchev rédigea une brève note demandant de vérifier si le nom de Sergueï Gossak s'y trouvait.

Cet incident prouvait en tout cas que ses adversaires s'appliquaient à retrouver le jeune homme. C'était le moment de les « nourrir » un peu. Pour arriver à la dernière partie de la manip.

Il se félicita de sa décision d'interrompre la filature de cet agent. Même les professionnels les plus aguerris tombaient parfois dans les pièges les plus grossiers. De sa petite écriture fine et sèche, il rédigea ses instructions, scella l'enveloppe et sonna. Un « homme en gris » apparut quelques instants plus tard et Rem Tolkatchev lui confia l'enveloppe.

*
* *

Ivan Ilichev était en grande conversation avec un de ses clients qui hésitait entre le meurtre de sa femme et un divorce, quand son portable sonna. La voix joyeuse du colonel Dimitri Ivanov lui envoya une giclée d'adrénaline dans les artères.

– Il paraît qu'ils ont reçu des champignons extra, au *rinog* Loubianka. Tu viens en acheter avec moi ?

– Quand ?

Si l'officier du FSB avait dit « tout de suite », Ilichev aurait jeté son client hors du bureau à coups de pied.

– Après le boulot, proposa Dimitri Ivanov. Vers six heures. Aujourd'hui, on a un pot d'adieux.

Il n'était que quatre heures. Ivan Ilichev eut le temps d'extorquer à son client une confortable avance de cinquante mille roubles qu'il rangea dans son coffre, tout en lui laissant entendre que, le cas échéant, il pourrait lui trouver quelqu'un qui, pour la même somme, prendrait soin de son épouse en lui donnant une bonne colique de plomb. Ensuite, il ramena en arrière ses cheveux gras, flatta au passage les gros seins de Tania et prit la direction de la Bolchaïa Loubianka.

Plein d'espoir : le colonel Ivanov n'était pas homme à parler pour ne rien dire.

Et il avait besoin d'argent pour préparer sa retraite, sachant qu'il n'irait pas plus loin dans la hiérarchie. De toute façon, même ses collègues pleins d'avenir rivalisaient en matière de corruption. Car, à tous les niveaux, dans la Russie actuelle, on fermait les yeux. Un jour, Vladimir Poutine avait confié à un banquier qui se plaignait de la corruption d'un de ses proches :

– Je ne peux pas me passer de lui. Et puis, il vaut mieux qu'il aime l'argent plutôt que le pouvoir.

Ivan Ilichev arriva à trouver une place pour sa Peugeot 206 presque en face du marché. Il n'eut même pas à aller jusqu'à l'étal des champignons. Son ami le colonel Ivanov était planté devant un des marchands de caviar alignés près de l'entrée, en train de goûter les boîtes ouvertes. Il lui adressa un clin d'œil.

– Tu devrais en prendre un peu ! Celui-là vient du Kazakhstan. La dernière pêche.

Pour l'instant, Ivan Ilicher se contentait de caviar rouge… Il attendit que le colonel eût négocié une boîte de cinq cents grammes, puis l'officier l'entraîna dehors, jusqu'à sa voiture.

Une fois au volant, il annonça :

– Le petit Sergueï a téléphoné à sa mère !

Ivan Ilichev l'aurait embrassé !

– Vous savez où il se planque ? demanda-t-il aussitôt.

– Pas encore ! Pas encore ! Il faut laisser le rat sortir de son trou, corrigea le colonel du FSB. Mais on va le savoir. Nikolaï Patrouchev a mis une très bonne équipe sur le coup… Grâce à son portable, on va le localiser. Ensuite on le coincera et on l'enverra à Lefortovo.

– L'offre de mes amis ne t'intéresse plus ? interrogea aussitôt Ivan Ilichev, brutalement dégrisé.

Le colonel du FSB alluma une cigarette et souffla la fumée.

– Si, dit-il, mais j'ai réfléchi. Il faut que l'opération soit très encadrée. Je risque gros. Entre le moment où Sergueï Gossak sera localisé et celui de son arrestation, il ne peut pas s'écouler beaucoup de temps. Une ou deux heures, pas plus. À ce stade, il ne sera *pas encore* surveillé de près. Ce qui est indispensable pour notre manip.

– Comment veux-tu procéder ? demanda Ilichev, la gorge sèche.

– *Dobre*. Dès que j'ai tous les éléments, je t'appelle pour te proposer de te retrouver ici, au marché. Il faudra que, une heure plus tard, tu sois là avec l'argent. Uniquement des billets de mille roubles. On n'aura pas le temps de les compter, mais, s'il en manque un seul, je t'arracherai les couilles avec une tenaille...

– Il n'en manquera pas, promit Ivan Ilichev, qui se servait encore de ses attributs sexuels.

Les yeux gris du colonel du FSB le fixaient, insistants.

– J'espère qu'il n'y a pas d'arnaque, dit-il lentement.

– Quelle arnaque ? s'indigna le détective privé.

– Je ne sais pas, moi, que le type veuille l'emmener à l'ambassade américaine, par exemple... Dans ce cas, tu perds *aussi* tes couilles.

– Non, jura Ivan Ilichev, il veut *seulement* lui parler.

Au fond, il n'en savait rien et cela l'inquiéta.

– *Dobre !* conclut Dmitri Ivanov. Tu vois ton client. Si c'est décommandé, tu me préviens. *Dosvidania.*

Lorsque Ivan Ilichev sortit de la voiture, il avait l'impression de marcher sur les eaux. Il allait encaisser cinq cent mille roubles ! Sans frais, sans rien. De quoi changer de voiture et se payer une pute plus bandante que la dévouée Tania.

Fébrilement, il appela le portable dont l'agent de la CIA aux yeux dorés lui avait laissé le numéro.

***

– Ce n'est valable que si on le prend en charge, plaida Brian King. Sinon, à Langley, ils ne vont jamais autoriser une dépense pareille.

– Il ne faut pas exagérer ! rétorqua Malko. Il ne s'agit que de cent mille dollars... Le prix de quelques missiles tirés sur des civils pris pour des Al-Qaida, en Afghanistan ou en Irak.

– Ils ne voient pas les choses comme ça, à l'Agence,

corrigea sèchement l'Américain. Il s'agit de l'argent des contribuables.

– O.K., concéda Malko. Je propose à ce Sergueï de le prendre en charge. Première hypothèse : il accepte. On l'emmène où pour le débriefer ?

– Nous avons quelques locaux de contact dans Moscou, avança timidement Brian King.

Malko le regarda avec un sourire ironique.

– Vous voulez que le FSB débarque dans les cinq minutes ? Je vous parie une aile de mon château qu'ils les connaissent tous. Il n'y a qu'une solution : l'ambassade.

– Dans ce cas, je dois obtenir le feu vert de l'ambassadeur, répliqua le chef de station.

– Vous êtes en bons termes avec lui ?

– Oui, mais il sera obligé de demander au State Department. Il faudrait que votre ami Frank Capistrano graisse les rouages. Sinon, Sergueï Gossak aura le temps de mourir de vieillesse.

– Je l'appellerai, promit Malko. Il y a encore un petit souci. S'il refuse de me suivre, qu'est-ce que je fais ?

– Vous pourrez l'y forcer. Vous serez armé.

– Lui aussi, probablement, remarqua Malko. On ne va pas engager un combat en plein Moscou. Il faut me donner des « baby-sitters ».

Brian King le regarda comme s'il venait de lui proposer de se faire inoculer le sida.

– Des « baby-sitters » *américains* ? lança-t-il. Je n'ai que des Marines à Moscou, et je ne peux par leur demander ça. D'ailleurs, ils refuseraient. Il faut sous-traiter.

– Avec qui ? Ivan Ilichev ? Il va se sauver en courant. Vous devez bien avoir des contacts, depuis le temps que vous êtes ici…

– Ce genre de choses nous est interdit, prétendit

vertueusement Brian King. Vous avez raison, c'est un *vrai* problème.

Malko pensa soudain à Lena et à son ami Stal, le « bandit ». Il y avait peut-être une solution de ce côté-là.

– Pouvez-vous *au moins* me fournir une voiture ? insista-t-il.

– Non, avoua tristement l'Américain. Vous connaissez les règles du jeu. L'ambassade ne peut, en aucune façon, être mêlée officiellement à l'affaire. Si tout se passe bien, le State Department publiera un communiqué disant que Sergueï Gossak s'est présenté spontanément à l'ambassade pour demander l'asile politique.

– Torturé par le remords, ajouta Malko, pince-sans-rire. O.K., je vais essayer de me débrouiller avec les moyens du bord. Préparez l'argent dare-dare. Je ne maîtrise pas le timing. Le mieux serait que je le garde à l'hôtel, pour gagner du temps.

– Cela fait un certain volume…

– Je le mettrai dans ma chambre. Si je dois courir ici, on risque de tout louper.

Ils sortirent ensemble du « *yellow submarine* ». Malko commençait à se dire que son voyage à Moscou ne serait pas inutile.

*
* *

Alexandra Portanski arriva en face d'une barre de huit étages aux fenêtres carrées, alternant le gris et le blanc. Une construction des années 1960, au bout du monde. Pas loin du MK, sur Maréchal-Joukov Prospekt. Là où habitait un certain Youri Gossak. Le soixantième nom de sa liste.

En dépit de l'ordre de Malko d'arrêter sa quête, elle avait continué.

Utilisant souvent le métro, car elle répugnait à dépenser autant d'argent pour une limousine. Quand elle le pouvait, elle utilisait aussi les taxis privés. Afin d'éviter que se renouvelle l'incident où elle avait failli se faire violer, elle avait dans son sac une puissante bombe lacrymogène dont elle espérait ne pas avoir à se servir, mais qui la rassurait.

Elle regarda à la porte les numéros d'appartements, sans le moindre nom.

Elle appela alors le numéro correspondant à celui de Youri Gossak, n'obtenant qu'un signal occupé. Après une vingtaine d'essais, elle aperçut la vitrine d'un *produkti*[1], niché au coin de la barre, et s'y rendit. Elle laissa l'épicier servir deux clients puis elle expliqua son problème.

L'épicier ne connaissait personne de ce nom, mais une femme entrée derrière elle lança :

– Youri Ivanovitch, je l'ai bien connu, mais il est mort, il y a trois ans, au moins.

– L'appartement n'est plus occupé, alors ?

– Si, par sa veuve, Katerina. Au huitième. C'est elle que vous cherchez ?

– Non. Son fils, Şergueï.

Immédiatement, le visage de la femme s'éclaira.

– Ah, le militaire ! On ne l'a pas vu depuis longtemps !

– Justement, renchérit Alexandra Portanski, je cherche de ses nouvelles.

Rassurée, la femme lui sourit.

– Viens, *goloubtchka*, je vais te montrer où elle habite.

Alexandra lui prit son panier plein de choux et de *kartoffels*[2] et elles gagnèrent l'entrée de l'immeuble.

C'était plutôt bien tenu, avec des rangées de boîtes aux lettres en fer et des voitures d'enfants, alignées dans un coin. Au huitième étage, la cliente de

1. Épicerie.
2. Pommes de terre.

l'épicerie désigna à Alexandra Portanski le fond du couloir.

– C'est là-bas, le 842.

– *Spassiba, spassiba bolchoï*, remercia Alexandra avant d'aller sonner à la porte indiquée.

On lui ouvrit tout de suite. Une femme toute petite, brune avec un nez important, qui repoussa aussitôt le battant en lançant d'une voix presque inaudible :

– Je ne veux rien acheter.

– Mais je n'ai rien à vendre, *gostnaya* Gossak ! protesta aussitôt Alexandra, je cherche seulement des nouvelles de votre fils Sergueï…

Katerina Gossak se figea, examinant Alexandra de la tête aux pieds, et dit d'une voix changée :

– De mon fils ! De Sergueï ?

– *Da*, confirma Alexandra Portanski.

– Vous savez où il est ? demanda Katerina Gossak d'une voix pleine d'espoir.

– Non, je le cherche ! corrigea Alexandra Portanski. Vous savez où je peux le trouver ? Je lui ai écrit en Tchétchénie, mais il ne m'a jamais répondu.

À nouveau méfiante, la mère de Sergueï Gossak demanda :

– D'où le connaissez-vous ?

Alexandra Portanski s'était préparée à la question.

– Je suis journaliste aux *Izvestia* et je l'avais rencontré en Tchétchénie où j'étais en reportage. Là-bas, je l'ai revu plusieurs fois, nous nous sommes téléphoné quand je suis revenue à Moscou, et puis, plus rien. Je voudrais le revoir. C'est un garçon si gentil !

Katerina Gossak fondait. Elle ouvrit enfin la porte toute grande et fit entrer Alexandra Portanski. C'était un petit appartement, propre, pauvrement meublé. Sur un buffet trônait une photo d'un jeune homme en uniforme. La vieille femme lança :

– Voilà mon Sergueï ! *Tchaï ?*

– *Da, spassiba*, accepta Alexandra.

Se disant que Malko allait être content d'elle. Katerina Gossak revint avec une théière et deux tasses.

– Vous avez de la chance de me trouver, dit-elle. Aujourd'hui je ne travaille pas…

– Vous habitez seule ?

– Oui, mon mari est mort il y a trois ans. Je ne le regrette pas. Je devais travailler deux fois plus pour qu'il puisse se saouler la gueule.

Elle versa le thé et demanda :

– Il y a longtemps que vous avez vu mon Sergueï ?

– Non. Quinze jours, peut-être. Nous avons pris un verre ensemble. Il m'a dit qu'il avait quitté l'armée et qu'il cherchait du travail. Et qu'il habitait chez vous.

La vieille femme secoua la tête et marmonna.

– C'est plutôt l'armée qui l'a quitté ! *Nitchevo*, il ne vous a pas dit ce qui lui est arrivé, là-bas, chez ces bêtes sauvages de *tchernozopié* ?

– Non.

– Il y a eu un complot contre lui. Ses supérieurs, tous des canailles, l'ont accusé d'avoir vendu des cadavres aux *tchernozopié*. Lui qui est tendre comme un agneau ! Ils l'ont arrêté. Il a été jugé et condamné à six mois de prison ! C'est une injustice horrible. Il n'avait pas demandé à aller dans le Caucase, chez les sauvages. Il est sorti de Lefortovo il y a moins d'un mois et il est revenu loger chez moi. C'est à ce moment que vous avez dû le voir.

– Il n'est plus ici ?

Katerina Gossak lui jeta un regard plein de tristesse.

– Il a disparu ! Le jour de l'anniversaire de Vladimir Vladimirovitch. Il est parti comme d'habitude, pour aller chercher du travail, et il n'est pas revenu. Depuis, aucune nouvelle.

– Il ne vous a même pas téléphoné ?

– Mon téléphone ne marche plus, je n'ai pas payé la note, expliqua la mère de Serguei. À quoi bon ? Je ne connais personne, à part des gens du quartier. J'ai bien un frère à Stavropol, mais il ne m'a pas donné signe de vie depuis quinze ans…

– Vous n'avez aucune idée de l'endroit où Sergueï peut se trouver ? insista Alexandra Portanski. Vous ne connaissez pas ses amis ?

Katerina Gossak secoua la tête.

– *Niet.* Il a de nouveaux amis, de l'armée, mais il ne me les a jamais présentés. Tenez, venez voir sa chambre.

Elle mena sa visiteuse jusqu'à une pièce minuscule aux murs bleu pâle, avec un petit lit, une chaise et un bureau. Une grande icône au-dessus du lit. Quelques magazines dans un coin, une penderie.

Les deux femmes regagnèrent le petit salon. La mère de Sergueï ignorait réellement où se trouvait son fils. Inutile de s'attarder, conclut Alexandra Portanski.

– Si jamais Sergueï vous appelle, dit-elle, vous pourriez lui dire qu'il me donne signe de vie. Je vais vous laisser mon numéro.

Elle savait que c'était imprudent, mais ne put résister.

– Je lui dirai, promit Katerina Gossak, sans conviction.

Alexandra Portanski regagna l'ascenseur, inondée de fierté : elle avait enfin retrouvé la mère de Sergueï Gossak.

La vieille femme la regarda s'éloigner dans le couloir et referma doucement sa porte.

*
* *

– Lena, on peut prendre un thé ?

La jeune femme semblait ravie de l'appel de Malko. Il l'avait jointe sans problème, en sortant de l'ambassade américaine.

– Je viens au *Kempinski*, proposa-t-elle, il y a de bons gâteaux en bas. À quatre heures.

Il avait juste le temps de regagner l'hôtel. Désormais,

tout allait reposer sur Lena et son jules. Bien sûr, il pouvait se rendre seul à un éventuel rendez-vous avec Sergueï Gossak, mais si celui-ci ne se montrait pas coopératif, ce serait un coup d'épée dans l'eau.

Il craignait que le jeune homme ne s'affole en voyant les Américains s'intéresser à lui. D'autre part, il était traqué et n'avait pas beaucoup d'avenir à Moscou. Au pire, Malko pouvait lui offrir de l'argent pour aider sa cavale. Sans lui dire qu'elle risquait de ne pas durer.

Lorsqu'il arriva au salon de thé, Lena était déjà là, éblouissante dans sa zibeline, sur une mini découvrant ses interminables jambes bottées. Elle embrassa Malko sur la bouche, déclenchant l'envie muette de tous les mâles présents. Elle était vraiment très belle. Impossible de deviner sa bisexualité. Malko la laissa terminer un énorme gâteau au chocolat.

– Je vais peut-être avoir besoin de ton ami Stal, annonça-t-il ensuite. J'ai un problème de business...

– *Vsié normalnu*, fit simplement la jeune femme. Attention, il est cher !

– Peu importe. Comment le rencontrer ?

– Je vais te présenter...

– Tu m'as dit qu'il était jaloux... Il m'a vu au restaurant, l'autre jour.

Lena le rassura d'un sourire.

– Non. Sinon, il m'en aurait parlé. Il te tournait le dos... Je vais lui dire que tu es un ami de Macha. Il ne posera pas de questions. Quand veux-tu ?

– Maintenant ?

– *Dobre*.

Elle prit son portable et Malko suivit la conversation, tout en ellipses. À Moscou, on se méfiait beaucoup du téléphone. Lena coupa et dit simplement :

– Il nous attend. *Davai*. C'est dans Petrovka.

Elle avait sa voiture, une petite Mercedes coupé. Une fois installé, Malko ne put s'empêcher de poser la main sur sa cuisse.

– Tu es vraiment très attirante ! remarqua-t-il. Quel dommage que…

Lena se tourna vers lui, avec un sourire angélique.

– Si tu me lèches bien, tu deviendras mon amant… J'aime aussi faire l'amour avec un homme. Comme je fais avec Macha. Mais cet idiot de Stal se considère déshonoré s'il lèche une femme…

Ils mirent à peine cinq minutes et elle trouva une place en face du 61, un vieil immeuble noirâtre qui ne payait pas de mine. Au premier étage une plaque de cuivre indiquait : STAL SECURITY LTD, au-dessus de l'inscription en russe. Jouant sur le sens du mot « *stal*[1] ».

Une secrétaire boulotte les introduisit et Lena fonça vers une imposante porte matelassée. Elle entra sans frapper, Malko sur ses talons.

L'homme qu'il avait vu au restaurant *L'Appartement* était en train de téléphoner. Il raccrocha et vint serrer chaleureusement la main de Malko.

On apporta ensuite du thé et ils prirent place autour de la table basse. Stal avait le regard dur et froid des *new Russians*, mais des manières assez policées.

– Lena m'a dit que vous aviez besoin d'un coup de main, dit-il d'un ton enjoué. Ici, nous offrons tous les services possibles. De quoi s'agit-il ?

– Je m'occupe d'investissements, expliqua Malko. Nous avions pris un jeune démarcheur. Il a gardé l'argent de certains clients. Je veux le récupérer.

– *Dobre ! Dobre !* approuva Stal. Vous êtes sûr qu'il n'a pas tout dépensé ?

– Oui, dit Malko, sans s'étendre.

– *Karacho*. Parce que je vais vous facturer un peu d'argent. Que voulez-vous exactement ?

– J'aurai prochainement un rendez-vous avec lui,

1. Acier.

expliqua Malko. Je l'ai convaincu de me rencontrer. Mais je ne sais pas si cela va bien se passer.

Stal secoua la tête, amusé.

– Cela ne se passera pas bien. Cela ne se passe *jamais* bien. Vous voulez donc une escorte pour l'aider à bien se conduire.

– Exact.

– *Vsié normalno*. Je prends vingt-cinq mille roubles pour deux garçons qui feront face.

– Ils seront armés ?

– C'est dix mille roubles de plus. Il faut payer les licences. C'est tout ?

Malko eut un sourire embarrassé.

– Cela dépend. Si cela ne se passe pas bien, j'aimerais pouvoir l'emmener dans un endroit tranquille pour négocier. Je suis descendu au *Kempinski*, ce n'est pas le lieu idéal.

Stal sourit.

– Je vois. Je peux mettre à votre disposition pour vingt mille roubles un local tranquille, pas très loin du *Kempinski*. Mais tout doit être terminé avant le soir. Sinon, c'est considéré comme un kidnapping...

– C'est d'accord, dit Malko.

– C'est pour quand ?

– Dans les jours qui viennent.

– Très bien, approuva Stal. Il faut me prévenir la veille et apporter l'argent. Je pense que vous serez satisfait de nos services. Mais si vous n'étiez pas venu avec Lena, je ne vous aurais pas reçu. Nous n'aimons pas les clients inconnus. Il y a trop de malfaisants dans ce pays.

Malko eut envie de lui dire que c'était de cela qu'il vivait, mais il n'était pas là pour refaire le monde.

Ils se quittèrent sur une chaleureuse poignée de main et il ressortit avec le numéro de portable de Stal Vorota. Lena semblait ravie.

– Quand tu auras récupéré ton argent, dit-elle, on fera une grande fête avec Macha !

*
* *

Malko était encore dans la voiture de Lena quand Alexandra Portanski l'appela.

– Je l'ai retrouvée ! lança-t-elle d'une voix vibrante d'excitation.

– Sergueï ?

– Non, sa maman.

– Mais je t'avais dit d'arrêter tes recherches ! remarqua Malko. C'est trop dangereux.

– Tu m'en veux ?

– Non, bien sûr.

– Alors, viens à la maison. Je ne peux pas sortir, le médecin doit venir pour Alexei.

Malko coupa et demanda à Lena :

– Tu peux me déposer ? Ce n'est pas loin.

Elle eut un sourire complice.

– Tu as plein de femmes à Moscou… J'espère qu'elle baise bien. Il faudra que tu me la présentes.

Malko trépignait dans l'ascenseur qui montait à une allure d'escargot. Alexandra Portanski l'attendait, les yeux pétillants de joie. Après l'avoir embrassé, pas vraiment chastement, elle lui jeta :

– J'ai trouvé cette pauvre *starouchka*[1] ! Elle est très triste parce que Sergueï ne lui a donné aucune nouvelle depuis près de deux mois…

– Comment ! s'exclama Malko, stupéfait. Il ne lui a pas téléphoné ?

Alexandra Portanski secoua son chignon blond.

– Il ne risque pas : le téléphone est coupé !

Malko eut l'impression qu'on lui enfonçait un pic à glace dans le cœur.

1. Vieille femme.

Si Sergueï Gossak n'avait pas donné signe de vie à sa mère, Ivan Ilichev lui racontait un conte de fées. Or, le gros détective n'était pas capable de l'avoir inventé. Donc, cela venait de plus haut. Du FSB, très probablement. Pourquoi voulait-on lui faire croire cette fable ?

– Tu m'en veux ? répéta Alexandra Portanski, inquiète. Je croyais bien faire.

Malko la prit dans ses bras.

– Je ne t'en veux pas. Tu m'as peut-être sauvé la vie.

CHAPITRE VIII

– C'est un piège, affirma Malko. Votre ami Ivan Ilichev est manipulé. Probablement à son insu. Par les gens du FSB.

– Quel but poursuivent-ils ? demanda le chef de station de la CIA à Moscou.

Après avoir quitté Alexandra Portanski, Malko s'était rué à l'ambassade américaine pour un nouvel entretien dans le « *yellow submarine* » avec Brian King.

– Je l'ignore encore, avoua Malko. Ou le FSB a déjà retrouvé ce Sergueï et nous mène en bateau, ou c'est peut-être une question d'argent. Une façon pour un colonel du FSB de gagner quelques millions de roubles.

– C'est une hypothèse plausible, reconnut l'Américain.

– Donc, nous n'avons que deux solutions possibles. Ou y aller avec précautions, ou ne pas donner suite.

Brian King alluma une cigarette, pensif.

– Je dois demander à Langley. Il y a beaucoup d'argent engagé. Je pense qu'ils vont conseiller de « démonter ».

– C'est leur problème, conclut Malko. De mon côté, tout est en place.

Il avait expliqué à l'Américain le rôle de l'amant de

Lena et Brian King avait approuvé le dispositif. Ce dernier enchaîna :

– Nous allons nous faire voler ou enfumer... Ou alors, le FSB a déjà arrêté Sergueï Gossak et lui a dicté une version à leur avantage qu'il va vous servir.

– C'est une possibilité, reconnut Malko. Le FSB sait bien que nous nous méfions de la justice russe, j'allais dire soviétique. Une confession en direct renforcerait la version officielle, dédouanant Vladimir Poutine.

Malko se leva. Il étouffait dans le «*yellow submarine*».

– Tenez-moi au courant, dit-il. Le feu vert, de l'autre côté, risque de venir vite.

***

Rem Tolkatchev révisa soigneusement toutes les étapes de son opération. Si les exécutants ne commettaient pas d'erreur, le lendemain soir, il pourrait annoncer à Vladimir Vladimirovitch une très bonne nouvelle.

Il posa son stylo, satisfait de son idée. Cela s'appelait faire d'une pierre deux coups. Il n'y avait que des avantages au montage qu'il avait imaginé.

Posément, il écrivit quelques lignes à l'intention de son contact au FSB, le colonel Anatoli Schverchkov. L'enveloppe cachetée, il appela l'«homme en gris» qui lui servait de coursier. Il avait bien mérité un dîner au restaurant italien de la place Rouge, quand même meilleur que le buffet n°1 du Kremlin.

***

Le visage empâté d'Ivan Ilichev en tremblait de bonheur. Malko Linge venait de débarquer dans son bureau pour lui annoncer que la CIA acceptait sa proposition. Il allait à l'ambassade récupérer deux millions et demi de roubles en billets de mille.

Le feu vert était venu de Langley, la veille au soir, alors que Malko allait prendre congé de Brian King. La CIA prenait le risque financier.

– Et de votre côté ? demanda Malko.

– J'attends, soupira le gros homme. Il n'est encore que dix heures.

Malko se leva.

– Je suis au bout de mon portable.

*
* *

Depuis une demi-heure, Malko, installé dans le bureau de Brian King, comptait des liasses de billets. Trois grosses enveloppes pour Ivan Ilichev, une pour Stal Vorota. Il allait retourner au *Kempinski* avec l'argent, attendre le feu vert d'Ivan Ilichev. Les hommes de Stal Vorota étaient également en *stand by*, prêts à réagir dans l'heure.

Il mit les trois enveloppes dans un grand sac de cuir, glissa le Glock dans sa ceinture, sous son manteau, et serra longuement la main de Brian King. Ce dernier lui avait remis un Blackberry crypté, afin de pouvoir communiquer avec lui.

– Ne prenez pas de risques inutiles, recommanda l'Américain. Vous êtes sûr de vos « baby-sitters » ?

– Je ne les ai pas encore rencontrés, remarqua Malko, mais ce sont des professionnels. J'espère que Sergueï Gossak n'est pas *déjà* sous la surveillance du FSB. Cela rendrait sa récupération délicate…

– Faites au mieux, conclut le chef de station ; si vous arrivez à le ramener ici, je peux vous dire qu'ils vont sabrer le champagne, à Langley. Parce qu'il a sûrement des choses intéressantes à raconter. La voiture vous attend en bas.

Une Chrysler finalement fournie par la station l'accompagnait jusqu'au *Kempinski* avec une escorte armée, pour protéger les deux millions et demi de roubles en billets tout neufs. Durant le trajet, il passa en revue toutes les hypothèses possibles. Grâce à Alexandra Portanski, il avait un avantage appréciable, certain que le FSB lui tendait un piège. Mais lequel ? Il y avait tellement de réponses envisageables qu'il décida de laisser cela de côté.

Englué dans un embouteillage, il baissa les yeux sur sa Breitling. Onze heures dix. Ce ne serait peut-être pas pour aujourd'hui.

Il s'arrêtait devant l'hôtel lorsque son portable sonna.

– Je vous attends au bureau ! lança Ivan Ilichev d'une voix tendue. Le plus vite possible.

Ivan Ilichev ruisselait de bonheur. Il en aurait pleuré. Après avoir fermé son bureau à clef, il ouvrit d'abord les deux plus grosses enveloppes et contempla les liasses de billets de mille roubles, comme si c'était l'Enfant-Jésus.

– *Dobre*, *dobre*, répéta-t-il, fasciné par les liasses. (Il regarda sa montre.) J'ai rendez-vous dans une demi-heure. J'y vais.

Il avait déjà mis les enveloppes dans sa grosse serviette. Malko mal à l'aise, remarqua :

– Je vous fais confiance…

L'hypothèse la plus simple était que le FSB eût décidé d'escroquer le CIA de deux millions et demi de roubles. Il ne reverrait jamais ni l'argent ni Sergueï…

– Tout se passera bien, promit Ivan Ilichev, en le poussant presque hors de son bureau.

– Vous ne voulez pas que je vous accompagne ? proposa Malko.

– Non, c'est impossible.

Brutalement, il semblait incroyablement nerveux.

– Attendez-moi au même endroit que la dernière fois, dit Ivan Ilichev. Devant le *Metropole*.

Malko avait juste le temps de retrouver ses « baby-sitters » au *Kempinski*. Heureusement qu'il avait gardé la Chrysler.

Dès qu'il pénétra dans le hall de l'hôtel, il les repéra. Deux armoires à glace accompagnées de Stal Vorota qui vint à sa rencontre. Lui aussi paraissait enchanté. Malko lui tendit tout de suite son enveloppe, que le Russe glissa sans l'ouvrir dans sa serviette en crocodile noir.

– *Dobre*, dit-il. Je vais vous présenter vos *krichas*.

Les deux armoires à glace se levèrent d'un bloc. Interchangeables : un mètre quatre-vingt-dix, yeux froids, cheveux très courts, costumes croisés, manteaux de cuir. Des mains comme des battoirs.

– Oleg Petrovski, Dimitri Yantun, annonça-t-il.

– *Dobredin*, *gospodine*, firent-ils en chœur.

– *Dobredin*, répondit poliment Malko en aventurant prudemment sa main droite entre leurs énormes phalanges.

Ils s'assirent tous les quatre dans un coin du *lobby* et Stal Vorota résuma la situation :

– Jusqu'à ce soir, Oleg et Dimitri ne vous lâchent pas. Je leur ai expliqué la situation. Ils n'interviennent que sur vos instructions. Ils sont tous les deux armés, *légalement*. Mais, bien sûr, ils n'utilisent leurs armes qu'en état de légitime défense. Comme vous parlez russe, il n'y aura pas de problème de communication. Ils ont une voiture de chez nous et, en cas de besoin, nous vous conduirons avec votre ancien associé jusqu'à un local où vous pourrez discuter tranquillement sous leur protection. Mais tout doit être terminé à sept heures. *Karacho ?*

– *Karacho*.

Le Russe serra longuement la main de Malko et proposa :

– Il faudra que nous dînions un soir tous ensemble. Vous êtes mon invité.

Ils sortirent du *Kempinski* et se séparèrent, Malko et ses « baby-sitters » prirent place dans une Mercedes grise assez fatiguée, avec un chauffeur.

Malko lui lança :

– On va au *Metropole* et vous attendez devant.

*
* *

Ivan Ilichev avait la chemise collée à la peau par la transpiration. Pourtant, il faisait un froid glacial dans le marché Loubianka. Il était trois heures moins cinq et il avait l'impression que son cœur s'emballait dans sa poitrine. Il avait laissé les cinq cent mille roubles entassées dans le coffre de sa voiture et se retournait tout le temps pour la surveiller.

Il n'en revenait pas de sa chance.

Décidément, les *Amerikanski* étaient des gens merveilleux. Il bénissait aussi son copain, le colonel Dimitri Ivanov. Sans ses relations à l'intérieur du FSB, rien n'aurait été possible.

Il était si absorbé dans ses pensées qu'il fit un bond quand une voix lança derrière lui :

– Tu es en avance, Ivan Ivanovitch !

Il se retourna : le colonel Dimitri Ivanov lui souriait, les mains dans les poches de son manteau sombre. Son regard tomba sur le sac où se trouvaient les deux grosses enveloppes et il eut un sourire d'approbation.

– *Dobre*. Tu es un homme de parole.

Déjà, il tendait la main. Ivan Ilichev n'osa pas tergiverser et lui tendit le sac. Aussitôt, le colonel Ivanov fit demi-tour, comme s'il s'éloignait. Ivan Ilichev sentit son pouls s'envoler, mais n'eut pas le temps d'avoir vraiment peur. L'autre revenait déjà sur ses pas, avec un large sourire.

– 137 Veskovski Pereulok, dit-il. Il est dans le *korpus* 2, au premier étage. Il n'y a qu'une porte.

– Il est prévenu ? demanda bêtement Ivan Ilichev.

Le colonal Ivanov sourit.

– Pas vraiment. Mais je pense que si on frappe à sa porte, il ouvrira. Il attend une visite de sa mère. Ensuite, c'est à tes amis de voir. Mais, souviens-toi, je te donne une heure. Pas plus.

Ivan Ilichev avait fiévreusement noté l'adresse.

– Où est-ce ?

– Près du métro Novoslobodskaïa, dans le nord. *Karacho.*

– *Karacho. Spassiba.*

Déjà l'officier s'éloignait d'un pas tranquille au milieu des étals. Ivan Ilichev se dit qu'il allait *encore* s'acheter du caviar. Il se hâta de sortir du marché et sauta dans sa Peugeot 206. Avant la fin de la semaine, il aurait une vraie voiture… Il flottait sur un petit nuage et se trompa. Il dut effectuer un *rasvarot*[1] de folie au milieu de la circulation pour retrouver le chemin du *Metropole.*

Quand il arriva en face du vieil hôtel, il aperçut tout de suite, à côté des quelques limousines, une Mercedes grise qui n'avait rien à faire là.

Il était à peine arrêté que l'agent de la CIA en sortit et vint vers lui. Ils se retrouvèrent sur le trottoir et Ivan Ilichev annonça aussitôt :

– J'ai le rendez-vous. Sergueï Gossak se trouve au 137 Veskovski Pereulok. Dans un appartement du *korpus* 2, au premier étage, il n'y a qu'une porte.

Malko nota et demanda :

– Il sait que quelqu'un va venir ?

– Non. Mon ami m'a dit qu'il ouvrirait sans difficulté parce que sa mère doit venir lui rendre visite.

– Merci, dit Malko, intérieurement glacé.

Tout cela sentait de plus en plus la manip. Quel piège lui tendait-on ? Il regagna sa voiture et donna l'adresse au chauffeur qui dut consulter son plan de

1. Demi-tour.

Moscou pour trouver la rue. Ensuite, ils mirent le cap au nord. Vingt minutes plus tard, ils atteignaient le 137 de Veskovski Pereulok, un vieil immeuble de briques rouges de deux étages avec une entrée en voûte desservant les autres bâtiments. Disposition classique en Russie.

Le petit immeuble était encadré par deux autres immeubles jaunes plus importants.

Personne en vue. C'était un quartier calme et, dans l'après-midi, les gens devaient travailler. Malko se tourna vers Oleg Petrovski, assis à côté de lui :

– L'homme que je viens voir se trouve au premier étage. Normalement, il est seul, mais il peut être armé. Donc, vous venez avec moi.

– *Vsié normalnu*, fit Oleg en descendant de la voiture, imité par Dimitri Yantun, l'autre « baby-sitter ».

Les trois hommes s'engagèrent sous la voûte, débouchant dans une cour où se trouvaient deux voitures, dont une sur cales. L'entrée du *korpus* 2 était à gauche : un escalier ancien en bois, sombre. Malko monta le premier, les deux Russes sur ses talons. Effectivement, au premier étage, il n'y avait qu'une porte.

Le silence était absolu.

Malko se demanda si l'assassin d'Anna Politkovskaïa se trouvait vraiment derrière ce battant jaunâtre. Les deux Russes s'étaient un peu reculés et avaient ouvert leur manteau. Malko aperçut à la ceinture d'Oleg Petrovski la crosse d'un énorme Makarov. Lui aussi avait son Glock passé dans sa ceinture, à la hauteur de la colonne vertébrale.

Il appuya sur le bouton de la sonnette.

*
* *

Rem Tolkatchev était enfermé dans son bureau et un panneau sur la porte ordonnait de ne pas le déranger.

Il arrivait au bout de sa manip. Normalement, tout devait bien se passer.

L'homme qui attendait l'agent de la CIA était jeune, entraîné et motivé. Un pur *spetnatz*[1] choisi pour ses convictions. Il ignorait évidemment que ce serait sa dernière mission, le plan mis au point par Rem Tolkatchev exigeant son sacrifice.

Le vieil apparatchik, s'il n'avait aucune sensibilité, n'était pas un homme cruel. Mais, dans les guerres, il y a des morts. Or, il se considérait en guerre contre les ennemis de la Russie. Dont les Américains. Comme pour ses amis, officiers du GRU, rien n'avait vraiment changé depuis la fin de la guerre froide : le monde extérieur voulait toujours la défaite et l'affaiblissement de la Russie.

Il appela un portable. Celui d'un homme sûr qui se trouvait au premier étage donnant sur la rue de l'immeuble choisi pour le piège. Un bâtiment qui appartenait à travers diverses sociétés au FSB et n'était pas occupé. Il servait parfois de local de rencontre. Toutes ses pièces étaient sonorisées et certaines équipées de caméras.

On décrocha et une voix d'homme annonça :

– Ici, le 7765432.

– C'est moi, Igor, confirma Rem Tolkatchev. Quelles sont les nouvelles ?

– Il vient d'arriver, mais il n'est pas seul.

Rem Tolkatchev sentit les battements de son cœur s'accélérer.

– Pas seul ! répéta-t-il. Avec qui est-il ?

– Deux hommes. On dirait des gens de chez nous. J'ai l'impression qu'ils sont armés.

Cela changeait la donne.

– Dis-lui de ne pas ouvrir, ordonna Rem Tolkatchev. Tant pis, on annule.

1. Unité de commando de l'armée russe.

Il avait horreur de se lancer dans quelque chose qu'il ne maîtrisait pas entièrement.

Le plan initial était très simple : l'homme qui se faisait passer pour Sergueï Gossak était supposé ouvrir la porte à l'agent de la CIA. Puis se présenter comme l'assassin de la journaliste et accepter de le suivre.

Le laissant passer devant.

À ce moment, il lui tirerait une balle dans le dos avec le pistolet qu'on lui avait remis, celui qui avait servi à tuer Anna Politkovskaïa.

L'agent de la CIA abattu, les trois hommes du FSB en planque à l'étage inférieur dans le *korpus* 1 devaient se précipiter et abattre à son tour le jeune *spetnatz,* en prenant soin de lui tirer dans le visage, de façon qu'il soit méconnaissable. Ensuite, il n'y aurait plus qu'à convoquer la *Milicija* d'abord, puis la presse. Les agents du FSB raconteraient qu'ils étaient en planque pour surprendre l'assassin de la journaliste dont ils avaient retrouvé la piste grâce à son téléphone portable, quand ils avaient vu surgir un étranger visiblement au courant de la présence du jeune homme. Ils n'avaient pas eu le temps d'intervenir et l'assassin d'Anna Politkovskaïa avait abattu l'espion de la CIA avant que les agents du FSB ne le neutralisent.

La presse et la télé allaient avaler ce merveilleux conte de fées. Personne n'irait examiner le cadavre de trop près. Ainsi, Sergueï Gossak aurait droit à un deuxième enterrement. Sa mère serait prévenue et confirmerait l'histoire.

C'était une superbe manip.

Qui avait l'avantage, d'une part, de régler un vieux compte avec l'homme qui avait osé réunir un *kompromat* sur Vladimir Poutine et, d'autre part, de dédouaner ce dernier de l'assassinat de la journaliste...

*
* *

Malko attendit encore un peu, le pouls à 150, se demandant si la sonnette fonctionnait. Il allait sonner à nouveau lorsque le battant de la porte s'entrouvrit précautionneusement.

CHAPITRE IX

Igor Demachev, le jeune *spetnatz*, avait coupé son portable quelques minutes plus tôt, par précaution. Au cas où il aurait sonné lorsqu'il serait avec l'homme avec qui il avait rendez-vous. Il ne savait rien de lui, sinon que c'était un ennemi du pouvoir. Dans son unité, on ne réfléchissait pas, on obéissait. Il se sentait très détendu, sachant exactement ce qu'il avait à faire.

Il était Sergueï Gossak et devait simplement accepter de suivre celui qui allait venir.

Dès que cet homme serait dans l'escalier, il lui tirerait une balle dans le dos avec le pistolet qu'on lui avait remis et rejoindrait ensuite les agents du FSB qui l'attendaient dans l'appartement du *korpus* 1. Son arme était glissée dans sa ceinture, invisible, une balle dans le canon, et il n'avait qu'à appuyer sur la détente.

Le coup de sonnette envoya un puissant jet d'adrénaline dans ses artères. Il mit quelques fractions de seconde à réaliser qu'il devait ouvrir.

Il ouvrit la porte et son pouls s'envola. Au lieu de l'homme seul qu'on lui avait annoncé, il se trouva face à trois hommes ! Un blond encadré par deux armoires à glace. Tout son logiciel se bloqua d'un coup et il recula, ne sachant que faire devant ce cas de figure inattendu.

***

Malko scruta le visage blême de l'homme qui venait d'ouvrir la porte. Jeune, le regard sombre et affolé. Habillé d'une veste de cuir noir ouverte et d'un jean.

– *Gospodine* Sergueï Gossak ? demanda-t-il.

– *Da*, bredouilla d'une voix mal assurée le jeune homme en faisant un pas en arrière.

Bizarrement, il semblait avoir peur mais ne ressemblait pas à un homme en cavale, avec ses cheveux bien peignés et son visage bien rasé. Malko lui sourit.

– Je ne vous veux que du bien, assura-t-il. Je crois que vous avez des soucis et je peux vous aider. Voulez-vous venir avec nous afin que nous puissions en discuter ?

Comme le jeune homme ne répondait pas, Malko lui indiqua la porte.

– *Pajolsk.*

Les deux « baby-sitters » s'étaient placés de part et d'autre du jeune homme, l'observant comme des chats surveillent une souris bien grasse. Ils mesuraient bien vingt centimètres de plus que lui.

Le jeune *spetnatz* hésita. À cause de la présence de ces deux hommes, son plan initial ne pouvait pas fonctionner. Or, on ne lui avait pas donné de plan B.

– Vous ne voulez pas venir avec moi ? demanda calmement Malko.

Le jeune homme n'eut pas le temps de lui répondre, une cavalcade de pas résonna dans l'escalier.

– *Vnimanié*[1] *!* lança Malko.

Instantanément, les deux hommes de Stal Vorota dégainèrent. Un énorme Makarov et un Glock, bien carré. Faisant face à la porte. Malko se retourna et vit

1. Attention !

le jeune homme en train de glisser une main dans son dos.

– Sergueï ! lança-t-il. *Ne pizdi !*

Il avait déjà tiré une arme de sous sa veste.

Malko, sans réfléchir, passa la main dans son dos pour sortir le Glock. Mais l'autre avait quelques dixièmes de seconde d'avance. Malko n'était pas encore en position de tir que le long canon prolongé par un silencieux se braquait déjà sur lui.

Il se dit qu'il allait se faire tuer là, bêtement. Les deux « baby-sitters » hésitèrent.

Soudain plusieurs coups de feu claquèrent, venant du palier. Deux inconnus avaient surgi de l'escalier et c'était Sergueï Gossak qu'ils prenaient pour cible.

Celui-ci n'eut pas le temps d'appuyer sur la détente de son arme. Il recula sous l'impact des projectiles et s'appuya au mur du fond, le regard déjà vitreux.

Malko se retourna vers la porte. Le palier était vide ! Il entendit une cavalcade dans l'escalier.

Sergueï Gossak avait glissé sur le sol, pâle comme un linge, secoué de spasmes. Malko s'agenouilla à côté de lui et posa la main sur sa carotide, ne sentant qu'une faible pulsation. Il était en train de mourir.

– Qu'est-ce qui se passe ? lança Oleg Petrovski, rengainant son arme. Qui sont ces types ?

– Je n'en sais rien ! avoua Malko.

Presque certainement, il s'agissait d'agents du FSB. Mais pourquoi avoir abattu Sergueï Gossak ? Ils étaient censés, au contraire, l'arrêter et l'exhiber à la presse, comme preuve de l'efficacité de leur service. Quelque chose ne collait pas, il ne pouvait pas l'expliquer.

Il fouilla rapidement les poches du jeune homme sans rien trouver qu'un peu d'argent et des clefs.

– *Davai !* lança-t-il à ses deux anges gardiens.

Ils dévalèrent l'escalier de bois et regagnèrent leur voiture sans croiser personne.

– Où va-t-on ? demanda Oleg Petrovski.

Malko n'hésita pas.

– Vous me déposez à l'ambassade américaine. Ensuite, c'est terminé pour vous.

Il avait coûté de l'argent à la CIA, sans résultat. Et, en plus, il ne comprenait pas ce qui s'était passé… Tandis qu'ils traversaient Moscou, il appela Ivan Ilichev, tombant sur son répondeur. Il eut encore le temps d'appeler sur le Blackberry sécurisé de Brian King.

– Il y a eu un contretemps, annonça-t-il, amer. Sergueï Gossak est mort, abattu par des inconnus.

***

Ivan Ilichev avait appelé le directeur de sa banque pour le prévenir qu'il venait déposer beaucoup d'argent, après l'heure de la fermeture…

Il sortit de son bureau, sa grosse serviette à la main et traversa la rue pour gagner sa voiture, garée en face. Sans prêter attention à un autre véhicule arrêté devant son immeuble. Alors qu'il était en train de mettre la clef dans la serrure de la Peugeot, un homme, le visage dissimulé par une cagoule de laine noire, sortit du véhicule arrêté et tira posément une longue rafale de Kalachnikov sur le détective privé…

Ivan Ilichev s'effondra, tenant encore ses clefs. En deux enjambées, son assassin traversa et tira à bout portant une rafale supplémentaire qui lui fit exploser le crâne. Avant de regagner la voiture qui démarra aussitôt, devant quelques passants terrifiés, mais blasés. Des meurtres semblables, il y en avait plusieurs par mois à Moscou. Et on ne trouvait jamais les assassins.

Des *zakasnoïé*.

Tania, la secrétaire boulotte, alertée par les coups de feu, sortit comme une folle du bureau, dévala l'escalier et surgit dans la rue. Elle se précipita sur le corps inanimé de son patron et s'agenouilla près de lui. Le sang giclait de son visage en bouillie et de son corps criblé de balles, en longues rigoles filant vers le caniveau.

Atterrée, elle le contempla quelques secondes, impuissante. Il avait déjà cessé de respirer.

Son regard se porta alors sur sa main droite dont les doigts étaient encore serrés autour de la poignée de la serviette de cuir. Elle dégagea celle-ci et remonta en toute hâte au bureau. Lorsqu'elle l'ouvrit, elle eut un vertige en découvrant tous les billets bleus de mille roubles.

Il y en avait pour une fortune... Elle prit la serviette et redévala les escaliers. Morte de peur et d'excitation en même temps. Elle courut jusqu'à la station de métro, se retournant à plusieurs reprises. Ivan Ilichev avait gagné beaucoup d'argent, mais il était mort. Elle tenait à rester vivante.

*
* *

– Je ne sais pas ce qui s'est passé, avoua Malko à Brian King. Sergueï Gossak était bien là, armé. Il a voulu me tuer, d'ailleurs, mais des inconnus l'ont abattu avant de disparaître.

– C'est bizarre, remarqua l'Américain. Si c'étaient des agents du FSB, pourquoi ne vous ont-ils pas arrêté ?

– Je ne me l'explique pas non plus. On m'a tendu un piège, c'est sûr. Peut-être qu'Ivan Ilichev pourra nous éclairer.

– Tenez-moi au courant, demanda l'Américain. À propos, j'ai une information pour vous. Le FBI a retrouvé la trace de la sœur d'Anna Politkovskaïa. Elle vit à Londres.

– Vous voulez que j'aille à Londres ?

– Inutile, elle se trouve à Moscou en ce moment. Elle est venue s'occuper de la succession de sa sœur.

Elle a précisé aux *gumshoes* qui l'ont questionnée ce matin qu'elle irait demain au cimetière prier sur la tombe de sa sœur. C'est peut-être une bonne occasion de l'approcher.

*
* *

Rem Tolkatchev alluma une de ses cigarettes multicolores, partagé entre la déception et la fureur contre lui-même. Il aurait dû se douter qu'un agent aussi expérimenté que Malko Linge prendrait ses précautions. Heureusement qu'il avait pu parer au plus pressé... Si le faux Sergueï Gossak était tombé vivant entre les mains de la CIA, c'eût été une catastrophe... Mais ses hommes avaient réagi vite et bien. L'élimination d'Ivan Ilichev couperait court à toute enquête de la part des Américains. Les autres protagonistes de l'affaire étaient sûrs. Il nota de penser à récompenser Anatoli Schverchkov, réalisant aussitôt qu'il avait *déjà* été récompensé. Avec deux millions de roubles, il pouvait faire pas mal de choses. Et cela lui ôterait toute éventuelle envie de bavarder.

Finalement, à part l'élimination programmée de Malko Linge, ratée pour cette fois, les choses avaient été plutôt bien rattrapées.

*
* *

– Alors, tu l'as vu ? demanda anxieusement Alexandra Portanski.

– Oui, mais brièvement, dit Malko. Les choses ne se sont pas bien passées. Il est mort.

Il lui raconta l'intervention des inconnus et elle poussa une exclamation effrayée.

– Ils auraient pu te tuer aussi !

– Peut-être que si j'avais été seul... *Nitchevo*, je

veux essayer d'oublier cela. Allons dîner au *Café Pouchkine*, j'ai envie de me changer les idées…

– Tu as raison, dit-elle. Alexei dort. Je vais en profiter. Mais j'ai envie de faire l'amour avec toi tout de suite.

Son corps pressé contre le sien était encore plus expressif que ses paroles… Très vite, Malko ne pensa plus qu'à s'enfoncer dans son ventre.

– Viens, souffla Alexandra.

Elle l'entraîna jusqu'à une grande chambre pleine de tentures, faiblement éclairée, et se mit à lui administrer une fellation royale. Visiblement, l'idée du danger couru par Malko avait déchaîné sa libido.

Finalement, elle s'installa sur le lit, à genoux. Malko dut remonter très haut sa longue jupe pour découvrir ses jambes et sa croupe. Le temps d'écarter sa culotte, il s'enfonça dans son ventre jusqu'à la garde. Alexandra l'accueillit d'un sursaut de tout le corps. Malko, lui, avait l'impression que la sensibilité de ses terminaisons nerveuses était décuplée.

Comme chaque fois qu'il avait échappé à la mort.

Tandis qu'il regardait son sexe entrer et sortir du ventre d'Alexandra, il ressentit soudain une pulsion à laquelle il ne put résister. Alexandra, en le sentant se retirer d'elle encore raide, comprit tout de suite, mais ne se déroba pas.

– *Nié oviastré*[1], souffla Malko.

Elle obéit et il put s'enfoncer dans ses reins lentement, profondément, éprouvant comme toujours la même sensation grisante.

*
* *

La photo occupait quatre colonnes à la une des *Izvestia*. Malko reconnut immédiatement le jeune homme de

1. Ne bouge pas.

la veille. Le titre, d'ailleurs, ne laissait aucun doute : « Le FSB, grâce à une information recueillie auprès de ses amis militaires, a réussi à localiser l'assassin de la journaliste Anna Politkovskaïa. Cerné, il a voulu faire usage de son pistolet – celui utilisé pour le meurtre de Politkovskaïa – et les agents du FSB ont dû l'abattre. »

Dans un encadré, un porte-parole du Kremlin se félicitait que l'assassin de la journaliste ait pu être mis hors d'état de nuire, soulignant l'importance que le président Vladimir Poutine attachait à la liberté de la presse.

Malko allait refermer le journal lorsqu'il aperçut une photo plus petite, en bas de page. Un homme étendu au milieu de la chaussée, mort. Il sursauta en lisant le nom. Ivan Ilichev, ancien officier du FSB reconverti détective, avait été abattu devant son bureau, par des inconnus.

Voilà pourquoi le Russe ne lui avait pas retourné ses appels…

Il posa le journal. Il lui manquait encore des éléments, mais la conjonction des deux incidents était évidente. On avait liquidé Ivan Ilichev parce qu'il aurait pu faire des révélations à la CIA. Comme le nom de son informateur au sein du FSB. Son portable sonna. C'était Alexandra Portanski.

– Je viens d'avoir un coup de fil de la mère de Sergueï, annonça-t-elle. Je lui avais laissé mon numéro…

– C'était imprudent ! Qu'est-ce qu'elle t'a dit ?

– Que l'homme photographié dans le journal n'est pas son fils !

– Quoi ?

– Oui, elle est formelle. Il ne s'agit pas de son fils Sergueï et elle ne comprend pas pourquoi on lui donne son identité. Elle m'a dit qu'elle allait se rendre à la *Milicija* de son quartier pour rétablir la vérité. Elle est contente, parce qu'elle pense que son fils est vivant.

– *Himmel Herr Gott !* fit Malko.

D'un coup, il venait de tout comprendre.

La pauvre mère de Sergueï Gossak avait tort de se réjouir, car son fils était probablement mort depuis longtemps. Mais il y avait pire.

– Où es-tu ? demanda-t-il à Alexandra.

– Chez moi.

– Viens tout de suite, à l'ambassade américaine.

– Mais pourquoi ?

– Tu es en danger de mort, dit-il, ne perds pas une minute. Je t'expliquerai. Je te rejoins là-bas. Ne discute pas, sinon Alexei n'aura plus personne pour s'occuper de lui.

– *Bolchemoi !* murmura le jeune femme, je ne comprends pas.

– Viens, insista Malko. Pars *tout de suite* de chez toi.

Il raccrocha, anxieux ; pourvu qu'elle ne soit pas la troisième à être liquidée. Les gens, en face, étaient sans pitié. Or, la jeune femme savait que le FSB avait menti en prétendant que Sergueï Gossak avait téléphoné à sa mère. En plus, elle avait reçu la confession de cette dernière.

Il descendit et fila à l'ambassade, l'estomac tordu par l'angoisse.

***

Brian King hocha la tête, l'air grave.

– Madame Portanski, dit-il, Malko a raison, vous êtes en danger de mort. Il faudrait quitter le pays, le plus vite possible.

Alexandra Portanski s'insurgea.

– Mais vous n'y pensez pas ! Je ne peux pas laisser Alexei seul. Qu'est-ce que je vais lui dire ?

– Dans ce cas, conclut Malko, nous allons vous assurer une protection jusqu'à nouvel ordre.

– Mais nous n'avons personne pour ça, objecta le chef de station.

Malko le foudroya du regard et lança sèchement :

– Vous allez trouver. Ceux qui étaient avec moi hier feront parfaitement l'affaire ; un seul suffira. Je pense que cela ne coûtera pas deux millions et demi de roubles.

De mauvaise grâce, Brian King s'inclina.

– O.K., dit-il. Vous vous occupez des détails. Qu'on envoie la facture ici. Mais n'oubliez pas que vous avez un rendez-vous important aujourd'hui.

– Je n'oublie pas, assura Malko, qui était déjà en train de téléphoner à Stal Vorota.

Cela ne supprimait pas tous les risques, mais enverrait un message au FSB. En plus, il allait faire enregistrer à Alexandra Portanski une déposition sous serment de ce qu'elle savait. Et faire savoir à qui de droit que ce texte serait révélé en cas de malheur...

*
* *

Le cimetière Troparovskoïé était situé tout près du MK, l'immense périphérique encerclant Moscou, non loin de la chaussée de Minsk, à l'ouest de la capitale. Au bout d'une rue calme, bordée de HLM, Ryabinovaïa Ulitza.

Malko franchit les grilles, frissonnant sous un vent glacial. Peu de gens venaient ici en semaine et le cimetière, désert, paraissait encore plus grand. Il avisa un homme en train de s'occuper des tombes à l'entrée et se fit expliquer où se trouvait celle d'Anna Politkovskaïa. D'abord, l'homme prétendit ne pas savoir et ce n'est qu'au second billet de cent roubles qu'il indiqua à Malko dans quelle allée était enterrée la journaliste.

Malko traversa le cimetière et atteignit une rangée de tombes fraîches.

Une femme en noir se tenait devant l'une d'elles, un simple tumulus avec quelques bouquets fanés. Malko s'immobilisa quelques mètres derrière elle et attendit qu'elle ait fini de se recueillir. Quand elle le découvrit en se retournant, elle marqua un mouvement de recul.

Malko lui sourit.

– *Dobredin*. Vous êtes Tatiana, la sœur d'Anna Politkovskaïa ? Celle qui repose ici.

La femme lui jeta un regard méfiant.

– Vous me connaissez ?

– Non, avoua Malko. C'est le FBI qui m'a indiqué que vous viendriez vous recueillir ici aujourd'hui.

– Qui êtes-vous ? demanda-t-elle, un peu rassurée.

– Je m'appelle Malko Linge. Je travaille avec la Central Intelligence Agency. J'ai été chargé d'une enquête sur la mort de votre sœur Anna.

– Une enquête ?

Elle semblait surprise.

– Mais tout le monde sait qu'elle a été assassinée !

– Certainement, confirma Malko, mais par qui ? Nous pensons qu'il s'agit d'une *zakasnoïé*. Et nous aimerions savoir qui est derrière. N'oubliez pas que votre sœur possédait un passeport américain. Nous sommes concernés…

La jeune femme eut un rictus amer.

– Concernés ! Que voulez-vous faire ? Rien ne l'arrachera à ce tombeau.

– C'est vrai, reconnut Malko, mais si on pouvait pointer le doigt sur ceux qui ont voulu sa mort, peut-être, là où elle se trouve, en serait-elle soulagée.

La jeune femme sembla touchée par cet argument. Des larmes envahirent ses yeux. À voix basse, elle souffla :

– Vous savez bien *qui* est responsable de sa mort… Même si ce n'est pas lui qui l'a tuée.

Même dans un cimetière, elle avait peur de prononcer le nom de Vladimir Poutine. Malko l'encouragea.

– Bien sûr, mais entre cet homme et le meurtrier, celui qui a appuyé sur la détente du pistolet, il y a des gens. Ce sont ceux-là qui pourraient parler. Si on arrive à les retrouver…

La sœur de la journaliste s'était mise à marcher vers la sortie du cimetière et Malko vint à sa hauteur. Elle demeura silencieuse presque jusqu'à la grille, puis elle se tourna vers lui.

– Anna avait été mise en garde, dit-elle d'une voix lasse. D'abord par notre père, Vladimir. Il était diplomate et travaillait pour le Premier Directorate du KGB, devenu aujourd'hui le SVR. Il lui avait dit que, tant qu'il serait vivant, elle ne risquait rien, mais qu'ensuite… Il est mort en juillet d'une crise cardiaque et elle a été assassinée deux mois plus tard. Anna était une idéaliste. Elle se servait du journalisme pour continuer sa lutte pour les libertés. Elle n'a jamais eu peur de rien. Pourtant, une autre personne l'a mise en garde, récemment.

– Qui ?

– Un certain Alexandre Litvinenko. Un ancien major du FSB qui a fui la Russie, il y a six ans, pour s'installer à Londres. Un défecteur, dégoûté par les manips du FSB et à qui, paraît-il, on avait demandé d'assassiner l'oligarque Simion Gourevitch.

Simion Gourevitch, jadis très lié à Poutine, était devenu son ennemi mortel et avait dû se réfugier en Grande-Bretagne, d'où la Russie cherchait à le faire extrader. Mais Malko n'avait jamais entendu parler d'Alexandre Litvinenko.

– Comment votre sœur a-t-elle rencontré ce Litvinenko ? demanda-t-il.

– Ils correspondaient pas mal et elle lui avait rendu visite à Londres en venant me voir, il y a deux mois. C'est à cette occasion qu'il lui a dit avoir entendu des rumeurs chez des anciens amis du FSB. Peut-être en sait-il plus.

Ils étaient arrivés à la grille du cimetière et Tatiana s'immobilisa brusquement.

– Regardez ! lança-t-elle d'une voix blanche.

Malko aperçut une voiture verdâtre, une Volga assez récente, garée un peu avant la grille, avec deux hommes à bord. La jeune femme se tourna vers lui et dit d'une voix lasse et tendue :

– Ils me suivent depuis mon arrivée à Moscou. Ils veulent savoir tout ce que je fais. Tous les gens que je vois.

La voiture ne bougeait pas. Ceux qui l'occupaient se moquaient d'être vus. Ils voulaient, au contraire, faire peur. On était revenu au temps de l'Union soviétique.

– Laissez-moi vos coordonnées, demanda Malko.

Elle lui donna un numéro de portable britannique et partit à pied, sans se retourner. Malko la regarda s'éloigner vers un improbable métro. La voiture verdâtre se mit en route, fit demi-tour et la suivit.

Il sortit du cimetière. Il n'aurait jamais pensé que son enquête sur le meurtre d'Anna Politkovskaïa puisse le mener à Londres. Mais, s'il y avait une chance même minuscule de progresser, il était bien décidé à la courir.

CHAPITRE X

Le texte s'imprimait au fur et à mesure qu'il sortait de l'ordinateur, relié à la banque centrale d'informations de la Central Intelligence Agency, à Langley :

« Alexandre Litvinenko. Né en 1969 dans le Caucase. Fait son service militaire dans une unité de *spetnatz*. Rejoint le FSB en 1993, comme lieutenant. Est affecté au Département d'analyse des organisations criminelles. Fait la connaissance en juin 1994 de l'oligarque Simion Gourevitch. Celui-ci vient d'être victime d'un attentat à l'explosif en face de ses bureaux, le Logovaz Club, dans lequel son chauffeur a été décapité. Attentat attribué à un groupe tchétchène. Se lie par la suite d'amitié avec Boris Berezovski et coopère à la campagne de 1996 pour faire réélire Boris Eltsine comme président.

« En 1998, Alexandre Litvinenko avertit Simion Gourevitch qu'un second attentat est en préparation contre lui. Son sponsor serait le général Khokolkhov, un opposant à l'indépendance de la Tchétchénie, alors que Simion Gourevitch a œuvré pour son autonomie. Grâce à ses relations, Simion Gourevitch obtient la démission du général Khokolkhov et appuie Vladimir Poutine dans sa campagne présidentielle.

« En 1998, alors que Vladimir Poutine est devenu le

patron du FSB, Alexandre Litvinenko découvre, selon lui, des cas de corruption au sein de la *Kontora*[1]. Il en fait part à Poutine qui refuse de sévir.

« C'est à ce moment que la carrière de Litvinenko prend un tour nouveau. Fin 1998, affublé de masques de ski et de lunettes noires, ses amis et lui tiennent une conférence de presse où ils accusent la hiérarchie du FSB d'organiser des assassinats ciblés et de se livrer à l'extorsion de fonds et à d'autres crimes. Litvinenko est arrêté, emprisonné, puis relâché.

« Entre-temps, les liens entre Simion Gourevitch et Vladimir Poutine se sont distendus. Simion Gourevitch vend la plupart de ses avoirs en Russie à un autre oligarque, Abramovitch, et va s'installer en Grande-Bretagne.

« Quelques mois plus tard, en octobre 2000, Alexandre Litvinenko s'enfuit de Russie pour la Turquie. Il y est accueilli par le bras droit de Simion Gourevitch, Alex Goldbad, qui l'emmène à Londres et lui fait obtenir le statut de réfugié politique, le 1er novembre 2000.

« Depuis six ans, Alexandre Litvinenko est devenu une créature des collaborateurs de Simion Gourevitch. Ce dernier assure sa vie matérielle et le loge dans une maison lui appartenant dans le nord de Londres. Litvinenko est également en contact étroit avec Akhmed Zakaiev, leader tchétchène en exil dont la tête est mise à prix par le Kremlin. Il est marié avec une Russe, Marina, et a un fils de 10 ans, Anatoli.

« D'après les informations de l'Agence, il entretient de nombreux contacts avec certains de ses anciens amis du FSB et mène, en compagnie de Simion Gourevitch, une campagne acharnée contre Vladimir Poutine. En 2000, il a publié en Grande-Bretagne un livre intitulé *The FSB blows up Russia*[2], accusant Vladimir Poutine

1. La Compagnie (le FSB).
2. *Le FSB fait exploser la Russie.*

et le FSB d'être derrière les attentats de Moscou qui ont détruit en 1999 deux immeubles, rue Guryanova et Kachirskoïé Chossé, et fait plus de trois cents victimes. Ce sont ces attentats qui ont poussé Vladimir Poutine à déclencher la seconde guerre de Tchétchénie, car il les a attribués au séparatistes tchétchènes.

« Bien que le livre d'Alexandre Litvinenko n'apporte pas de révélations, il a évidemment été accueilli par le Kremlin comme une fabrication.

« En 2003, Alexandre Litvinenko aurait été approché par un soi-disant officier félon qui lui aurait proposé d'assassiner Vladimir Poutine lors d'un de ses voyages à l'étranger, avec l'aide de combattants tchétchènes. Il dénonça alors la provocation à Scotland Yard qui arrêta ce citoyen russe, lequel se révéla être un membre du FSB. Il fut expulsé vers la Russie en compagnie d'un membre de l'ambassade de Russie.

« Alexandre Litvinenko ne semble pas disposer de beaucoup de moyens et vit très modestement. Le MI5 l'a débriefé à plusieurs reprises et il est considéré comme assez peu fiable. En juillet de cette année, il a obtenu la nationalité britannique. »

L'ordinateur cessa de cracher ses informations et Brian King se tourna vers Malko avec une moue :

– C'est un « client » intéressant... Les « Cousins[1] » doivent certainement en savoir plus sur lui. Je pense que cela vaut le coup d'aller les voir...

Malko se dit que Londres n'était pas une ville désagréable. Même s'il était sceptique sur les capacités de cet ex-*silovik* à lui apporter des informations exploitables.

– Demandez à Langley ce qu'ils en pensent, conseilla-t-il. Nous avons éclairci l'affaire Politkovskaïa, mais hélas, sans obtenir ce que voulait la Maison Blanche. Notre conviction sur l'implication de l'appareil

1. Le MI5 britannique.

d'État est faite, mais il n'y a plus que des témoins morts pour l'étayer.

– C'est pour cela qu'il ne faut négliger aucune chance, renchérit le chef de station. Si cet Alexandre Litvinenko avait la moindre preuve *concrète* d'un lien entre le meurtre d'Anna Politkovskaïa et les autorités russes, ce serait formidable.

– Très bien, conclut Malko. En attendant, je vais rassurer Alexandra Portanski. Il faut qu'elle bénéficie d'une protection pendant un bon moment.

– Je vais avoir du mal à justifier cela ! soupira Brian King. Elle n'appartient pas à l'Agence, n'est pas un « témoin protégé » et n'a même pas directement participé à l'enquête.

– Vous savez bien que si, rétorqua sèchement Malko. S'il lui arrivait quelque chose, je vous en tiendrais responsable.

*
* *

Alexandra Portanski avait écouté Malko, abasourdie par ses révélations.

– Je n'aurais jamais cru que ces choses soient possibles ! soupira-t-elle. Ils ont fait passer l'homme que tu as rencontré pour Sergueï Gossak, qui serait mort depuis longtemps...

– C'est ce que je pense, précisa Malko. Ou alors, il a été envoyé très loin et ne témoignera jamais. On ne saura pas avant longtemps. Je dois aller à Londres continuer cette enquête. Si tu veux, je t'emmène. Ce serait plus prudent...

– Je ne peux pas, fit tristement la jeune femme.

– Alors, fais très attention, conseilla Malko. Ne prends jamais de taxis.

Alexandra ouvrit de grands yeux.

– Pourquoi ?

Malko eut un sourire froid.

– Je vais te le dire. Un jour, un banquier russe, Igor Malashenko, recevait Vladimir Poutine dans sa datcha. Il eut un coup de fil de sa fille qui attendait une voiture qu'il lui avait envoyée, à l'aéroport britannique de Heathrow. Comme cette voiture était en retard, il lui conseilla de prendre un taxi et elle refusa. Vladimir Poutine, qui avait assisté à la conversation téléphonique, remarqua alors : « Votre fille a raison. On ne peut jamais être sûr que c'est un *vrai* taxi. » À cette époque, il était à la tête du FSB…

– Tu me fais froid dans le dos ! dit Alexandra Portanski. Je ferai très attention, je te le promets.

– Tu veux dîner avec moi ce soir ? proposa-t-il.

Alexandra Portanski secoua ses nattes blondes.

– Non. Je ne veux pas laisser Alexei seul.

Devant son air désappointé, elle se leva, le prit par la main et dit à voix basse :

– Après ton départ, je ne sais pas combien de temps je resterai sans faire l'amour. Alors, je veux encore profiter de toi une fois.

Elle l'entraîna jusqu'à la chambre où ils avaient déjà fait l'amour. Elle se déshabilla et alla s'étendre sur le lit. Quand Malko, après l'avoir longuement caressée, entra en elle, Alexandra enfonça ses ongles dans ses reins, pour l'empêcher de bouger.

– Reste comme ça, souffla-t-elle. Je veux te sentir en moi, comme si tu devais toujours rester dans mon ventre.

Les jambes ouvertes, les yeux fermés, ses bras entourant Malko, elle semblait arrêter le temps. Progressivement, elle s'anima, balançant son bassin sous lui, d'abord lentement, avec langueur, comme dans un demi-sommeil. Puis, ses coups de reins se firent plus rapides, déclenchant ceux de Malko.

Ils terminèrent dans une cavalcade effrénée et il se vida en elle avec un cri sauvage.

*
* *

Rem Tolkatchev, seul à son habitude, était en train d'éplucher les derniers rapports de l'opération Vulcan. La presse russe avait avalé sans problème la fable de Veskovski Pereulok, louant les services de sécurité et fustigeant les ennemis de la Russie qui avaient essayé de salir la réputation du président. On se serait cru revenu aux plus beaux jours de la langue de bois de l'Union soviétique.

Il avait également un rapport de la *Milicija* mentionnant une visite de la mère de Sergueï Gossak qui avait prétendu ne pas avoir reconnu son fils sur les photos. Elle avait été gentiment éconduite et les choses en resteraient là.

Un autre document signalait le contact entre l'agent de la CIA et la sœur de la journaliste assassinée. Rem Tolkatchev ignorait comment cette rencontre avait pu avoir lieu, mais ce n'était pas le problème.

Il s'arrêta sur le document suivant. Une note de l'Aeroflot disant que Malko Linge avait pris une réservation pour Londres, sur le vol du lendemain matin de British Airways. Pourquoi ? La seule explication était son désir de revoir la sœur de la journaliste assassinée. Ce qui ne présentait aucun risque. Elle ne savait rien de la mort de sa sœur.

Il décida quand même d'alerter le *rezident* à Londres du FSB pour qu'il « prenne en charge » cet agent de la CIA trop acharné.

Car il avait une autre opération à Londres, beaucoup plus importante que l'élimination d'Anna Politkovskaïa, et il ne voulait pas risquer d'interférences. D'autant qu'elle se passait mal. Il fallait qu'avant la fin de l'année tous les derniers ennemis de la Russie aient disparu. Il ne pouvait, hélas, pas compter sur les Britanniques pour faire droit au mandat d'extradition émis contre Simion Gourevitch par le procureur général de Russie. Il fallait donc agir par d'autres moyens.

*
* *

Malko traversa le hall de l'hôtel *Lanesborough*, aussitôt accueilli sous le porche par un des voituriers en haut-de-forme.

– Taxi, *sir* ?

Trente secondes plus tard, il longeait Hyde Park en direction de Piccadilly. Il allait un peu plus au sud, au 115 de Pall Mall, abritant un des clubs les plus sélects de Londres, le *Traveller's*. C'est là que se retrouvaient discrètement tous les gentlemen de « l'espionnage establishment » de la capitale britannique, pour des échanges informels. C'était plus agréable que le « *yellow submarine* » de Moscou, et la nourriture y était meilleure que dans la plupart des restaurants londoniens.

Dès son arrivé, le matin même, il avait appelé le chef de station de la CIA à Londres, Richard Spicer, pour lui demander d'organiser une rencontre avec un responsable du MI5 afin d'expliquer le motif de son voyage. Les « Cousins » étaient très susceptibles.

D'autre part, il recueillerait forcément des informations sur Alexandre Litvinenko. Le taxi l'arrêta devant le building austère où seule une toute petite plaque de cuivre signalait l'existence du *Traveller's Club*.

Un maître d'hôtel en queue-de-pie lui ouvrit cérémonieusement et demanda aussitôt :

– *Good afternoon, sir.* Quel est le gentleman que vous venez retrouver ?

Il connaissait par cœur tous les membres du club et Malko n'en faisait pas partie.

– Sir William Wolseley, annonça Malko.

– Parfait, *sir*, veuillez me suivre.

Sir William Wolseley était le directeur de cabinet de

« Dame » Eliza Manningham-Buller, la nouvelle patronne du MI5.

Le maître d'hôtel conduisit Malko jusqu'au bar tapissé de boiseries d'acajou sombre où deux hommes étaient installés à une table du fond.

Richard Spicer et un fringant gentleman qui semblait sorti d'une publicité pour Saville Row[1].

Les deux hommes tenaient tête à une bouteille d'un excellent bordeaux, Château la Gaffelière, et semblaient d'excellente humeur.

Richard Spicer, manifestement content de revoir Malko, fit les présentations.

– Ravi de vous rencontrer, fit le Britannique, j'ai beaucoup entendu parler de vous.

On apporta un troisième verre et la conversation rebondit sur l'Irak et le Moyen-Orient. Jusqu'à ce que sir William Wolseley demande à Malko la raison de sa visite à Londres. Celui-ci expliqua alors sa mission à Moscou et les rebondissements de l'affaire Politkovskaïa. Le Britannique écouta attentivement et conclut :

– La Russie n'est pas un État de droit. C'est une grave erreur de considérer ce pays comme une démocratie. Vladimir Poutine est tout sauf un démocrate. C'est un *silovik* profondément nationaliste, qui ne connaît qu'une loi : la sienne. D'ailleurs, nous sommes en ce moment en très mauvais termes avec le Kremlin.

Malko dressa l'oreille.

– Ah bon, pourquoi ? Si ce n'est pas indiscret…

– Pas du tout, affirma le directeur de cabinet du MI5. Notre ambassadeur à Moscou est persécuté en ce moment par un groupe de jeunes « nationalistes » téléguidés par le Kremlin, parce que la Grande-Bretagne a pris certaines dispositions qui déplaisent aux Russes.

– À propos, enchaîna Malko, à Moscou, j'ai

1. La rue des tailleurs à Londres.

rencontré sur la tombe d'Anna Politkovskaïa sa sœur Tatiana. Elle vit à Londres, avec son mari.

Le Britannique sourit.

– C'est possible, nous ne connaissons pas tous les Russes qui se sont installés sur les bords de la Tamise. Ils sont près de trois cent mille. Des oligarques, de simples millionnaires, des businessmen, des espions aussi…

– Justement, dit Malko, je suis à Londres pour y rencontrer, si c'est possible, un ancien du FSB.

– Comment s'appelle-t-il ? demanda sir William Wolseley.

– Alexandre Litvinenko.

Le Britannique, impassible, but un peu de son bordeaux et laissa tomber :

– C'est en effet un client à nous. Il vit dans le nord de Londres, je crois. Vous souhaitez le rencontrer ?

– Oui. Tatiana m'a dit qu'il aurait des informations sur le meurtre de sa sœur Anna.

Sir William Wolseley eut un sourire embarrassé.

– *Well*, cela va être difficile.

– Pourquoi ? demanda Malko, surpris.

Le Britannique reposa son verre de bordeaux.

– Il a été empoisonné et se trouve dans un hôpital londonien. Son état est critique. Nous ignorons même s'il va survivre.

– Empoisonné par qui ? ne put s'empêcher de demander Malko.

– Bonne question, à laquelle nous n'avons pas encore répondu, répliqua le Britannique. Le SO 15 de Scotland Yard qui suit l'affaire pense qu'il s'agit de thallium. Un métal lourd extrêmement toxique : un seul gramme suffit à vous tuer. Il détruit les défenses immunitaires et provoque des hémorragies internes massives.

Malko n'en revenait pas.

– Il y a longtemps qu'il est hospitalisé ? La sœur d'Anna Politkovskaïa ne semblait pas être au courant.

– Il a été vraisemblablement empoisonné le 1er novembre, précisa le Britannique, la date anniversaire de son arrivée en Grande-Bretagne, il y a six ans. Mais cet empoisonnement a été gardé secret à sa demande. Alexandre Litvinenko était soigné dans une clinique privée, mais comme son état s'aggravait, il a été transporté à l'University College Hospital.

– Qui soupçonnez-vous ? répéta Malko.

Le directeur de cabinet du MI5 eut un sourire ambigu.

– Les Israéliens ont pas mal utilisé le thallium contre les Palestiniens. D'autres Services aussi, mais ceux qui l'aiment le plus, ce sont les Russes. Or, Alexandre Litvinenko est russe et a pas mal d'ennemis à Moscou.

CHAPITRE XI

Un ange passa, volant majestueusement entre les boiseries sombres. Le maître d'hôtel s'approcha, pour annoncer que la table de sir William était prête. Ce n'est qu'une fois installés que Malko put reprendre.

– Avez-vous des indices plus précis ?

– Scotland Yard suit l'affaire, expliqua le directeur de cabinet du « 5 », et je sais qu'ils ont plusieurs pistes qui semblent mener à Moscou. Je ferai envoyer à Richard ce que nous avons.

– Est-ce possible de rencontrer Alexandre Litvinenko ? demanda Malko.

– Si ses médecins l'autorisent, je demanderai au Yard de vous donner le feu vert, assura le Britannique, mais il est très faible.

– Vous avez une idée de la raison pour laquelle il a été empoisonné ? s'enquit Malko dès que le maître d'hôtel eut déposé les bisques de homard devant eux.

Sir William Wolseley prit le temps de goûter la sienne avant de répondre.

– Alexandre Litvinenko est un personnage complexe. Lorsque nous l'avons débriefé, à son arrivée ici il y a six ans, nous sommes certains qu'il ne nous a pas dit toute la vérité. Cependant, il était vraiment officier du FSB, avec le grade de major. Les raisons de sa défection sont plus floues. Il semble qu'il ait choisi à la fin des années 1990 le camp de Simion Gourevitch, comprenant qu'il n'y avait plus d'avenir en Russie pour un demi-solde du FSB comme lui. Il a donc quitté son pays et a rejoint ici la « bande » de Simion Gourevitch, dont le dirigeant tchétchène en exil Akhmed Zakaiev. Une nébuleuse d'opposants qui tentent d'obtenir des informations par leurs anciens amis et qui attaquent Poutine par tous les moyens. À travers des conférences de presse, des livres, des articles et sur le Net.

– Il y a de quoi faire, remarqua Malko.

– Bien sûr, reconnut le Britannique, mais ils en rajoutent. Par exemple, Litvinenko prétendait pouvoir se procurer une cassette montrant Vladimir Poutine dans des ébats pédophiles. Jamais aucun Service n'a eu vent de ce genre de chose.

– Il est vraiment en contact avec des sources à Moscou ?

– Oui, mais nous ignorons leur fiabilité. Que cherchez-vous exactement ?

– Des informations sur la mort d'Anna Politkovskaïa. Sa sœur m'a dit à Moscou que Litvinenko en avait. Qu'il avait mis en garde la journaliste...

– Vous êtes descendu où ? demanda le directeur de cabinet du MI5.

– Au *Lanesborough*, chambre 222.

– Très bien, je vais essayer de vous arranger une visite, conclut sir William Wolseley.

*
* *

Une musique séraphique baignait l'atrium ultramoderne de l'University College Hospital, lui donnant un faux air de cathédrale. Alignées devant les quatre employés de la réception, à gauche de l'entrée principale, une demi-douzaine de jeunes filles enchaînaient des chants religieux tandis que leur mentor, portant une casquette de l'Armée du Salut, secouait sa sébile devant les visiteurs et les quelques malades qui traînaient dans le hall.

Situé en plein cœur de Londres, dans Gower Street, l'établissement était un des mieux équipés de la capitale.

Malko, suivant les instructions de la secrétaire de sir William Wolseley, contourna la réception, gagnant les ascenseurs desservant la tour de seize étages qui abritait les chambres des malades. Il appuya sur le bouton du treizième et poussa la porte annonçant : HEMATOLOGY. Parcourant tout juste cinquante centimètres, il fut bloqué par un gorille de deux mètres de haut qui lui annonça poliment que l'entrée de cette partie de l'hôpital était *restricted*[1].

Derrière lui, un second garde, encore plus massif, attendait paisiblement.

– J'ai rendez-vous avec M. Alexandre Litvinenko, annonça Malko en tendant son passeport.

– *Stay right here*[2], ordonna le cerbère en s'éloignant, son passeport à la main.

Il revint quelques minutes plus tard, accompagné d'un homme en blouse blanche aux proportions plus normales.

– Je suis le docteur Hoover, annonça celui-ci. J'ai été averti de votre visite. Vous ne pouvez pas rester plus de cinq minutes avec mon patient. Il est très faible.

– Son état est stationnaire ? interrogea Malko.

– Non. Il se détériore.

– Pensez-vous pouvoir le sauver ?

Le docteur Hoover ne répondit pas, précédant Malko jusqu'à la chambre 1312. Avant d'y entrer, il lui tendit une paire de gants de chirurgien et un masque.

1. Interdite.
2. Attendez ici.

– Mettez ceci. Pour votre sécurité. Cinq minutes, pas plus, rappela-t-il en s'effaçant pour le laisser entrer.

La chambre était plongée dans la pénombre. Malko alluma et eut un choc en découvrant Alexandre Litvinenko, vêtu d'un kimono bleu porté à même la peau. Ce dernier ressemblait aux « nettoyeurs » de la centrale de Tchernobyl, tous morts d'irradiation. Le Russe avait perdu tous ses cheveux et sa peau était diaphane. Il avait les yeux clos. Des sondes, des capteurs ou des perfusions sortaient un peu partout de son corps décharné. Il ouvrit les yeux, les referma, les rouvrit et fit visiblement un énorme effort pour se redresser légèrement, puis demanda, en anglais :

– Qui êtes-vous ?

Malko lui répondit en russe.

– J'appartiens à la Central Intelligence Agency. J'arrive de Moscou où j'enquêtais sur le meurtre d'Anna Politkovskaïa. J'ai rencontré là-bas sa sœur Tatiana, au cimetière. Elle m'a dit que vous aviez des informations sur son assassinat.

Alexandre Litvinenko fixa Malko de ses yeux délavés.

– Vous travaillez vraiment pour la CIA ? Vous parlez très bien russe.

Visiblement, il était méfiant.

– Je travaille pour la CIA, assura Malko, sinon Scotland Yard ne m'aurait pas donné l'autorisation de vous rencontrer. Je sais que vous êtes très faible. Ne perdons pas de temps. Pouvez-vous m'aider dans mon enquête ?

– Ils ont attendu que son père soit mort pour l'assassiner, dit-il d'une voix imperceptible. Il avait appartenu au KGB, Premier Directorate. Il est mort en juillet, d'une crise cardiaque.

– Qui, « ils » ?

– Tous ceux qui obéissent à Vladimir Poutine…

Il eut un brusque hoquet, attrapa un bol posé sur la table de nuit et vomit.

Malko dut attendre d'interminables secondes qu'il soit à nouveau en état de s'exprimer.

– Vous aviez dit à la sœur d'Anna que vous saviez des choses précises. Pouvez-vous me les confier ?

Alexandre Litvinenko toussa encore et dit d'une voix faible :

– C'est vrai. Des amis de Moscou, d'anciens camarades du FSB, possèdent un enregistrement accablant d'officiers du FSB discutant de la mort d'Anna Politkovskaïa. Ils l'ont fait sortir de Russie et il se trouve en Allemagne, à Hambourg. Je devais aller le chercher, mais maintenant, c'est impossible. Je suis en train de mourir.

– Je pourrais effectuer ce voyage à votre place, suggéra Malko.

Le Russe secoua la tête.

– *Niet.* On ne le donnera qu'à moi.

Malko dissimula sa déception. Il était venu à Londres pour rien. Il y avait très peu de chances pour qu'Alexandre Litvinenko sorte de cet hôpital autrement que les pieds devant.

– Et vous ? demanda-t-il. Qui vous a empoisonné ?

– Vladimir Poutine, laissa tomber le Russe, sans hésitation. Il ne supporte pas ceux qui lui tiennent tête.

– Vous voulez dire que c'est le gouvernement russe qui vous a fait empoisonner ?

– Ces salauds m'ont eu ! lança d'une voix croassante Alexandre Litvinenko. Parce que, depuis des années, je dénonce les dérives du régime autoritaire de Poutine. Et maintenant, ils ont la loi pour eux.

– Que voulez-vous dire ?

Le Russe eut un hoquet terrifiant, devint livide, resta silencieux quelques secondes, puis dit d'une voix presque inaudible, si faible que Malko dut se pencher au-dessus de son lit pour l'entendre :

– En juin de cette année, la Douma a adopté une loi qui permet au gouvernement et au président russe de poursuivre et d'attaquer les « extrémistes » partout, en

Russie et à l'étranger. Comme le font les Israéliens avec leurs « assassinats ciblés ». Aux yeux de la loi israélienne, ces meurtres sont légaux et ceux qui les commettent agissent dans un cadre légal.

Il fit une courte pause et continua dans un murmure :

– Quelques semaines après cette première loi, la Douma en a voté une seconde qui définit le terme « extrémiste » : tous ceux dont l'action mène au rabaissement de l'honneur de l'État. Depuis, le président et les *siloviki* ont les mains libres.

Il se tut et ferma les yeux. Malko restait sur sa faim. Il insista :

– Qui soupçonnez-vous ? Ce n'est pas Vladimir Poutine qui est venu en personne vous empoisonner...

Alexandre Litvinenko tendit la main et referma ses doigts sur le poignet de Malko qui réprima un frisson. La main du Russe était glacée, comme celle d'un mort.

– Il y a quelqu'un à l'ambassade, ici à Londres, qui a tout organisé. Viktor Ismailov.

– C'est lui qui...

Alexandre Litvinenko secoua négativement la tête, puis fut pris d'une violente quinte de toux. Il toussait encore quand la porte s'ouvrit sur le docteur Hoover qui pénétra dans la chambre accompagné d'une infirmière. Celle-ci fonça sur le malade et le redressa dans son lit, tandis que le médecin prenait Malko par le bras et l'entraînait dehors.

– Vous êtes resté trop longtemps, dit-il d'un ton sévère. Cet homme est dans un état désespéré. Extrêmement faible.

Malko, frustré, l'attendit dans le couloir. Lorsque le médecin ressortit de la chambre, il l'apostropha :

– Pensez-vous que je pourrai revenir le voir ?

Le docteur Hoover lui jeta un regard de commisération :

– Nous avons demandé à sa femme de venir de toute urgence. Il ne verra pas le jour se lever demain.

– De quoi meurt-il ?

Le médecin haussa les épaules.

– Nous l'ignorons encore. Des analyses sont en cours. Ses défenses immunitaires n'existent plus. Il n'a plus de globules blancs. Son foie, ses reins, ses poumons fonctionnent de moins en moins. Depuis une semaine, nous ne le maintenons en vie que par miracle.

Malko ne put que s'éclipser. Ému par l'agonie de cet homme qui avait eu le tort de défier le nouveau tsar de la Russie. Comme Anna Politkovskaïa. Dans le hall, la chorale moulinait toujours ses chants séraphiques, comme pour accompagner l'agonie de l'espion qui en savait trop.

*
* *

Malko, encore mal réveillé, ouvrit la télé, et découvrit aussitôt l'image de l'homme qu'il avait vu la veille. Le présentateur de la BBC annonçait qu'Alexandre Litvinenko était mort la veille au soir, à 21 h 21, en présence de sa femme et de son fils.

Il allait prendre sa douche quand un second présentateur, faisant un plateau en face de l'University College Hospital, lut un communiqué médical. Grâce à des analyses d'urine faites juste avant le décès, on avait enfin identifié la cause de l'empoisonnement. Ce n'était pas du thallium, mais un isotope radioactif très rare, le polonium 210, découvert jadis par la chercheuse Marie Curie, produit en quantités minuscules dans des réacteurs nucléaires.

Choqués, des millions de Britanniques découvraient en même temps que Malko les propriétés du polonium 210. Mille fois plus radioactif que le plutonium, il n'émettait pas de rayons gamma, détectés par les compteurs Geiger, mais un rayonnement alpha qu'une simple feuille de papier suffisait à arrêter. On pouvait transporter du polonium 210 dans un sachet de plastique scellé, sans prendre aucun risque.

Par contre, s'il était ingéré ou respiré, la dose mortelle était de un millionième de gramme. Une fois à l'intérieur de l'organisme, cette dose infinitésimale de polonium 210 détruisait tous les organes, foie, poumons, reins, rate, intestins, provoquant une mort rapide dans des souffrances atroces.

Il n'y avait pas d'antidote au polonium 210. Et on n'en savait guère plus : c'était le premier cas au monde de meurtre « atomique ».

Le téléphone sonna. C'était Richard Spicer. Il ne s'étendit pas beaucoup.

– Je passe vous prendre dans vingt minutes. Nous avons rendez-vous au « 5 », avec sir William, qui va nous briefer. Ils sont au courant depuis hier soir.

*
* *

The Times titrait sur huit colonnes : *First Nuclear Assassination.* Les tabloïds rivalisaient de manchettes toutes plus grosses les unes que les autres. Richard Spicer et Malko en étaient à leur troisième tasse de café lorsque le directeur de cabinet du MI5 les rejoignit, et posa sur la table un dossier relié en toile grise orné d'une croix de Saint-Georges rouge.

– *Gentlemen*, lança-t-il, nous sommes face à une situation extrêmement embarrassante.

Il paraissait vraiment catastrophé et ses deux invités respectèrent son silence, tandis qu'il buvait une tasse de café. Ils étaient arrivés par la porte de Thorney Street, plus discrète que l'entrée principale située sur Millbank, bien qu'aucun signe extérieur ne distingue le QG du MI5. Ce qui n'avait pas empêché l'IRA, aux temps héroïques, de tirer une roquette sur sa porte blindée.

Malko rompit le silence.

– Sir William, demanda-t-il, savez-vous pourquoi Alexandre Litvinenko a été assassiné avec une substance aussi rare que du polonium 210 ?

Le Britannique reposa sa tasse de café et répondit :

– *My dear friend*, c'est, pour le moment, ce qui me cause le plus de souci. Je viens d'avoir Downing Street[1] à ce sujet pendant plus de vingt minutes. Le Premier ministre est extrêmement soucieux.

– Pourquoi ? demanda Richard Spicer.

– D'abord, répliqua le directeur de cabinet, parce qu'Alexandre Litvinenko venait d'acquérir la nationalité britannique avec l'encouragement de mon Service. On a donc assassiné un citoyen de ce pays, en plein cœur de Londres. Ce qui est déjà extrêmement choquant. Ensuite, et surtout, parce que le bureau du Premier ministre nous a communiqué une étude faite par l'Atomic Weapons Establishment depuis hier soir. Le polonium 210 ne peut être produit que dans une centrale nucléaire. Le « 6[2] » nous a communiqué quelques éléments. La seule usine à fabriquer du polonium 210 en Russie se situe près de Krasnoïarsk, à Jelezmonursk. La production *annuelle* est d'environ huit grammes.

– Qu'en fait-on ? demanda Malko.

– Il est utilisé à des quantités infimes, conditionné en bulles hermétiques, pour éliminer l'électricité statique dans certaines industries comme celle de la pâte à papier.

– C'est tout ?

– Non. C'est surtout, avec le béryllium 9, un accélérateur de neutrons utilisé pour l'« allumage » d'une charge nucléaire. À ce titre, en Russie, c'est le GRU qui le gère, comme toute l'industrie russe du nucléaire militaire…

1. Résidence du Premier ministre.
2. MI6 : service de renseignements extérieur.

– Vous voulez dire que c'est le GRU qui a assassiné Alexandre Litvinenko ? avança Malko.

Sir William Wolseley eut un haussement de sourcils exprimant une grande perplexité.

– Je ne dirais pas cela, corrigea-t-il, mais l'utilisation de cet isotope signe un crime d'État.

– Pourquoi ? s'étonna Malko.

Sir William Wolseley eut un mince sourire.

– *My dear friend*, le polonium 210 s'obtient en bombardant du bismuth 209 avec des neutrons. Le bismuth 209 se transforme alors en bismuth 210 puis en polonium 210. C'est extrêmement simple. *À condition de posséder un réacteur nucléaire.*

Un ange tout en noir traversa le bureau d'un vol majestueux, comme un très gros corbeau. Sir William Wolseley semblait avoir vieilli de pas mal d'années en quelques minutes. Malko vola à son secours.

– Il n'est pas possible que ce polonium 210 ait été dérobé et utilisé par des éléments incontrôlés ?

Sir William Wolseley eut un sourire teinté d'amertume.

– C'est évidemment ce que les Russes vont tenter de nous « vendre ». Mais, de vous à moi, il y a une chance sur un million que ce soit vrai. Pour l'utilisation sur un territoire étranger d'une telle substance, il a fallu le feu vert du Kremlin.

Richard Spicer s'éclaircit la gorge et reprit :

– Sir William, en quoi pouvons-nous vous aider ?

Les « Cousins », très jaloux de leur indépendance, n'avait pas convoqué le chef de station de la CIA *simplement* pour le mettre au courant. Le directeur de cabinet du MI5 se tourna vers Malko.

– Avez-vous pu vous entretenir avec Alexandre Litvinenko ?

– Tout à fait, grâce à vous, confirma Malko. Hélas, il n'a pas pu m'apporter d'éléments probants sur le meurtre d'Anna Politkovskaïa.

– Et sur son « accident » ?

– Il a accusé Vladimir Poutine et, à Londres, un certain Viktor Ismailov.

Sir William Wolseley ouvrit brièvement le dossier marqué de la croix de Saint-Georges et confirma :

– Oui, c'est le *rezident* du SVR. C'est tout ?

– C'est tout.

– C'est le « 5 » qui mène l'enquête ? demanda Richard Spicer.

– Non. Le SO 15, le Special Counter Terrorism Command de Scotland Yard. Qui nous harcèle pour obtenir communication de notre dossier. C'est nous qui suivions Litvinenko depuis son arrivée à Londres. Le bureau du Premier ministre nous a demandé de ne leur communiquer que les pièces indispensables…

Autrement dit, de faire de la rétention d'informations.

Devant l'étonnement poli de ses interlocuteurs, le britannique se crut obligé d'ajouter :

– Le P.M. est pris entre deux feux. D'une part, il veut à tout prix éviter une crise politique avec la Russie, pour des raisons stratégiques. D'autre part, il est tenu, vis-à-vis de l'opinion publique, de réagir fortement à ce crime. Les tabloïds vont se déchaîner. Il y a eu ce matin une réunion du comité Cobra, le Special Emergency Commitee, sous la direction de Tony Mac Nulty, le ministre de l'antiterrorisme, pour examiner les mesures à prendre.

– Le SO 15 est excellent, remarqua Richard Spicer.

– Certes, reconnut sir William Wolseley, mais ils ne travaillent pas comme nous et ils vont être soumis à une pression formidable des médias. Tous les journaux de ce matin ont titré sur une déclaration posthume d'Alexandre Litvinenko lue par sa femme et accusant Vladimir Poutine de l'avoir fait assassiner.

– Les Russes ont réagi ? demanda Malko.

– Le Kremlin a publié un bref communiqué réfutant

ces « allégations grotesques », laissa tomber le Britannique.

Il se tourna vers Malko.

– *My dear friend*, dit-il chaleureusement, nous avons eu l'occasion d'apprécier vos talents l'année dernière[1]. Puisque vous êtes à Londres, et que vous êtes déjà familier de ce dossier, pourriez-vous, en collaboration avec nous, mener une enquête discrète sur ce qui a pu se passer ? Je crois que vous parlez russe, n'est-ce pas ?

– En effet, confirma Malko. Mais je dispose de très peu d'éléments.

– C'est exact, reconnut le Britannique, mais j'attends, d'une minute à l'autre, un *brief* sur l'emploi du temps d'Alexandre Litvinenko le jour où il a été apparemment empoisonné, c'est-à-dire le 1er novembre.

– Comment a-t-on pu préciser cette date ?

– Facilement, répondit sir William Wolseley. Litvinenko est tombé malade le soir même. Il a été hospitalisé le 3 dans une clinique, puis, comme son état s'aggravait, transporté à l'University College Hospital. On a cru d'abord à une intoxication alimentaire, et ensuite, à un empoisonnement au thallium. Personne n'avait soupçonné le polonium 210. On a failli d'ailleurs ne pas le trouver. C'est à travers sa dernière analyse d'urine qu'on a découvert le rayonnement alpha qui a permis d'identifier cette substance. En effet, le polonium 210 émet des atomes d'hélium en perdant sa radioactivité.

– Aurait-on pu le sauver, si on l'avait découvert avant ? demanda Malko.

Le directeur de cabinet secoua la tête.

– Non d'après l'Atomic Weapons Establishment qui a procédé aux examens, il avait reçu près de *cent*

1. Voir SAS n° 160 : *Le Programme 111*.

fois la dose léthale de 0,12 microgramme. Ce qui ne fait jamais que dix millionièmes de gramme... D'ailleurs, si vous avez avalé du polonium 210, *rien* ne peut vous sauver.

Sir William Wolseley regarda discrètement sa montre et ses deux visiteurs se levèrent.

– Je fais porter à Grosvenor Square[1] tout ce que nous avons aujourd'hui, précisa-t-il.

Au moment où il serrait la main de Malko, celui-ci posa la question qui lui brûlait les lèvres :

– Alexandre Litvinenko était un défecteur *très* important, n'est-ce pas ?

Le Britannique le fixa, visiblement surpris.

– Non. Bien qu'il ait publié un livre sur les attentats de 1999, nous ne l'avons jamais considéré comme une source très fiable. S'il n'avait pas été récupéré et entretenu par Simion Gourevitch, je pense qu'il aurait vécu assez misérablement. Aucun « think-tank[2] » spécialisé dans la Russie n'a voulu de lui. Pourtant, il se donnait beaucoup de mal pour exister, lançant parfois des informations fantaisistes.

– Dans ce cas, remarqua Malko, pourquoi commettre un crime d'État aux répercussions politiques potentiellement dévastatrices pour liquider un personnage aussi falot ?

Sir William Wolseley demeura muet plusieurs secondes, en oubliant de lâcher la main de Malko.

– C'est une bonne question, reconnut-il. Une *très* bonne question que je me pose depuis hier soir. Peut-être trouverez-vous la réponse.

Dès qu'ils eurent franchi la porte de Thorney Street, Richard Spicer remarqua sobrement :

– Ils sont dans la merde !

– Je vois mal comment les aider, dit prudemment

1. Siège de l'ambassade US et de la CIA à Londres.
2. Cercle d'experts.

Malko. Scotland Yard dispose d'énormes moyens et ce sont des bons.

– *Right*, reconnut le chef de la station de la CIA, mais cela vaut la peine d'essayer. Vous avez une idée ?

– Pas encore, avoua Malko, mais je vais essayer de revoir quelqu'un qui connaissait Litvinenko. La sœur d'Anna Politkovskaïa. Elle aura peut-être une idée.

– Si on les aide sur ce coup, on pourra leur demander plein de trucs.

– Cette histoire est bizarre, conclut Malko. Pourquoi tuer Alexandre Litvinenko de cette façon spectaculaire ? Je pense qu'en répondant à cette question, on fera un grand pas en avant.

– Pour vous, vers l'ordre de la Jarretière, ironisa Richard Spicer. Cela ira très bien avec tous vos titres.

CHAPITRE XII

Tatiana Roudzinova était enveloppée dans un manteau de lainage rouge, assorti au paquet de Benson's posé sur la table, à côté de sa tasse de thé. C'est elle qui avait proposé à Malko de le retrouver au tea-room du grand magasin Harvey Nichols, pas très loin du *Lanesborough*. Elle paraissait aussi triste qu'à Moscou.

– Je suis arrivé trop tard, annonça Malko. Lorsque je l'ai rencontré, Alexandre Litvinenko était mourant. Je n'ai eu droit qu'à quelques minutes et il ne m'a rien dit sur le meurtre de votre sœur.

La Russe eut un geste fataliste.

– *Nitchevo*. Cela n'aurait rien changé. On ne retrouve jamais les coupables, dans ce genre d'affaire. Et puis, je ne suis pas certaine que Sacha possédait des informations sensibles. Il aimait beaucoup se mettre en avant, mais ma sœur ne le prenait pas trop au sérieux. Ils parlaient surtout de la Tchétchénie. Depuis son association avec Simion Gourevitch, il avait pris fait et cause pour les rebelles tchétchènes. Il ne quittait pas Akhmed Zakaiev, qui était son voisin, dans le nord de Londres. C'était un peu bizarre, d'ailleurs.

– Pourquoi ?

– Sacha était russe. Il n'avait jamais montré aucune inclination particulière pour les Caucasiens. Mais, comme Gourevitch en a fait sa machine de guerre, il a épousé ses vues.

– Que faisait-il à Londres ?

Tatiana Roudzinova eut un pâle sourire.

– Je ne sais pas, il voyait beaucoup de monde, il écrivait, passait des heures sur le Net, participait à des forums. Il n'avait pas beaucoup d'argent, même pas de voiture, et vivait dans un coin éloigné, ce qu'on appelle à Londres le « trou noir », parce qu'il n'y a pas de transports en commun.

– Que pensez-vous de sa mort ?

– Je ne comprends pas l'usage du polonium 210… Pourquoi l'avoir tué de cette façon ? Il ne disposait d'aucune protection, donnait facilement son numéro de portable, il était facile d'organiser un attentat contre lui et, en six ans, les *siloviki* en auraient eu l'occasion. Il répondait lui-même au téléphone et acceptait tous les rendez-vous qu'on lui donnait. Je ne comprends pas…

Cela rejoignait exactement ce que pensait Malko. Il demanda :

– Vous ne voyez pas qui pourrait me donner des informations sur lui ?

– Non, vraiment, pas, fit-elle, nous n'étions pas intimes… Une fois seulement, je l'ai vu avec quelqu'un d'intéressant. Au restaurant japonais de Fortnum and Mason. Il m'y avait invitée avec ma sœur Anna à prendre le thé. Il était en compagnie d'une très belle femme, une Russe couverte de bijoux. Elle semblait très riche, ce qui n'était pas le cas de Sacha. Elle est partie très vite en nous laissant avec lui.

– Vous savez son nom ?

– Non. Seulement son prénom. Irina. Plus tard, Sacha m'a dit qu'elle était divorcée d'un banquier et venait régulièrement à Londres. Qu'il l'avait connue quand il était au FSB. J'ai eu l'impression qu'ils avaient eu une aventure ensemble. En tout cas, elle était très chaleureuse avec lui et semblait l'aimer beaucoup. Ils correspondaient beaucoup par e-mails.

Tatiana Roudzinova consulta sa montre.

– Je dois vous quitter. Mon mari vient me chercher.

Malko se leva et lui baisa la main.

– Vous êtes certaine de n'avoir rien de plus à me dire sur cette Irina ?

– Non, mais vous pourriez demander à la veuve de Sacha. Bien que…

Elle laissa sa phrase en suspens et s'éloigna.

*
* *

Pour la vingtième fois, Malko relut le rapport de Scotland Yard sur la dernière journée d'Alexandre Litvinenko avant qu'il ne tombe malade.

Richard Spicer venait de leur faire porter la dernière mouture, établie à la suite des récentes découvertes de la police scientifique. Le 1er novembre, date de son empoisonnement, Alexandre Litvinenko était venu dans le centre de Londres dans la voiture d'un ami qui l'avait déposé à Piccadilly Circus, où il avait acheté le *Daily Mail* à un marchand de journaux. Il était midi.

Le Russe avait ensuite eu rendez-vous avec Giorgio Scarpone, un Italien expert autoproclamé en dissémination nucléaire qui avait travaillé pour le gouvernement Berlusconi pour tenter d'évaluer les réseaux du KGB en Italie pendant la guerre froide. En réalité, le but de l'opération était de vérifier si Romano Prodi, l'actuel Premier ministre de gauche, n'avait pas été un agent du KGB.

Ce Giorgio Scarpone avait insisté pour rencontrer Alexandre Litvinenko le jour même, apparemment pour lui remettre des documents concernant des menaces précises qui pesaient sur lui et Simion Gourevitch. Un document de quatre pages fourni par une des sources de l'Italien.

Une note du MI5 était jointe à cet épisode, précisant que d'après le SISMI[1], Giorgio Scarpone était un mythomane et un escroc, spécialiste de la fabrication de faux dossiers…

Les deux hommes s'étaient retrouvés à Piccadilly à trois heures et Litvinenko avait insisté pour aller déjeuner dans un petit restaurant japonais où il avait ses habitudes, l'*Itsu*. Il avait pris une soupe et des sushis au buffet, accompagnés de thé, Giorgio Scarpone se contentant de boisson. Les deux hommes s'étaient séparés quarante-cinq minutes plus tard.

Alexandre Litvinenko s'était alors rendu au bureau de Simion Gourevitch au 7 Down Street, non loin de là, pour y photocopier les documents remis par l'Italien.

De là, il s'était rendu à pied à l'hôtel *Millenium*, caché au fond de Grosvenor Square, juste en face de l'ambassade américaine, où il avait rencontré au *Pine Bar* deux de ses amis russes.

Andreï Lugovoï, ancien du FSB comme Litvinenko, reconverti dans le business de la sécurité à Moscou, qui venait souvent à Londres et était en relations d'affaires avec Litvinenko. Ce jour-là, il s'y trouvait avec sa famille, étant venu assister à l'Emirates Stadium au match de football Arsenal-Moscou. D'ailleurs, au cours des quinze derniers jours, il avait effectué trois fois le trajet Moscou-Londres et retour.

Il était arrivé le 16 octobre à Londres, reparti le 18 sur la compagnie russe Transaero. Revenu le 25 sur British Airways pour en repartir le 28, direction Moscou, et revenir enfin le 31, avec sa famille, repartant le 3 novembre pour Moscou.

À chaque voyage, il avait rencontré Alexandre Litvinenko. Avec lui, le 1er novembre, au *Pine Bar* du *Millenium*, se trouvait un autre Russe, son associé, Dimitri Kovtun, ex-FSB lui aussi reconverti dans la sécurité.

1. Service de renseignements italien.

Les trois hommes étaient restés une heure au bar du *Millenium* à bavarder, Alexandre Litvinenko, qui ne buvait pas d'alcool, se contentant d'un thé.

Ensuite, ils s'étaient rendus tout près de là, au 58 Grosvenor Street, dans les bureaux d'une société de sécurité, Erinys, travaillant avec Simion Gourevitch. Puis ils s'étaient séparés. Pour rentrer chez lui, Alexandre Litvinenko avait appelé son ami tchétchène Akhmed Zakaiev, demeurant non loin de chez lui dans Osier Crescent, pour lui demander de profiter de sa Mercedes pour le ramener chez lui. Ce qu'il avait accepté.

Le soir même, Alexandre Litvinenko était pris de malaises et de vomissements, puis hospitalisé le lendemain.

Le téléphone sonna. C'était Richard Spicer.

– Alexandre Litvinenko sera inhumé demain matin au cimetière de High Gate, annonça-t-il. Dans un cercueil plombé pour éviter la dissémination du polonium 210 dont ce malheureux est bourré. Avez-vous du nouveau ?

– Non, avoua Malko. J'ai lu le rapport de Scotland Yard, il n'y a rien qu'on ne sache déjà.

Le chef de station de la CIA émit une sorte de ricanement plein de dérision.

– Les « Cousins » sont affolés. On trouve du polonium 210 partout ! Même dans l'Emirates Stadium où a eu lieu le match de foot, là où était assis Andreï Lugovoï... Les tabloïds sont déchaînés et interpellent la Public Health Autorithy, demandant ce qu'elle compte faire pour éviter que toute la Grande-Bretagne soit empoisonnée au polonium 210... Le Premier ministre est aux abris et nos amis du « 5 » n'osent plus décrocher le téléphone.

– J'ai, en annexe, la liste des endroits où l'on a trouvé du polonium 210, répliqua Malko. Il semble bien qu'il ait été amené en Grande-Bretagne par cet

Andreï Lugovoï, mais il y a pas mal de bizarreries et d'incohérences. On en parle ?

– Venez demain, après l'enterrement, suggéra Richard Spicer. On fera le point.

***

Le général Evgueni Timokhine avait beau avoir trois étoiles sur ses épaulettes et être un des officiers les plus respectés du GRU, il hésita d'interminables secondes avant de frapper à la porte de Rem Tolkatchev.

Ce dernier l'avait convoqué lui-même dès son arrivée à son bureau, à huit heures du matin, et il avait gagné le Kremlin dans sa Mercedes de fonction de façon à être à dix heures pile au rendez-vous.

À deux ans de la retraite, il maudissait le concours de circonstances qui le faisait risquer ce qui lui restait de carrière et peut-être pire, à cause d'une affaire pour laquelle il avait été réquisitionné sans avoir son mot à dire. Lui qui avait réussi à éviter tout détournement de matériel nucléaire de l'immense arsenal russe, avec des moyens matériels dérisoires ! Une tâche presque impossible qui lui avait valu d'être chaudement félicité.

– Je vous ouvre ! cria une voix étouffée derrière le battant.

Evgueni Timokhine entra et fut tout de suite étonné par la modestie des lieux. Il s'attendait à un bureau beaucoup plus imposant pour un personnage aussi puissant que Rem Tolkatchev. En civil, il ne pouvait saluer, mais se raidit devant le petit homme frêle qui le salua courtoisement en lui donnant son titre et l'invita à s'asseoir.

L'éminence grise du Kremlin ne perdit pas de temps en vaines considérations.

– Général Timokhine, attaqua-t-il, je suppose que vous suivez à travers votre *rezident* en Grande-Bretagne ce qui ce passe en ce moment à Londres ?

L'officier du GRU prit le temps d'avaler sa salive. Si les médias russes étaient totalement silencieux sur l'affaire Litvinenko, il n'en était pas de même en Grande-Bretagne. Le colonel du GRU Rossolimo, en poste à l'ambassade de Russie à Londres, lui faxait deux fois par jour les dernières informations, assorties de commentaires de plus en plus inquiets. Scotland Yard découvrait tous les jours de nouvelles traces de polonium 210, partout où Andreï Lugovoï et son ami Dimitri Kovtun étaient passés. Comme le Petit Poucet semant des cailloux blancs…

– Je suis au courant, *gospodine* Tolkatchev, reconnut le général du GRU. C'est extrêmement fâcheux.

– Fâcheux ! répéta Rem Tolkatchev. C'est pire que cela, général Timokhine. Le président est consterné par ce qu'il considère comme une atteinte grave à l'image de notre pays. Notre ambassadeur à Londres a été convoqué au Foreign Office où on lui a remis une note très sèche demandant des explications. Que s'est-il passé ? Je pensais qu'en faisant appel à vous, il n'y aurait aucun dérapage.

Le général Evgueni Timokhine eut envie de faire remarquer à son interlocuteur qu'il avait reçu l'ordre de remettre à un membre sûr du FSB un produit permettant d'éliminer une « cible », sans usage d'antidote possible et de façon extrêmement douloureuse.

Ce qui n'avait pas étonné outre mesure le général Timokhine. L'État russe, désormais, n'hésitait plus à éliminer ses ennemis où qu'ils se trouvent.

Zalimkhan Tanbardiev, leader indépendantiste tchétchène, avait été liquidé au Qatar par deux membres du FSB, qui s'étaient d'ailleurs fait prendre, dans l'explosion de sa voiture piégée. Dans ce cas précis, Vladimir Poutine avait revendiqué haut et fort cette action « défensive ».

Jadis, au temps béni de l'Union soviétique, le 13e Directorate du KGB avait en charge toutes les éliminations physiques. Dans l'ère Poutine, c'était plutôt au coup par coup, ce qui augmentait les risques de dérapages. Cependant, le général Timokhine avait la conscience tranquille : il avait reçu un ordre et il l'avait exécuté.

– *Gospodine* Tolkatchev, répondit-il, j'ai transmis à la personne que vous m'avez désignée la substance en question, dans un étui scellé, en lui précisant qu'il s'agissait d'un produit hautement toxique devant être manipulé avec d'infinies précautions. La dose mortelle pour un être humain est d'environ 0,12 microgramme.

Rem Tolkatchev le fusilla du regard.

– C'est tout ce que vous lui avez dit ?

– Oui, reconnut le général Timokhine. Je supposais l'avoir mis suffisamment en garde, ne connaissant pas les modalités opérationnelles de l'action.

Le général se tut, la gorge sèche. C'était effectivement un point qui lui était passé au-dessus de la tête. Rem Tolkatchev continuait à le fixer d'un regard sévère.

– Vous estimez donc que les fonctionnaires du FSB ont commis des erreurs techniques ?

Étant donné le climat d'hostilité entre le GRU et le FSB, le général Timokhine n'avait pas dû faire de zèle…

– Je l'ignore, *gospodine* Tolkatchev, répliqua ce dernier. Ils ont dû procéder à des manipulations sans prendre assez de précautions. C'était alors inévitable qu'une certaine radioactivité se répande dans l'atmosphère. Mais ces particules de polonium 210 ne sont pas dangereuses si on ne les avale pas ou si on ne les inhale pas. De toute façon, conclut-il, j'accepte la responsabilité de cet échec. Et je pense qu'à l'avenir, il faudra formellement déconseiller l'usage du polonium 210 pour les opérations extérieures.

Il lui sembla que Rem Tolkatchev ne l'écoutait plus,

entourant d'un cercle rouge un texte imprimé qu'il mit sous enveloppe avant de le tendre à l'officier du GRU.

– Je suis déçu, général Timokhine, dit-il d'une voix égale. Le président a pourtant beaucoup fait pour vous. Votre nouveau QG est absolument magnifique, il a d'ailleurs coûté trois cent cinquante millions de dollars.

Le général baissa la tête, attendant la suite. Qui ne tarda pas.

– Général Timokhine, conclut Rem Tolkatchev, je sais qu'il n'y avait aucune intention de sabotage dans votre action, mais un acte qui a entraîné des conséquences aussi négatives pour le président et la *rodina* ne peut rester sans conséquences pour celui qui en est responsable.

– Je comprends, fit le général Timokhine d'une voix blanche.

S'il avait été un civil, il aurait pu offrir sa démission. Dans son cas, c'était impossible.

Machinalement, il glissa dans sa poche l'enveloppe remise par Rem Tolkatchev et esquissa un salut militaire. Son vis-à-vis le fixait d'un regard totalement inexpressif.

– Général, je pense que vous êtes le seul à décider des suites à donner à cette affaire. Je vous conseille de ne pas en parler à votre famille. Ils ne sont pas responsables de vos actes.

Il se leva, fit le tour de son bureau et serra froidement la main de l'officier du GRU. Ce dernier avait l'impression que ses jambes se dérobaient sous lui.

– Bonne chance, général, dit Rem Tolkatchev. Je sais que vous ne me décevrez pas. Une nouvelle fois vous avez toute mon estime.

Le général Timokhine bredouilla quelques mots inintelligibles et parcourut les couloirs du Kremlin comme un automate pour retrouver la cour où sa voiture de fonction était garée. Il se laissa tomber sur le siège arrière et lança à son chauffeur :

– *Davai*. Au Centre.

Puis, il ouvrit l'enveloppe. C'était une page du Journal officiel de la Douma, répertoriant les lois votées. Un texte était entouré de rouge :

« Ceux dont l'action mènent au rabaissement de l'honneur de l'État encourent la peine de mort. »

Il replia machinalement le papier. Se disant que Rem Tolkatchev était un homme de tradition. Durant la Grande Guerre patriotique, lorsqu'un général de l'Armée rouge perdait une bataille, Staline le faisait fusiller. Non parce qu'il avait commis une faute, mais pour l'exemple. Afin que ses homologues se battent jusqu'à la mort.

Evgueni Timokhine regarda défiler le paysage sans le voir, le cerveau vide. Son portable sonna trois fois, mais il ne répondit pas. Il ne s'en sentait pas le courage.

Arrivé au siège du GRU, il gagna comme un automate son bureau, sans passer par celui de sa secrétaire, et se laissa tomber dans son fauteuil. Une pile de fiches occupait tout le sous-main. Les appels en son absence. Il ne les regarda même pas. Au bout de quelques minutes, il se leva et gagna le placard où il rangeait son uniforme.

À son ceinturon, pendait l'étui de son pistolet de service, un gros Makarov 9 mm qu'il possédait depuis très longtemps.

Il revint s'asseoir à son bureau, manœuvra la culasse pour faire monter une cartouche dans le canon, jeta un coup d'œil à la photo de sa femme posée en face de lui, appuya le canon du pistolet automatique sous son menton et pressa la détente. Priant pour que Rem Tolkatchev soit un homme d'honneur et prenne soin de sa famille comme il le lui avait laissé entendre.

*
* *

Grâce au rapport de Scotland Yard, Malko était parvenu à reconstituer partiellement l'itinéraire du polonium 210 utilisé pour empoisonner Alexandre Litvinenko.

Chronologiquement, les premières traces avaient été découvertes dans l'appareil de la British Airways effectuant le vol Moscou-Londres le 25 octobre. À l'emplacement du siège occupé justement par Andreï Lugovoï.

Ensuite, on en retrouvait dans des chambres de l'hôtel *Mayfair* occupées par le Russe et son ami Dimitri Kovtun.

Andreï Lugovoï était reparti pour Moscou le 28 octobre, revenant à Londres le 31 avec le même Dimitri Kovtun, descendant cette fois à l'hôtel *Millenium* de Grosvenor Square. Là encore, on avait trouvé des traces de polonium 210 dans les chambres occupées par les deux Russes.

Ce polonium 210, on en avait encore trouvé des traces au restaurant japonais *Itsu* où Alexandre Litvinenko avait déjeuné le 1er novembre, avec le « consultant » italien, Giorgio Scarpone. Et ensuite, au bar du *Millenium* où les trois Russes s'étaient retrouvés, vers cinq heures.

C'était là qu'on en avait trouvé le plus. Sept personnes travaillant dans ce bar avaient été contaminées superficiellement et il y en avait même dans les toilettes pour hommes !

Ensuite, on en avait découvert des traces dans les locaux de la société Erinys où les trois Russes s'étaient rendus, au 58 Grosvenor Street.

Scotland Yard en avait aussi découvert dans la Mercedes d'Akhmed Zakaiev qui avait ramené Alexandre Litvinenko dans Osier Crescent en fin de journée, le 1er novembre.

Enfin, des recherches minutieuses avaient permis d'en découvrir *aussi* dans les travées du stade où se déroulait le match Arsenal-CSKA Moscou auquel avait assisté Andreï Lugovoï. Ce dernier étant reparti sur la compagnie russe Transaero le 3 novembre, il était impossible de savoir si l'appareil avait été, lui aussi, contaminé...

Malko reposa le document.

Se posant plusieurs questions.

D'abord, si le polonium 210 avait été introduit en Grande-Bretagne le 25 octobre, où avait-il été « stocké » jusqu'au 1er novembre ?

Sûrement pas à l'ambassade russe. Pour ce genre d'affaires clandestines, les opérateurs n'entraient pas en contact avec la *rezidentura*, pour ne pas impliquer les agents en place.

Andreï Lugovoï ne l'avait sûrement pas ramené avec lui à Moscou le 28, pour le réintroduire le 31 à Londres.

D'autres personnes étaient donc impliquées. Que l'enquête de Scotland Yard n'identifiait pas.

Cependant, le point le plus important n'était pas là. D'après la chronologie de Scotland Yard, Alexandre Litvinenko avait été mis pour la première fois en contact avec le polonium 210 dans l'après-midi du 1er novembre, au bar du *Millenium* où il avait retrouvé Andreï Lugovoï et Dimitri Kovtun.

En effet, la voiture qui l'avait amené à Londres le matin avait été inspectée par Scotland Yard : aucune trace de polonium 210. Or, trois heures plus tard, on en trouvait au restaurant *Itsu* ainsi que sur l'Italien Giorgio Scarpone avec qui il avait déjeuné...

D'où venait ce polonium 210 ? Alexandre Litvinenko avait été en contact avec celui-ci entre le moment où il était arrivé à Picadilly et celui où il avait retrouvé l'Italien... C'est-à-dire, entre midi et trois heures. *D'après* ses déclarations, il n'avait retrouvé ses deux amis russes qu'après le déjeuner. Qui avait-il vu entre midi et trois heures ?

Le polonium 210 était une matière diabolique.

Tellement volatile qu'il laissait des particules partout, un peu comme un gaz. Particules inoffensives si on ne les ingérait pas, mais traçables…

Malko referma le dossier. Il manquait visiblement plusieurs pièces à ce puzzle macabre et Alexandre Litvinenko ne parlerait plus jamais… Peut-être que son enterrement lui apporterait un élément nouveau. Sinon, il était bloqué.

Surtout, ce qui l'intriguait encore et toujours, c'était la disproportion entre les moyens employés et la modestie de la cible…

*
* *

Rem Tolkatchev n'était pas resté inactif après le départ du général Timokhine. Il avait d'abord rédigé une note demandant des explications sur ce qui s'était passé à Nikolaï Patrouchev, le patron du FSB, tout dévoué à Vladimir Poutine. Il fallait déterminer les responsabilités.

Ensuite, il en écrivit une autre à l'attention du Directorate « D » du FSB, responsable de la *dezinformatzia*[1], afin de lancer le maximum de contre-mesures pour tenter d'atténuer l'effet dévastateur de la découverte du polonium 210 en Grande-Bretagne.

Les « Organes » avaient toujours utilisé le poison pour se débarrasser des adversaires de l'Union soviétique ou de la Russie. En 1957, le colonel Nikolaï Khokhlov, qui venait de faire défection en Allemagne, avait survécu uniquement parce qu'il n'avait bu que la moitié de son café « enrichi » au thallium radioactif. En 1978, l'opposant bulgare Georgi Makarov n'avait pas survécu à la dose de ricine injectée, à la station de bus de Waterloo à Londres, grâce à un parapluie truqué.

En 2004, Roman Tsepov, un ancien garde du corps

1. Désinformation.

de Vladimir Poutine qui avait mal tourné, avait été, lui aussi, « traité » au thallium radioactif. Dieu merci, les autorités de l'hôpital Sverdlov, à Saint-Pétersbourg, avaient refusé de pratiquer une autopsie.

Sans parler de tous les inconnus liquidés de la même façon. D'ailleurs, il s'en était fallu de très peu que la mort d'Alexandre Litvinenko ne soit pas éclaircie. Quelques heures avant son décès, après trois semaines d'agonie, les médecins britanniques n'avaient pas encore décelé la présence de polonium 210 dans son corps, ce métal lourd ne faisant pas réagir les compteurs Geiger.

Rem Tolkatchev se dit qu'il était peut-être responsable de ce raté, en ayant demandé un poison sans antidote.

Il allait s'attaquer à sa troisième note lorsque son téléphone sonna. C'était le général Valeri Goloubev, directeur du GRU.

– *Gospodine* Tolkatchev, annonça-t-il, visiblement bouleversé, le général Timokhine vient de se tirer une balle dans la tête dans son bureau. Je sais que vous aviez rendez-vous avec lui aujourd'hui. Comment l'aviez-vous trouvé ?

– Déprimé, très déprimé, annonça sans sourciller Rem Tolkatchev. Il venait de découvrir qu'il était atteint d'une mauvaise tumeur. J'ai essayé de lui remonter le moral, mais je vois que je n'y suis pas arrivé.

– *Bolchemoi !* soupira le général Goloubev, c'était un officier exceptionnel.

– Absolument ! renchérit Rem Tolkatchev. Vous me préviendrez de la date de ses obsèques. Apprenez la nouvelle à sa famille avec ménagement. Et faites en sorte que sa veuve bénéficie du maximum d'avantages matériels possible. Je vous ferai une note dans ce sens.

Il raccrocha et ses pensées retournèrent à Londres. Solder le passé était utile mais il fallait penser à l'avenir. Tout n'était pas terminé à Londres, loin de là. Certes, Dimitri Kovtun et Andreï Lugovoï étaient désormais en sûreté à Moscou, et n'avaient rien révélé aux enquêteurs de Scotland Yard venus assister à leur interrogatoire par des agents du FSB. Sans pouvoir poser la moindre question eux-mêmes, d'ailleurs.

Rem Tolkatchev avait un autre souci. La *rezidentura* de Londres le tenait informé heure par heure des activités du chef de mission de la CIA Malko Linge, mais cette précaution pouvait, éventuellement, s'avérer insuffisante. Il y avait encore beaucoup de choses à découvrir pour un agent expérimenté. Rem Tolkatchev ouvrit son carnet d'adresses avec la petite clef qui ne le quittait jamais et se mit à parcourir une certaine page. Celle qui recensait les « liquidateurs », ceux en qui on pouvait avoir toute confiance.

Igor Vlassov par exemple, un ancien *spetnatz* de 46 ans, qui, en dépit d'une légère claudication due à une blessure reçue en Afghanistan, était un des tueurs les plus fiables du vivier de Rem Tolkatchev.

Avantage supplémentaire, il était habitué à opérer à l'étranger. C'était l'homme idoine pour éliminer l'agent Malko Linge, si ce dernier se rapprochait trop de la vérité.

CHAPITRE XIII

Porté par huit hommes, l'énorme cercueil noir contenant la dépouille d'Alexandre Litvinenko semblait osciller sous les rafales de vent furieuses qui balayaient le cimetière de High Gate. Curieusement, alors qu'il avait fait un temps splendide toute la semaine, une tornade s'était levée une heure plutôt, accompagnée de rafales de pluie, rendant le vieux cimetière en partie désaffecté encore plus sinistre.

Un des porteurs, coiffé d'un bonnet de laine noire, trébucha, et les autres durent s'arrêter quelques instants pour que le lourd cercueil ne tombe pas à terre. La Health Protection Agency avait exigé un cercueil doublé de plomb, hermétiquement clos, afin qu'aucune particule du polonium 210 encore présent dans le cadavre du Russe ne puisse s'échapper dans l'atmosphère.

La procession funéraire reprit sa marche vers le haut du cimetière, progressant au milieu des tombes abandonnées, des croix renversées ou brisées, des sépultures envahies par la végétation. On se serait cru dans un film d'horreur.

Enfin, l'emplacement de la tombe apparut. On posa d'abord délicatement le cercueil noir à côté, puis on enleva la gerbe de fleurs blanches qui se trouvait dessus pour la placer sur le monticule de terre fraîchement remuée, et les invités se regroupèrent autour du trou béant pour le dernier adieu.

Juste derrière la femme et le fils d'Alexandre Litvinenko, se tenait l'oligarque Simion Gourevitch, entouré de deux gorilles. Le visage fermé, pâle comme un mort. Il était sorti à la dernière minute d'une Mercedes noire blindée, accompagné d'Akhmed Zakaiev, le représentant de la résistance tchétchène, et d'Alex Goldbad, leur porte-parole. Des gens dont la tête était mise à prix par le Kremlin.

Derrière, se pressaient une cinquantaine de personnes, dont de nombreux Tchétchènes. La cérémonie avait commencé deux heures plus tôt par une prière à la mosquée de Regent Park, Akhmed Zakaiev ayant prétendu qu'Alexandre Litvinenko s'était converti à la religion musulmane dans les derniers jours de sa vie. Une opération de récupération des Tchétchènes, en réalité.

À la mosquée, croyants et incroyants avaient été séparés, les seconds restant au fond de la salle de prière, autour du père d'Alexandre Litvinenko, assis par terre, la casquette vissé sur la tête.

Arrivé de Russie, ne parlant pas un mot d'anglais, brisé de douleur, il semblait complètement dépassé par les événements. En sus des intimes, le cortège funéraire comportait quelques défecteurs, des policiers en civil, mais pas un seul représentant de l'ambassade de Russie…

Le vent redoublait de violence. Massés dans Swain's Lane, à l'extérieur du cimetière, les centaines de journalistes devaient trouver le temps long. Soutenu par des cordes, le cercueil descendit lentement dans la tombe. Il y avait peu de fleurs. Quelques mots furent dits par un pope, puis les gens commencèrent à se disperser, sous les rafales de pluie.

Malko, qui avait rendez-vous avec Richard Spicer, hâta le pas.

Il eut juste le temps d'apercevoir une femme brune emmitouflée dans une longue pelisse en vison, qui avait dû arriver après le gros des invités car il ne l'avait pas remarquée auparavant. Partie une des premières, elle se dirigeait d'un pas rapide vers la grille du cimetière.

Malko se souvint brusquement de l'amie russe d'Alexandre Litvinenko dont il ne connaissait que le prénom, Irina, mentionné par Tatiana, la sœur d'Anna Politkovskaïa. Le signalement correspondait. Il arriva presque en même temps que l'inconnue à la grille donnant sur Swain's Lane, la voie en pente qui escaladait la colline entre les deux parties du cimetière. Elle se dirigeait vers un taxi qui attendait vingt mètres plus bas. Au moment où elle s'y engouffrait, Malko lança :

– Irina !

La femme se retourna, mais monta quand même dans le taxi qui démarra aussitôt.

La Chrysler que la station de la CIA avait mise à la disposition de Malko était garée à l'intérieur du cimetière. Le temps qu'il la rejoigne, le taxi avait disparu. Il avait eu heureusement le temps de relever son numéro – P 781 LEV – et celui attribué à chaque taxi par la ville de Londres : 41993.

À peine dans la Chrysler, il appela Richard Spicer et lui demanda de retrouver d'urgence ce taxi, afin de savoir où il avait déposé sa cliente.

– J'appelle tout de suite le « 5 », promit l'Américain. Vous pensez que c'est intéressant ?

– C'est peut-être la femme dont m'a parlé Tatiana, répondit Malko. Une intime, paraît-il, d'Alexandre Litvinenko. Bizarrement, elle s'est littéralement enfuie…

*
* *

Le portable de Malko sonna alors qu'il contournait Regent's Park.

– Votre taxi vient de déposer sa cliente à l'hôtel

Washington, dans Curzon Street, annonça Richard Spicer.

– J'y vais, décida aussitôt Malko.

Un quart d'heure plus tard, il déparquait à l'hôtel *Washington*, un petit établissement luxueux situé dans l'élégante Curzon Street reliant Piccadilly à Hyde Park. Un groupe bruyant d'Asiatiques se pressait dans le hall mais aucune trace de l'inconnue. Il fonça à la petite réception et posa un billet de dix livres sur le comptoir, avec son sourire le plus charmeur.

– Je cherche Lady Irina, dit-il. Une jeune femme russe, brune, avec un long manteau de vison. Elle vient d'arriver en taxi.

L'employé hésita quelques secondes, la main posée sur le billet. Malko prenait un risque limité : si l'employé l'envoyait promener, il appellerait Scotland Yard.

Heureusement, la cupidité fut plus forte que la discrétion.

– Mrs Lopoukine est à la chambre 202, *sir*, mais je ne vous ai rien dit. Elle quitte l'hôtel aujourd'hui.

Malko posa un second billet sur le comptoir, fila vers les ascenseurs, puis sonna à la chambre 202. La porte s'ouvrit très vite sur l'inconnue du cimetière de High Gate. Ses cheveux noirs tressés en nattes lui donnaient une allure un peu désuète, alors que ses magnifiques yeux verts étirés en amande comme ceux d'un chat et sa grande bouche très rouge la rendaient extrêmement attirante. Un fin cachemire noir moulait une poitrine ronde et elle portait une longue jupe grise fendue sur des bottes. Elle jeta un regard surpris à Malko.

– *Who are you ?*

– Vous êtes Irina Lopoukine ? demanda-t-il.

– Oui.

– J'étais au cimetière de High Gate, tout à l'heure. Je vous ai appelée lorsque vous êtes partie en taxi, mais vous n'avez pas entendu…

Le regard de la Russe s'assombrit.

– Qui êtes-vous ? répéta-t-elle.

– Je m'appelle Malko Linge et j'enquête sur la mort d'Alexandre Litvinenko, répondit-il en russe.

Irina Lopoukine essaya de refermer la porte.

– Je ne vous connais pas, lança-t-elle. Je n'ai rien à vous dire. Je suis venue seulement pour l'enterrement de Sacha.

Oubliant toute galanterie, Malko avança son pied dans l'entrebâillement de la porte et précisa avec un sourire :

– *Gostnaya* Lopoukine, Alexandre Litvinenko a été assassiné. Je cherche à retrouver ses assassins. On m'a dit que vous aviez de l'affection pour lui. Vous devriez m'aider. De toute façon, j'ai le pouvoir, sur un simple coup de fil, de vous empêcher de quitter Londres.

– Qui vous a parlé de moi ?

– Tatiana, la sœur d'Anna Politkovskaïa.

Irina Lopoukine hésita quelques secondes, puis laissa tomber :

– *Dobre.* Je vous rejoins en bas, à la *breakfast room,* au fond. Dans dix minutes.

* * *

Lorsque Irina Lopoukine surgit, Malko avait eu le temps de transmettre son nom à Richard Spicer qui avait aussitôt lancé une recherche.

La Russe commanda un thé, l'air tendu, et affronta le regard de Malko. Avec son tailleur à la longue jupe fendue, ses bottes et son visage de félin sensuel, elle irradiait un charme trouble. Après avoir jeté un coup d'œil à sa Breitling Callistino pleine d'émeraudes, elle avertit Malko :

– J'ai une demi-heure à vous accorder. Ensuite, je prends l'avion. D'abord, pour qui travaillez-vous ?

– La Central Intelligence Agency, précisa Malko.

J'enquêtais à Moscou sur le meurtre d'Anna Politkovskaïa qui avait un passeport américain. C'est sa sœur qui m'a parlé de Litvinenko. Ici, je coopère avec les Services britanniques.

La Russe alluma une cigarette. Sa main tremblait légèrement et, quand le garçon arriva, elle commanda un scotch.

– Vous avez vu Sacha, avant qu'il meure ? demanda-t-elle.

– Oui. Il était en très mauvais état.

Il lui relata sa visite à l'University College Hospital et il vit ses yeux se remplir de larmes, quand il décrivit l'état physique du Russe.

– *Bolchemoi !* murmura-t-elle. Il était si fort, si plein de vie…

Elle s'arrêta, la voix brisée. La cérémonie l'avait visiblement bouleversée. Pendant un moment, ils se firent face sans dire un mot, puis Malko rompit le silence.

– *Gostnaya* Lopoukine, dit-il, je pense que vous connaissez des choses que j'ignore sur la mort d'Alexandre Litvinenko. Pourquoi le FSB a-t-il décidé de l'assassiner ?

Le garçon venait de déposer le scotch sur la table. Irina Lopoukine le but d'une traite et fixa Malko, les yeux encore pleins de larmes.

– On n'a jamais décidé de l'assassiner, *lui* ! lança-t-elle à mi-voix. Je m'en veux, j'aurais peut-être pu lui éviter de mourir. *Nitchevo*, maintenant rien ne pourra le ramener… Inutile de parler de tout cela.

De nouveau, elle se refermait comme une huître. Malko la sentait épuisée, sur les nerfs. Elle esquissa le geste de se lever.

– Je ne veux pas rater mon avion, dit-elle à voix basse. Et je suis morte de fatigue. J'ai quitté Moscou hier soir, je n'ai pas dormi de la nuit.

Malko se pencha vers elle.

– *Gostnaya* Lopoukine, *il faut* que vous me disiez ce que vous savez. Je vous fais une proposition. Allez vous reposer jusqu'à ce soir. Nous pouvons dîner ensemble et demain, vous repartirez à Moscou, si vous le souhaitez.

– Non !

Malko insista.

– Je vous l'ai dit, je ne peux pas vous laisser quitter la Grande-Bretagne. Soyez raisonnable. Et, si vous teniez à Alexandre Litvinenko, aidez-moi à le venger.

Irina Lopoukine demeura silencieuse si longtemps qu'il la crut endormie. Puis, elle acquiesça d'une voix lasse.

– *Karacho*. Je vais me reposer, maintenant. Venez ici à huit heures.

Elle se leva, retraversa le petit *lobby* et gagna les ascenseurs. Malko était déjà en train d'appeler Richard Spicer.

– J'ai besoin de deux *field officers*, annonça-t-il.

La CIA n'allait pas quitter Irina Lopoukine d'une semelle jusqu'au soir… Il avait eu le temps de lire la moitié du *Times* quand deux jeunes gens débarquèrent. Deux *deputies* de Richard Spicer. Malko les mit au courant et regagna la Chrysler.

– On va à l'Agence ! lança-t-il au chauffeur.

Il avait hâte de révéler à Richard Spicer l'information surprenante livrée par la Russe : ce n'était pas Alexandre Litvinenko qui était visé.

*
* *

Igor Vlassov remontait lentement à pied la majestueuse allée de Kensington Palace Gardens, reliant Kensigton Road à Bayswater Road, au nord. Des deux côtés, les ambassades les plus prestigieuses de Londres la bordaient. À chaque extrémité, un poste de garde filtrait les voitures, et seuls les piétons pouvaient déambuler librement le long de l'interminable voie en pente légère, ombragée d'arbres.

Le Russe laissa son regard errer sur les pelouses de Kensington Gardens qui s'étalaient sur sa droite, et lui rappelaient l'Afrique.

Les mains dans les poches de son imperméable, il admirait au passage les luxueuses résidences diplomatiques, certaines donnant directement sur Kensington Gardens. Un oasis de calme et de verdure en plein Londres.

Il s'approchait de Bayswater Road. À droite, les deux derniers bâtiments de l'allée faisaient partie de la chancellerie de Russie. D'abord, un immeuble moderne et plutôt laid, qui servait à loger les familles des diplomates, puis le dernier bâtiment avant Bayswater Road, l'ambassade russe.

Igor Vlassov s'arrêta quelques instants devant la grille, comme s'il admirait les limousines alignées devant le perron, puis continua sa route, tournant à droite dans Bayswater Road. Il parcourut cinq cents mètres jusqu'à la station de métro Queensway et descendit dans le souterrain. Là il s'immobilisa devant le tableau matérialisant le réseau, comme s'il cherchait son chemin.

Cinq minutes plus tard, il aperçut un homme arrêté derrière lui, examinant lui aussi la carte du réseau. Il se retourna et leurs regards se croisèrent.

– Boris ? demanda à mi-voix Igor Vlassov.

L'inconnu, blond, la quarantaine, un visage passe-partout de fonctionnaire, inclina la tête sans même répondre. Boris Tavetnoy appartenait à la *rezidentura* du FSB à Londres et gérait les affaires spéciales, sous la couverture diplomatique de troisième secrétaire. Igor Vlassov baissa les yeux sur la mallette qu'il tenait à la main. Leurs doigts se frôlèrent, les siens remplacèrent ceux de Boris qui s'éloigna aussitôt vers la sortie. C'est lui, qui, dix minutes plus tôt, avait guetté avec des jumelles le passage d'Igor Vlassov devant la chancellerie russe.

Sans se presser, Igor Vlassov descendit l'Escalator, gagnant le quai de la ligne East London, direction Epping. Il quitta la rame à Oxford Circus et gagna à pied le petit hôtel où il s'était installé la veille, le *Marlborough*, dans Argyll Street. Un établissement assez cher mais qui avait l'avantage, indispensable pour lui, d'avoir un petit coffre-fort dans chaque chambre.

Igor Vlassov s'enferma et ouvrit la mallette, pour en ranger le contenu dans le coffre. Deux pistolets automatiques de calibre .32, avec des silencieux amovibles, un poignard, un autre pistolet tirant des fléchettes imbibées de curare. Plus deux lacets de nylon pouvant supporter des tractions très importantes, qui permettaient d'étrangler un homme en quelques secondes.

Aucune pièce de ce matériel ne comportait de marque d'origine, tout ayant été fabriqué dans le laboratoire spécial du FSB. Il pouvait donc les abandonner sans risques.

Au fond de la mallette, il y avait une enveloppe avec plusieurs photos et une note tapée sur un ordinateur. Il regarda attentivement les documents. Des photos prises à différents endroits d'un agent de la CIA qu'il avait pour mission d'éliminer, dès qu'il en recevrait l'ordre.

La note donnait le numéro de sa chambre au *Lanesborough* et signalait qu'il pouvait être armé.

Igor Vlassov referma le coffre, brouilla la combinaison et se prépara à aller au cinéma. Son passeport portugais le mettait à l'abri des vérifications impromptues. Il était authentique, établi au nom d'un mort, Roberto Neto, et Igor Vlassov, ayant séjourné longtemps en Angola pendant la guerre froide, parlait parfaitement portugais. Il s'éloigna vers Oxford Circus, en boitillant légèrement. Séquelle d'une balle reçue en Afghanistan.

*
* *

– On a trouvé quelques trucs ! annonça Richard Spicer dès que Malko pénétra dans son bureau. Irina Lopoukine est divorcée d'un banquier qui a gagné beaucoup d'argent en finançant les premiers supermarchés, dans les années 1990. Seulement, il s'est heurté à la mafia tchétchène qui a essayé de l'assassiner. C'est comme cela qu'ils ont rencontré Alexandre Litvinenko qui travaillait alors au FSB, au Département d'analyse des organisations criminelles. Il a été chargé de la protection de la famille et ils se sont liés d'amitié.

– Elle a dû devenir sa maîtresse, suggéra Malko.

– Probable, approuva l'Américain. Trois ans plus tard, Leonid Lopoukine a quitté sa femme pour une de ses secrétaires. Mais, comme il avait mis beaucoup de choses à son nom, elle s'est retrouvée à la tête d'une fortune conséquente. Aujourd'hui, elle habite un superbe appartement dans l'immeuble Vyzokta[1], au bord de la Moskova, et n'est pas remariée.

– Je connais l'endroit, dit Malko.

Une énorme « pâtisserie » construite en 1952 sur l'ordre de Laurenti Beria par les prisonniers de guerre allemands, dans le style des gratte-ciel américains dc l'entre-deux-guerres.

– Irina Lopoukine ne fait pas de politique, précisa Richard Spicer. Je me demande quel rôle elle joue dans cette histoire. Et pourquoi elle est venue à Londres.

– J'ai l'impression qu'elle était très attachée à Alexandre Litvinenko, expliqua Malko. J'espère en savoir plus ce soir, car elle semble très au courant de la vie d'Alexandre Litvinenko. Elle m'a affirmé que ce n'était pas lui qui était visé...

1. Gratte-ciel.

Richard Spicer ne dissimula pas sa surprise.

– Qui, alors ? Gourevitch ?

– Je n'en sais rien, avoua Malko. Ce serait logique. Rien de neuf du côté du « 5 » ?

– Rien. Ils patinent dans le polonium 210…

– Et cet Italien, Giorgio Scarpone ?

– Il est toujours à Londres. Il a subi des examens médicaux, lui aussi. Scotland Yard ne s'explique toujours pas son rôle. Les documents qu'il a apportés à Alexandre Litvinenko n'ont pas un intérêt considérable. Pourtant, il tenait à tout prix à les lui remettre en main propre… J'attends un rapport sur lui du SISMI italien.

– O.K., souhaitez-moi bonne chance pour ce soir, conclut Malko.

***

Giorgio Scarpone regardait la télévision dans sa chambre du *Sheraton Mayfair* payée par Scotland Yard.

Il était inquiet. La mission qu'il avait réussi à décrocher de la commission Mitrokhine créée par le gouvernement de Silvio Berlusconi était essentiellement une opération politique ayant pour but de déconsidérer la gauche italienne, en la liant à l'ex-Union soviétique. Giorgio Scarpone avait bien vécu grâce à cela pendant presque deux ans. Et s'était fait pas mal de relations en voyageant aux frais de l'État italien.

Brutalement, il se demandait s'il n'avait pas été manipulé. Seulement, il n'osait rien dire.

Il sentait bien que les Britanniques se posaient des questions à son sujet.

Alexandre Litvinenko avait fait partie de ses sources. Un réseau d'ex-agents du KGB ou du FSB qui avaient tous gardé des amis dans les « Organes ». Et lui avaient permis d'étayer des rapports plutôt légers…

Maintenant, il n'avait plus qu'une envie : repartir pour Naples et se faire tout petit. L'University College Hospital l'avait rassuré, il n'était pas en danger, bien qu'on ait découvert des traces de polonium 210 sur lui. Ce qu'il ne s'expliquait pas vraiment. Pourtant, la police britannique lui demandait de prolonger son séjour à Londres. Où il n'avait rien à faire.

*
* *

Malko eut un choc agréable lorsque Irina Lopoukine débarqua dans le *lobby* de l'hôtel *Washington.* Elle avait abandonné son long vison et ses bottes pour un tailleur noir, des escarpins et des bas, ses traits étaient nettement plus détendus et ses yeux de chatte soulignés de noir. Malko se leva et vint s'incliner sur sa main parfumée.

– *Dobrevece, gostnaya* Lopoukine. Vous vous êtes reposée ?

– Cela va mieux, dit-elle. Où voulez-vous dîner ?

– Vous avez un endroit préféré ?

– On peut aller au *Nikita,* proposa la Russe. Dans Field Road, à Fulham. Ils me connaissent, on aura de la place.

– *Davai*, approuva Malko.

Du coin de l'œil, il vit les deux « baby-sitters » de la CIA s'esquiver. Trente secondes plus tard, Irina et lui roulaient en taxi vers Fulham. Irina Lopoukine croisa les jambes très haut dans un geste presque provocant, chatouillant sa libido. Une magnifique créature venue du froid. Mais quel rôle jouait-elle vraiment ? L'idée l'effleura qu'« on » la lui avait peut-être envoyée pour l'enfumer…

Quand le taxi s'arrêta, ils n'avaient pratiquement pas échangé un mot. Le *Nikita* se trouvait dans une rue calme en sens unique, sa façade rouge tranchant sur les maisons voisines.

Une douzaine de clients étaient massés le long du bar à gauche de l'entrée, surmonté par un portrait du tsar Nicolas II. C'était bruyant, chaleureux et gai. Un des barmans échangea quelques mots en russe avec la jeune femme et leur apporta aussitôt des vodkas qu'ils burent debout.

Irina Lopoukine leva son verre, avec un sourire triste.

– *Na mir*[1] *!*

Malko se dit qu'elle était vraiment très belle avec ses yeux en amande et cette bouche trop grande qui lui donnait un air incroyablement salope. Elle but une seconde vodka et proposa :

– Si on descendait ?

Le restaurant était au sous-sol. Plafond bas, murs rouges, salle presque vide. Malko commanda du caviar et un carafon de vodka. La veste du tailleur d'Irina s'écarta sur un fin cachemire noir gonflé par une superbe poitrine. Dès qu'ils eurent commandé, Irina Lopoukine plongea son regard dans celui de Malko.

– Que voulez-vous savoir ?

– Qu'était Alexandre Litvinenko pour vous ?

Elle tourna son verre vide entre ses doigts quelques instants avant de répondre à voix basse :

– Un homme dont j'ai été très amoureuse et qui m'a rendu d'immenses services. C'est grâce à lui qu'aujourd'hui je peux vivre sans souci.

Surpris, Malko demanda :

– Expliquez-moi.

– Vous devez déjà en savoir beaucoup, remarqua-t-elle. Mon mari, en 1993, avait de gros problèmes avec la mafia tchétchène. Ils voulaient le ruiner ou l'assassiner. Il s'est plaint au FSB où il avait des amis. On nous a envoyé Sacha pour nous assister. Mon mari a sympathisé avec lui et, peu à peu, lui a fait confiance.

1. À la paix !

C'est Sacha qui lui a conseillé de mettre certains biens à mon nom, en cas de malheur. À cette époque, il avait des gardes du corps et j'avais très peur d'être assassinée. C'est Sacha qui s'est chargé de ma protection.

– Et vous êtes devenue sa maîtresse ?

– C'était un très bel homme, très gentil, très doux, et en admiration devant moi. Et surtout, il ne buvait pas ! Pour moi, c'était extraordinaire... Leonid, lui, buvait comme un trou, pour combattre son stress. Nous n'avions plus de vie de couple. D'ailleurs, un an après, nous nous sommes séparés. Il s'est fait hospitaliser pour se faire oublier de ses ennemis. Grâce aux conseils de Sacha, il m'avait mise à l'abri du besoin.

– Pourquoi faisait-il cela ?

Irina Lopoukine but un peu de vodka et répondit :

– Mais parce qu'il m'aimait ! Je n'ai pas dépouillé mon mari, celui-ci a gardé la plus grande partie de sa fortune, mais moi, je suis à l'aise. J'ai un bel appartement, une datcha assez loin de Moscou et, avec l'argent que m'a donné Leonid, j'ai fait de l'immobilier et augmenté mon capital.

– Vous êtes remariée ?

– Non. Je vis seule.

– *Dobre*, conclut Malko, parlez-moi de Sacha maintenant. Vous avez continué à le voir ?

– Oui, nous sommes toujours restés en contact. Il s'était marié et il n'y avait plus rien entre nous, sauf une grande complicité. Après son installation à Londres, je l'ai vu souvent. En cachette de sa femme, car il avait peur qu'elle soit jalouse.

– Vous veniez spécialement à Londres pour le voir ?

– Non. J'ai beaucoup d'amis ici. Il y a trois cent mille Russes installés à Londres, vous savez !

– Vous m'avez dit aujourd'hui que vous aviez peut-être une part de responsabilité dans sa mort. Pourquoi ?

Irina Lopoukine étala du caviar sur un toast et mit

un long moment à répondre. Le *Nikita* s'était rempli, il y avait de la musique et l'atmosphère était nettement plus chaleureuse.

– C'est une longue histoire, expliqua-t-elle. Sacha était un idéaliste, c'est la raison pour laquelle il a quitté la Russie. Mais ensuite, il a été déçu : il n'avait pas de moyens d'existence et a dû se reposer sur Simion Gourevitch, qu'il avait connu en même temps que moi. Ce dernier l'a poussé à fuir Moscou, puis lui a fait obtenir un permis de séjour et l'a aidé financièrement. La maison que Sacha occupait dans Osier Crescent lui appartient. Jusqu'à l'été dernier, il versait régulièrement de l'argent à Sacha qui n'en avait pas du tout. Il ne possédait même pas de voiture. Peu à peu, il lui a aussi fait épouser ses convictions pro-tchétchènes... Sacha se démenait beaucoup, mais il n'arrivait pas à décoller. C'est très difficile d'être un défecteur. Il avait même du mal à parler correctement anglais... Et puis, les choses se sont gâtées et il y a quelques mois Simion Gourevitch lui a annoncé qu'il ne pouvait plus le payer, qu'il allait devoir chercher du travail. Même naturalisé britannique, c'était très difficile pour Sacha. C'était un *silovik*, il ne savait rien faire d'autre... Il a commencé à paniquer, m'a envoyé des mails affolés. J'ai tenté de le rassurer, je suis venue le voir, mais ça n'allait pas. En même temps, il s'est plaint à d'anciens amis du FSB qui venaient souvent à Londres et avec qui il essayait de faire des affaires.

– Dimitri Kovtun et Andreï Lugovoï ?

– Oui. D'autres aussi. Alors, un jour, ce qui devait arriver est arrivé. « On » lui a fait dire que s'il aidait l'État russe à éliminer Simion Gourevitch, il n'aurait plus jamais de problèmes d'argent et serait réintégré dans le monde des affaires...

Malko était stupéfait.

– On lui a demandé d'assassiner Gourevitch ? Pourquoi lui ?

Irina Lopoukine eut un sourire énigmatique.

– Simion Gourevitch est *très* méfiant. Il vit dans une véritable forteresse, ne se déplace qu'en voiture blindée avec des gardes du corps et reçoit très peu de gens. Même quand il va prendre un verre au bar du *Lanesborough*, il ne parle à personne. Par contre, Sacha avait un accès facile à lui et il ne s'en méfiait pas…

Le cerveau de Malko travaillait à toute vitesse. Il fixa Irina Lopoukine, incrédule.

– Vous voulez dire que le polonium 210 qui a tué Alexandre Litvinenko était destiné à Simion Gourevitch ?

– Oui, confirma la Russe.

CHAPITRE XIV

En soi, l'information n'avait rien d'invraisemblable, mais il fallait l'étayer. Malko laissa Irina Lopoukine terminer son caviar et demanda :

– Gourevitch est à Londres depuis plus de sept ans. Pourquoi le FSB se serait-il attaqué à lui maintenant ?

Irina Lopoukine lui adressa un sourire ironique.

– Ils n'ont jamais renoncé à le tuer. Le pardon ne fait pas partie de l'univers des *siloviki*, et Vladimir Vladimirovitch *est* un *silovik.* Souvenez-vous de Trotski. Il ne mettait pas Staline en danger et pourtant celui-ci l'a fait assassiner après des années de séparation. En plus, au mois de juillet dernier, Simion Gourevitch a annoncé qu'il allait consacrer une partie de son immense fortune à provoquer un coup d'État en Russie. Pour renverser Poutine ! C'est la goutte d'eau qui a fait déborder le vase…

– C'est pourtant un projet irréalisable, rétorqua Malko.

Les yeux de chat d'Irina se plissèrent.

– Peut-être ! Mais Vladimir Vladimirovitch a pris cela comme une insulte personnelle. Et a donné l'ordre qu'on fasse taire Simion Gourevitch définitivement. Il est pratiquement le dernier à défier son pouvoir.

– Dites-m'en plus, réclama Malko.

Pour l'encourager, il lui reversa de la vodka.

– Je correspondais régulièrement par mail avec Sacha, expliqua la Russe. Fin septembre, il m'a annoncé qu'il entrevoyait une solution à ses problèmes, mais qu'il ne pouvait m'en parler que de vive voix. J'avais une amie malade à voir à Londres et je suis venue.

– Quand, exactement ?

– Le dernier week-end de septembre. J'ai rencontré Sacha à l'*Itsu*, son japonais préféré. Il m'a alors expliqué ce qui se passait. Comme il s'était plaint à un de ses anciens copains du FSB, Andreï Lugovoï, avec qui il était en rapport régulier, de ses problèmes d'argent, ce dernier lui avait transmis une offre.

– Que faisait-il avec Lugovoï ?

– Celui-ci a monté une affaire de sécurité à Moscou et travaillait avec des sociétés britanniques qui voulaient protéger leurs clients en Russie.

– Quelle était la proposition de Lugovoï ?

– Il a dit à Sacha qu'il pouvait résoudre tous ses problèmes définitivement, s'il aidait les « Organes » à liquider Simion Gourevitch.

– Pourtant, celui-ci l'avait protégé, aidé et financé, depuis des années…

– C'est vrai, reconnut Irinia, mais Sacha se sentait trahi. Il pensait que Gourevitch allait continuer à le financer indéfiniment. Or, ce dernier n'est pas un sentimental : Sacha ne lui apportait plus rien, à part quelques contacts peu fiables au FSB. Alors, Sacha a écouté d'une oreille favorable la proposition de Lugovoï.

– Vous la connaissez ?

– Oui. Dix millions de dollars et la possibilité de revenir en Russie et d'y travailler sous la protection des « Organes ».

– Qu'est-ce qu'on lui demandait en échange ?

– À ce stade, c'était encore flou. L'idée était de se

servir de lui pour empoisonner Gourevitch, grâce à sa proximité avec l'oligarque. Pour l'encourager, on lui a remis dix mille livres sterling, en billets.

– Ce n'est pas beaucoup…

– C'était seulement pour souligner qu'il s'agissait d'une offre sérieuse.

– Quelle a été votre réaction ?

– Je lui ai dit qu'il était fou ! lança avec véhémence Irina Lopoukine. En dehors de l'aspect moral, il était bien placé pour savoir que ceux qui rendaient ce genre de service ne vivaient jamais longtemps… Hélas, je ne l'ai pas convaincu. Sacha était un peu naïf, parfois. Il m'a expliqué qu'il était lui-même un ancien *silovik* et que cela le protégeait. Bref, nous nous sommes disputés et quittés plutôt en froid. Mais j'avais des remords. Je lui ai envoyé un mail, un mois plus tard, fin octobre, pour lui demander où il en était. Il m'a répondu en précisant que ses projets avançaient… Du coup, j'ai sauté dans un avion.

– Vous vouliez sauver Gourevitch ? demanda Malko.

Les yeux verts d'Irina Lopoukine flamboyèrent.

– Je me moque de Gourevitch ! Mais je ne voulais pas que Sacha s'embarque là-dedans. Nous nous sommes retrouvés au café *Néro*, à Picaddilly et il m'a expliqué qu'il ne pouvait plus reculer. Qu'Andreï Lugovoï le harcelait, qu'il était venu à Londres deux fois en une semaine, pour vaincre ses réticences. Qu'il ne pouvait plus reculer parce que Lugovoï avait déjà amené à Londres la « substance » destinée à Gourevitch.

– Il vous a parlé de polonium 210 ?

– Non, il ignorait ce que c'était. Seulement qu'il fallait en faire respirer ou ingérer à la victime une très petite quantité.

– Comment ? Gourevitch doit être extrêmement méfiant…

– « On » lui suggérait une idée : lui apporter un document saupoudré de ce produit. Il suffisait qu'il l'ait en main pour inhaler involontairement cette substance mortelle. Comme cela mettait quelques heures à agir, Sacha ne risquait rien…

– Qu'avez-vous fait ?

Irina lui adressa un sourire triste.

– Je ne pouvais pas trahir Sacha en prévenant Gourevitch. Alors, je lui ai proposé de l'aider financièrement. Je lui ai remis tout de suite cent mille livres sterling, et lui promettant plus tard assez d'argent pour qu'il puisse monter une affaire.

– Vous l'avez convaincu ?

– Oui. Parce que le jour même, j'ai fait effectuer un virement, de Moscou au compte que j'ai à la Barclay's Bank. J'ai emmené Sacha avec moi à l'agence de Chelsea et je lui ai donné la signature de ce compte. Ce qui lui permettait de retirer de l'argent comme il le voulait.

Elle se tut, balayant la salle des yeux. Le restaurant s'était rempli et pratiquement tout le monde parlait russe. Malko était suspendu aux lèvres d'Irina Lopoukine.

– Que s'est-il passé ensuite ? demanda-t-il.

– Je ne sais pas tout, soupira-t-elle. En sortant de la banque, Sacha m'a avoué d'autres détails. Ces derniers temps, il voyait moins Gourevitch. Il avait donc besoin d'un prétexte pour être sûr de le rencontrer rapidement. Il s'est ouvert de ce problème à ses amis qui lui ont promis de le résoudre. Deux jours plus tard, il m'a dit avoir reçu un mail d'un de ses informateurs, un Italien du nom de Giorgio Scarpone, lui disant qu'il venait d'entrer en possession d'un document détaillant une menace précise contre Gourevitch, et qu'il souhaitait le lui remettre.

– Voilà l'explication du rendez-vous à l'*Itsu* du 1er novembre entre Giorgio Scarpone et Alexandre Litvinenko, déduisit Malko.

– Très probablement, reconnut Irina Lopoukine, mais à ce moment-là, il n'en était pas encore question. Avant de reprendre l'avion pour Moscou, j'ai fait jurer à Sacha qu'il renonçait à son projet. Le 1er novembre – je m'en souviens parce que c'était l'anniversaire de la date de son arrivée en Grande-Bretagne –, je l'ai appelé vers quatre heures, heure de Londres, pour m'assurer qu'il tenait sa promesse. Je l'ai senti gêné et il m'a annoncé qu'on lui avait remis la « substance », mais qu'il allait la rendre dans l'après-midi à ses amis sans l'utiliser.

– C'était donc le but de son rendez-vous à l'hôtel *Millenium* avec Andreï Lugovoï et Dimitri Kovtun ?

– Je suppose, dit la Russe. Il ne m'a pas donné de détail.

– C'est donc lors de ce rendez-vous qu'il aurait été empoisonné ?

Les yeux d'Irina Lopoukine s'embuèrent.

– Probablement. Il y a deux hypothèses. Ou bien, c'est un « accident » causé par la manipulation imprudente du polonium 210 au bar du *Millenium.* N'oubliez pas qu'ils ignoraient la dangerosité exacte du produit. Ou alors, devant son refus d'empoisonner Gourevitch, ces ex-FSB ont délibérément empoisonné Sacha.

– Mais pourquoi n'a-t-il rien dit de tout cela à Scotland Yard ? objecta Malko.

Irina Lopoukine eut un sourire triste.

– Je pense qu'il avait honte de sa trahison. Il ne voulait pas avouer qu'il avait été faible, manipulé. On ne le saura jamais.

Malko avait la sensation d'avoir fait un pas de géant. Pour la première fois, il avait une explication cohérente de ce que qui s'était passé le 1er novembre. À condition de vérifier certains points.

– À votre avis, demanda-t-il, où se trouve ce polonium 210 actuellement ?

Irina Lopoukine secoua la tête :

– Je n'en ai pas la moindre idée. Ils l'ont peut-être renvoyé en Russie, ou jeté, ou conservé ici. C'est ce qui est le plus probable.

– Pourquoi ?

– Ils n'ont sûrement pas renoncé à tuer Simion Gourevitch.

Les gens s'étaient mis à danser à côté d'eux sur une piste minuscule. La Russe termina son énième verre de vodka et soupira.

– Voilà. Je vous ai tout dit. Maintenant, je ne veux plus parler de toute cette histoire. Je repars demain matin à Moscou. D'ici là, j'ai envie d'oublier, de m'amuser. *Davai*. Faites-moi danser.

Malko posa une dernière question en se levant.

– Que sont devenues les cent mille livres sterling ?

– Elles sont toujours à la Barclay's Bank de Chelsea. Personne d'autre que moi ne peut y toucher, puisque Sacha est mort. Plus tard, je m'arrangerai pour que cette somme revienne à la veuve de Sacha.

L'orchestre jouait *Soirs de Moscou*. Irina Lopoukine s'étira comme un chat contre Malko, glissant une jambe entre les siennes, et se laissa aller à la musique.

Très vite, ils ressemblèrent aux autres couples autour d'eux, qui semblaient n'avoir pour but que de boire et de flirter.

***

Igor Vlassov faisait durer sa vodka, au bar du rez-de-chaussée du *Nikita*. Il buvait très peu. Comme il avait reçu l'ordre de faire des repérages sur sa cible, il obéissait. Ses instructions lui parvenaient très simplement, à une cabine publique d'Oxford Circus, tous les jours à une heure variable convenue à l'avance avec Boris, qui téléphonait d'une autre cabine publique. Un système à l'épreuve de toute écoute possible.

Il ignorait quand on lui demanderait de frapper, pour l'instant il n'avait qu'une mission d'observation.

Ce qui justifiait qu'il ne soit pas armé. On est toujours à la merci d'un concours de circonstances et il serait toujours tant de s'équiper. Le but de cette surveillance était de se familiariser avec l'homme qu'il devait supprimer, de façon à éviter les erreurs.

Il tourna la tête vers l'escalier montant du sous-sol et aperçut des cheveux noirs. La femme qui accompagnait sa cible. Il se tourna aussitôt pour que l'homme ne puisse enregistrer ses traits. Pour ce soir, c'était terminé.

*
* *

Field Road était totalement déserte. Peu de chance qu'il y passe un taxi. Malko prit Irina Lopoukine par le bras.

– Venez, on va marcher jusqu'à Fulham Road.

Depuis une heure, ils n'avaient fait que danser de façon très sensuelle et boire.

Irina Lopoukine s'était laissée aller contre lui comme une femme amoureuse, sans qu'il sache ce qu'elle cherchait vraiment. Lui n'était pas resté indifférent à ce corps souple qui ondulait contre le sien, mais Irina Lopoukine n'était pas de ces femmes qu'on embrasse de force.

Enfin, un taxi libre apparut, remontant Fulham Road.

Miracle de Londres : il semblait surgir de nulle part… À peine assise sur la banquette spacieuse, Irina Lopoukine se tourna vers Malko.

– Ça vous ennuie si on va prendre un verre au bar du *Lanesborough* ?

– Pas du tout, j'y habite !

– J'y suis souvent allée et j'aime beaucoup cet

endroit, mais impossible d'y aller seule : on me prendrait pour une pute.

Malko se pencha vers la glace de séparation et donna au chauffeur leur nouvelle destination.

– *Spassiba !* murmura Irina.

D'un geste naturel elle posa la tête sur son épaule. Sans qu'il sache trop comment, leurs lèvres se rejoignirent, puis se soudèrent pour un baiser passionné. Le bon côté des taxis londoniens, c'est qu'on y était chez soi. Quand la voiture s'immobilisa devant le *Lanesborough*, Malko connaissait à peu près tout du corps d'Irina Lopoukine. Celle-ci n'avait guère montré plus de retenue, crispant sa main, à travers le pantalon d'alpaga, sur le sexe bandé de Malko, comme un naufragé s'accroche à une bouée.

Elle semblait avoir la poitrine extraordinairement sensible, car chaque fois que les doigts de Malko avaient effleuré ses seins, elle lui avait presque arraché la lèvre.

Essoufflés, ils se détachèrent et Irina Lopoukine traversa la hall majestueux, très digne en dépit de son maquillage légèrement chamboulé. Le bar était presque vide et ils s'installèrent à côté de la cheminée, face au comptoir.

– J'ai envie de champagne, dit la jeune Russe.

Malko commanda au maître d'hôtel une bouteille de Taittinger Comtes de Champagne Rosé. Lorsqu'ils trinquèrent, Irina leva sa flûte et dit à mi-voix :

– À Sacha. Ce n'était pas un mauvais homme.

*
* *

Ils étaient les derniers clients du bar, à l'exception de deux putes mélancoliques, prêtes à se solder, et la bouteille de Taittinger était vide.

– *Davai !* fit à mi-voix Irina Lopoukine.

Malko la laissa sortir du bar la première, puis

traverser le salon de thé désert pour rejoindre le hall. Si elle tournait à droite, vers l'entrée de l'hôtel, il était décidé à ne pas insister.

Elle prit à gauche, passa devant la réception et, en face des ascenseurs, se retourna pour l'attendre. Ses bonnes intentions ne s'étaient pas noyées dans l'alcool.

Ils entrèrent ensemble dans l'ascenseur pour un très court voyage, la chambre de Malko se trouvant au premier, au fond d'un couloir sombre. Ce fut suffisant pour qu'Irina fasse la démonstration que son feu ne s'était pas éteint.

– Tu vas bien me baiser ! souffla-telle en se détachant de Malko.

C'était plus un ordre qu'une anticipation.

À peine dans la chambre, elle se dépouilla d'abord de sa veste de tailleur, ne gardant son fin cachemire que quelques secondes, révélant des seins fermes et ronds, sans le moindre soutien-gorge. Sans ôter sa longue jupe fendue, elle alla s'allonger sur la courtepointe de soie et lança à Malko, en russe :

– Viens !

Elle l'attendait, la tête calée sur un coussin, une jambe repliée, ce qui découvrait presque entièrement sa cuisse, grâce à la longue fente de la jupe. Lorsque Malko s'allongea à son tour, elle dit :

– Caresse-moi. Doucement.

Il laissa sa main remonter le long du bas stay-up, découvrant la peau nue d'une cuisse, puis un triangle de nylon noir. Malko le fit glisser le long de ses jambes et obéit à Irina, explorant un sexe brûlant. La jeune femme commença à se cambrer sous ses doigts, ondulant de plus en plus vite. Puis, le souffle court, elle lança :

– Lèche-moi les seins. J'adore.

Il commençait à se pencher lorsqu'une pensée horrible le traversa : cette rencontre était trop facile, trop parfaite… Irina Lopoukine s'offrait de façon trop évidente. Il se rappela ce que lui avait dit Richard Spicer. Le polonium 210 était inoffensif tant qu'on ne l'ingérait pas. S'il pénétrait dans l'organisme c'était fini : il vous rongeait comme un cancer, mais mille fois plus vite.

Il regarda la peau satinée des seins gonflés d'Irina, avec une pensée abominable. Si quelques invisibles particules de polonium 210 se trouvaient sur cette peau appétissante et que sa langue entre en contact avec, il était mort.

– Qu'est-ce que tu attends ! fit Irina avec une once d'impatience. Tu n'aimes pas ?

Leurs regards se croisèrent. Malko lut dans celui de la jeune femme une surprise agacée. Difficile de lui avouer la cause de sa réticence… D'ailleurs, avec un geste d'homme, elle lui appuya sur la nuque. Bon gré mal gré, ses lèvres effleurèrent la fraise d'un sein qui durcit aussitôt sous sa langue.

Irina Lopoukine se détendit d'un coup. Ses jambes s'ouvrirent encore plus et Malko replongea les doigts au fond de son ventre. Sa langue sur ses seins arrachait à la jeune femme des soupirs de plus en plus profonds. En même temps, son bassin se soulevait de plus en plus vite. Elle écarta soudain les doigts de Malko de son ventre, tandis qu'elle le poussait vers son sexe, avec un projet particulièrement précis.

Lorsque la bouche de Malko se colla à sa fente, elle poussa un long soupir d'aise qui se transforma en cri bref quand sa langue tourna autour du clitoris durci. Les cuisses largement ouvertes, elle appuyait des deux mains sur sa tête, au cas improbable où il aurait eu envie de la délaisser. La langue de Malko dansait une sarabande effrénée autour du petit bouton de chair et Irina poussa soudain un cri de parturiente, puis retomba, inondée, foudroyée de plaisir.

Malko reprit son souffle. Son sexe était si dur qu'il en était douloureux.

Il n'eut pas le temps de se ruer sur le ventre offert d'Irina. La jeune femme rampa jusqu'à lui, dégagea son membre et plongea dessus avec la rapacité d'un vautour. Malko eut l'impression de revivre, mais cela accrut encore son désir.

– Je vais te baiser, gronda-t-il.

Vaine promesse. Avec la ferveur d'une vestale, Irina Lopoukine le fit se déverser dans sa bouche.

À son tour, il retomba, apaisé.

Quelques instants plus tard, la jeune Russe se leva, remit sa culotte, puis son cachemire, et enfin sa veste de tailleur, le regard un peu vide.

– Tu ne restes pas ? demanda Malko, qui aurait bien fait la connaissance de son ventre.

– Non, dit-elle, j'ai un avion très tôt demain matin pour Moscou.

– Quand reviens-tu à Londres ?

– Je ne sais pas, dit-elle, mais je t'ai dit tout ce que je savais. Pour le reste, tu m'as très bien fait jouir. Je ne veux plus m'attacher, mais je garderai un bon souvenir de toi. *Dosvidania.*

La porte de la chambre claqua et il réalisa qu'il n'avait même pas son numéro de portable…

Il s'assit sur le lit, la tête lourde, en proie à des sentiments contradictoires. D'un simple coup de fil, il pouvait empêcher Irina Lopoukine de prendre l'avion. Mais à quoi bon ?

Si elle avait été envoyée par les « Organes » pour l'empoisonner, comme il l'avait pensé pendant quelques secondes, c'était déjà trop tard…

Il revit le visage livide d'Alexandre Litvinenko sur son lit d'hôpital. Le polonium 210 provoquait une mort lente et horriblement douloureuse.

Il préféra s'accrocher à l'idée qu'Irina, la vodka et le champagne aidant, avait eu simplement envie d'un petit orgasme. En tout cas, elle lui avait apporté un éclairage nouveau sur l'affaire. Si le polonium 210 qui avait tué Alexandre Litvinenko se trouvait toujours à Londres et si les « Organes » n'avaient pas renoncé à assassiner Simion Gourevitch, cela créait une situation entièrement nouvelle.

CHAPITRE XV

– Il faut prévenir Simion Gourevitch, lança Richard Spicer. Ce que vous a révélé Irina Lopoukine est de première importance.

Malko doucha l'enthousiasme du chef de station de la CIA avec un sourire froid.

– Pour lui dire quoi ? Que le FSB veut sa peau ? Il le sait. Nous n'avons rien de précis à lui apprendre. Alexandre Litvinenko est mort, ses amis du FSB Dimitri Kovtun et Andreï Lugovoï, accusés par Irina Lopoukine d'être les exécuteurs de l'opération, sont retournés en Russie. Scotland Yard est allé les interroger là-bas et n'en a rien tiré. Il faut continuer l'enquête et trouver le polonium, s'il est encore à Londres, avant de parler à Gourevitch.

– Où peut-il être ? À l'ambassade de Russie ?

– Je ne pense pas, rétorqua Malko, les Russes ne peuvent pas se permettre ce risque politique.

– Où, alors ?

– Alexandre Litvinenko a dit à Irina Lopoukine qu'il devait récupérer cette substance avant d'aller retrouver ses amis Kovtun et Lugovoï à l'hôtel *Millenium*. Comme nous savons qu'il a « irradié » le restaurant japonais *Itsu* vers trois heures, lorsqu'il y a déjeuné avec Giorgio Scarpone, il a donc rencontré quelqu'un entre midi et trois heures. La personne qui a conservé le polonium 210 à partir du 25 octobre, lorsque Andreï Lugovoï l'a rapporté de Moscou.

– Et si c'était Giorgio Scarpone qui le lui avait apporté ? suggéra l'Américain.

– Impossible, objecta Malko. Scotland Yard sait que le polonium est arrivé à Londres le 25 octobre, sur le vol British Airways où se trouvaient Lugovoï et Kotvun. Ils ont trouvé des traces de radioactivité dans l'avion. J'aimerais quand même interroger Giorgio Scarpone sur ce qu'il voulait communiquer d'urgence à Alexandre Litvinenko.

– Le « 5 » m'a dit que Scotland Yard le tenait au chaud au *Sheraton Mayfair*, dit Richard Spicer. Il n'est inculpé de rien, mais sous protection policière.

– Vous pouvez me donner une *clearance* pour le rencontrer ?

– Évidemment.

Brutalement, Malko eut une grimace de douleur. Il venait de ressentir une douleur brutale et brève dans le ventre, comme un coup de poignard.

– Vous êtes malade ? demanda aussitôt Richard Spicer.

Malko se força à sourire.

– Malade, non. Empoisonné peut-être...

Il souriait, mais intérieurement, il était glacé. Alexandre Litvinenko avait éprouvé les premiers symptômes de son empoisonnement quelques heures après avoir respiré ou ingéré le polonium 210. Or, Malko avait quitté Irina Lopoukine une dizaine d'heures plus tôt. Il était dans la zone rouge...

L'Américain le fixa, abasourdi.

– C'est cette Irina Lopoukine qui vous aurait empoisonné ! Mais comment ?

Malko esquissa un sourire.

– Disons que nous avons eu un épisode intime et que j'ai été imprudent.

Richard Spicer eut un haut-le-corps et recula légèrement, comme si le poison allait jaillir de Malko.

– Je vais vous faire hospitaliser à l'University College Hospital, conseilla-t-il. Qu'ils vous fassent subir des tests…

– *No way*[1], laissa tomber Malko. Si c'est le cas, je suis déjà mort… Vous savez bien qu'il n'y a pas d'antidote au polonium 210. Dans le cas contraire, je n'ai pas envie de me ridiculiser.

– Où est cette femme ?

– Dans l'avion pour Moscou.

Richard Spicer secoua la tête, accablé.

– Vous êtes fou ! Vous *saviez* que cette femme pouvait être dangereuse.

– Il y a des moments où il est difficile de résister, reconnut Malko, et Irina Lopoukine est extrêmement attirante.

– Ce n'est pas une raison pour vous suicider ! bougonna l'Américain.

– Je ne suis pas encore mort, tempéra Malko. Appelez le « 5 », pour Giorgio Scarpone. Et vérifiez auprès de la Barclay's l'existence d'un dépôt de cent mille livres effectué par Irina Lopoukine. Ainsi que les traces de ses voyages à Londres avant le 1er novembre.

Il se leva. La douleur avait totalement disparu, mais malgré tout, il était tiraillé par une vague angoisse diffuse qui ne se dissiperait qu'avec le temps. Si rien de fâcheux ne se produisait.

***

Boris Tavetnoy, le « traitant » d'Igor Vlassov à l'ambassade de Russie, ne possédait pas l'ensemble du dossier, se contentant de transmettre à Moscou, au septième étage de la rue Loubianka, les éléments qu'il

1. Pas question.

recueillait. Il avait donc transmis tout ce que Vlassov lui avait communiqué sur la femme rencontrée par l'agent de la CIA à l'hôtel *Washington*. C'est-à-dire pas grand-chose.

Il sortit de l'ambassade et s'éloigna en direction de Bayswater Road pour aller téléphoner à Igor Vlassov, comme chaque matin. Pour l'instant, il n'avait aucune instruction complémentaire à lui donner. La *rezidentura* avait été tenue à l'écart de l'opération et il n'en savait guère plus que les journaux.

Les deux constables en uniforme installés dans des fauteuils au milieu du couloir, au huitième étage du *Sheraton Mayfair*, se levèrent lorsque Malko s'approcha. Contrairement aux habitudes de la police britannique, l'un d'eux était armé d'un pistolet-mitrailleur MP 5.

– *Sir*, annonça-t-il, cette partie de l'hôtel est *off limits*.

Malko tendit son passeport.

– Je viens voir M. Giorgio Scarpone. Vous avez dû être prévenus.

Le constable examina le document consulta une liste posée sur une table et, finalement, écarta le fauteuil bloquant le couloir.

– Chambre 812, *sir*.

L'homme qui ouvrit, en chemise, col ouvert, était visiblement surpris de voir Malko.

– Vous êtes Giorgio Scarpone ? demanda celui-ci.

– Oui. Qui êtes-vous ?

– J'appartiens à la CIA, expliqua Malko, et j'enquête sur la mort d'Alexandre Litvinenko.

– J'ai déjà été interrogé dix fois par les Anglais, soupira Giorgio Scarpone. Je ne sais rien de plus.

Malko le regarda froidement.

– M. Scarpone, vous allez retourner prochainement en Italie ?

– Oui, bien sûr, confirma l'Italien.

– Je vais vous dire ce qui risque de vous arriver si vous n'avez pas révélé vraiment tout ce que vous savez. Un jour, une voiture va vous renverser. Ou un inconnu vous poussera sous le métro. Ou vous aurez un accident avec le gaz...

Giorgio Scarpone avait pâli. Il attira une chaise, fit signe à Malko de s'y asseoir et prit place sur le lit. Il répéta d'une voix blanche :

– J'ai dit tout ce que je savais.

– Dans ce cas, ma visite n'a plus d'objet, admit Malko. Si vous avez omis quelque chose, vous risquez d'être liquidé. Afin d'éviter que vous ne fassiez des révélations. Par contre, après avoir parlé, vous ne risquez plus rien. Les gens d'en face ne tuent pas par vengeance, mais par prudence.

– Je ne comprends pas, balbutia l'Italien.

– Vous avez dit à Scotland Yard qu'une de vos sources vous avait remis des documents importants concernant une menace pesant sur Simion Gourevitch.

– C'est exact.

– Qui est cette source ?

– Je le leur ai dit : un ancien agent du FSB qui vit en France. Anatoli Medvedev.

Malko, qui avait consciencieusement étudié le dossier remis par le MI5, rétorqua aussitôt :

– Medvedev, interrogé par les autorités françaises, a déclaré qu'il ne vous avait rien dit d'important. D'ailleurs, la DST française pense qu'il ne dispose pas de source fiable...

– Pourtant, il me l'a dit, affirma Giorgio Scarpone d'une voix mal assurée.

Le silence se fit. La nuit tombait, Malko distinguait à peine le visage de son interlocuteur. Finalement, il annonça calmement :

– Très bien. Je ne peux pas vous forcer à parler. Ici, vous êtes protégé, mais vous ne le serez pas en Italie. Souvenez-vous, le FSB n'a *jamais* laissé aucun témoin vivant de ses opérations clandestines. Vous ne ferez pas exception à la règle.

Il se leva, ouvrit la porte et s'éloigna dans le couloir. Il n'avait pas parcouru dix mètres qu'il entendit du bruit dans son dos. Giorgio Scarpone, en chaussettes, courait derrière lui.

– Revenez ! dit-il. Revenez !

Malko fit demi-tour et ils se retrouvèrent dans la chambre. Giorgio Scarpone était décomposé.

– Vous me tendez un piège ? dit-il d'une voix stressée. Vous êtes vraiment de la CIA ?

– Si vous en doutez, dit Malko, venez avec moi à l'ambassade américaine de Grosvenor Square. Pourquoi avez-vous peur ?

– Je n'avais jamais été mêlé à une affaire semblable, avoua Giorgio Scarpone. Je veux dire, à un meurtre. C'est vrai, je n'ai pas dit la vérité à Scotland Yard, pour couvrir une de mes sources.

– C'est cette source qui vous a fourni l'information concernant Gourevitch ?

– Oui.

– Qui est-ce ?

Giorgio Scarpone baissa encore la voix, comme s'il y avait des micros dans la pièce.

– Un fonctionnaire de l'ambassade russe à Rome. Un membre du service de presse que j'avais rencontré lorsque je cherchais à recueillir des informations pour la commission Mitrokhine, Maxim Pechatnik. Je l'avais revu à plusieurs reprises et il m'avait avoué qu'il voulait s'installer en Italie, qu'il n'en pouvait plus du régime autoritaire de Vladimir Poutine. Il m'avait déjà donné des informations à plusieurs reprises. Notamment, le signalement d'un tueur travaillant pour le FSB qui serait en Italie. Un certain Igor Vlassov, un ancien *spetnatz* blessé en Afghanistan, qui se signale par une légère claudication. Mais sans me dire où il se trouvait. Il m'avait expliqué que les agents du FSB de l'ambassade parlaient beaucoup et qu'il suffisait de les écouter... Alors, lorsque je me trouvais à Rome, nous déjeunions souvent ensemble.

– Parfait, dit Malko, que s'est-il passé à propos de Simion Gourevitch ?

– Le 27 octobre, je me trouvais à Naples lorsque Maxim Pechatnik m'a téléphoné. Il m'a dit avoir une information très importante à me communiquer d'urgence. Il a tellement insisté que je suis venu à Rome le lendemain. Nous avons déjeuné à *Il Cucurucu,* et Maxim m'a dit qu'il avait surpris une conversation entre des agents du FSB disant qu'un attentat était en préparation contre Simion Gourevitch.

– Et vous l'avez cru ?

– Oui, il paraissait totalement sincère, il m'a dit qu'il fallait tout de suite prévenir Gourevitch, qu'il soit sur ses gardes.

– Il n'a pas précisé quel genre d'attentat ?

– Si, avec un fusil à lunette. Il m'a même donné la marque, un Dragonov.

L'arme des *snipers* russes.

– Qu'avez-vous fait, alors ?

– Je ne connaissais pas Simion Gourevitch, mais Alexandre Litvinenko, avec qui j'étais en contact régulier, avait accès à lui. Je lui ai donc envoyé un mail, disant que je devais le voir d'urgence à Londres. D'abord, il n'était pas très chaud. Et puis, finalement, il a accepté de me donner rendez-vous le 1er novembre, à la station de métro Picadilly.

– Vous avez revu Maxim Pechatnik ?

– Non. Il ne m'a pas rappelé. C'est toujours lui qui me joignait. Il m'avait demandé de ne pas l'appeler à l'ambassade pour ne pas le compromettre.

Malko était suspendu aux lèvres de Giorgio Scarpone.

Lequel confirmait sans le savoir le récit d'Irina Lopoukine. Ce Maxim Pechatnik devait être lié au FSB qui avait ainsi trouvé un moyen de donner un prétexte à Alexandre Litvinenko pour rencontrer Simion Gourevitch rapidement. Alors qu'il était déjà en possession du polonium 210.

– Vous pouvez me décrire ce Maxim Pechatnik ? demanda Malko.

– Oui, bien sûr. Il est gros, presque chauve, une allure négligée, et il parle très bien italien.

– Parfait, conclut Malko. Vous avez eu raison de me parler. Nous allons faire savoir aux Russes que nous connaissons le rôle joué par cet homme. Vous n'avez donc plus rien à craindre. Bien entendu, s'il vous recontactait, prévenez-moi.

Il laissa son numéro et prit congé. Giorgio Scarpone, sur le pas de porte, demanda encore anxieusement :

– Vous êtes certain que je ne risque plus rien ?

– Certain, confirma Malko.

Se disant qu'il s'avançait peut-être un peu.

*
* *

Simion Gourevitch, installé dans son bureau du 7 Down Street, tout près de Picadilly, broyait du noir. La mort atroce d'Alexandre Litvinenko l'avait profondément bouleversé. Certes, depuis ce jour de 1994 où il avait, par miracle, échappé à un attentat, il n'était jamais complètement tranquille. Il avait touché du doigt sa vulnérabilité, en dépit de sa prudence.

D'abord, à cause des Tchétchènes. Puis, après avoir fait la paix avec eux, il avait eu en face de lui un adversaire encore plus redoutable. Vladimir Poutine, le maître de la Russie. Et plus il réfléchissait, plus il était persuadé que Litvinenko était mort à sa place. Il savait mieux que personne que l'ancien major du FSB n'était pas un personnage d'envergure et ne représentait pas un danger pour le Kremlin. C'est la raison pour laquelle il s'était éloigné de lui.

En dépit de son immense fortune, le cercle autour de lui se rétrécissait. Quelques Tchétchènes, qu'il finançait, un cercle d'amis et quelques dissidents, dont Litvinenko. Mais ce dernier, dans son désir pathétique d'être pris au sérieux, en faisait trop et l'abreuvait d'informations non vérifiées et parfois fantaisistes.

Donc, le Kremlin n'avait pas lancé une opération aussi importante pour tuer Alexandre Litvinenko.

Ou bien c'est lui qui était visé *directement*, d'une façon qu'il n'avait pas encore comprise, ou bien Vladimir Poutine lui avait envoyé un message « fort » en assassinant Litvinenko. S'il ne cessait pas d'attaquer le Kremlin, il mourrait de façon atroce…

Simion Gourevitch savait qu'il allait désormais vivre dans l'angoisse. Les meilleurs gardes du corps, les blindages, les protections électroniques sophistiquées ne pouvaient plus le protéger totalement. Plus il en apprenait sur le polonium 210, plus il était terrifié. Depuis la mort de Litvinenko, il ne se risquait plus à l'extérieur, ne voyait pratiquement personne. Mais est-ce que cela suffirait ?

***

– Rome a bien travaillé, annonça Richard Spicer. Ils pensent avoir identifié Maxim Pechatnik. D'après le signalement, il s'agirait d'un certain Boris Tarassov, qui est enregistré comme diplomate, troisième secrétaire à l'ambassade de Russie. L'Agence le considère comme le numéro 2 du FSB à Rome. Il a déjà été repéré dans un poste similaire à Tripoli, en Libye, et en Égypte.

– Il faudrait en être sûr, insista Malko.

Il s'était morfondu toute la journée à attendre le

résultat de l'investigation lancée par la CIA sur le mystérieux correspondant de Giorgio Scarpone.

Richard Spicer ouvrit son dossier et lui tendit une enveloppe.

– Voilà des photos de Boris Tarassov prises par la station de Rome. Montrez-les à Scarpone.

– J'y vais, dit aussitôt Malko. Prévenez le « 5 » que je retourne le voir.

Dans le taxi, il regarda les photos qui correspondaient à la description de Giorgio Scarpone. Cette fois, le policier de garde le laissa passer immédiatement. Giorgio Scarpone semblait aussi nerveux que la veille.

– Scotland Yard m'a annoncé que je pouvais désormais retourner en Italie, annonça-t-il. Que dois-je faire ?

– C'est *votre* problème, souligna Malko. D'abord, je vais vous montrer des photos. Dites-moi si c'est l'homme que vous connaissez sous le nom de Maxim Pechatnik.

Il étala les quatre photos sur le petit bureau et Giorgio Scarpone n'hésita pas une seconde.

– C'est lui ! Comment l'avez-vous retrouvé ?

– Il est diplomate à l'ambassade de Russie et appartient au FSB.

– *Mama mia*, soupira Scarpone. *Fan de culo !*

Malko sourit. Amèrement.

– *Signor* Scarpone, souvenez-vous que les Russes sont passés maîtres dans l'art de la désinformation. Vous êtes certain de n'avoir plus rien à m'apprendre ?

– Sur quoi ?

– Je ne sais pas, votre déjeuner avec Alexandre Litvinenko ?

L'Italien plissa le front, cherchant dans sa mémoire.

– Non, je ne vois pas. J'ai payé le repas, 17 livres. Je savais qu'il n'avait pas beaucoup d'argent.

– C'est vous qui aviez choisi le restaurant ?

– Non, lui. Il m'a dit qu'il aimait beaucoup la

cuisine japonaise et le thé. D'ailleurs, on semblait l'y connaître. Quand nous sommes arrivés, il a dit bonjour au garçon qui a paru le reconnaître. Il l'a même appelé par son prénom : Pedro.

– À quoi ressemblait-il ?

– Un type grand et fort, un peu comme moi, sûrement un Espagnol ou un Sud-Américain.

Malko reprit les photos de Boris Tarassov et se leva, en tendant la main à l'Italien.

– *Va bene*. Bonne chance.

***

Lorsque Malko entra dans le bureau de Richard Spicer, l'Américain brandit aussitôt le *Times* sous son nez.

– Regardez !

Toute la dernière page du journal était consacrée à une interview de Egor Gaïdar, un des anciens Premiers ministres russes du temps de Boris Eltsine. Quelques jours plus tôt, la presse avait annoncé qu'en voyage à Dublin, en Irlande, il avait été victime d'une intoxication alimentaire et hospitalisé. L'information n'avait ému personne…

Or, dans cette interview, il expliquait qu'on avait tenté de l'empoisonner ! Attribuant cette tentative à des « forces » mystérieuses acharnées à nuire à la présidence de Vladimir Poutine. Egor Gaïdar étant lui-même un supporteur du président, cela tendait à accréditer la thèse du Kremlin concernant Alexandre Litvinenko, selon laquelle ce dernier aurait été empoisonné par Simion Gourevitch ou d'autres ennemis de la Russie.

Malko ne put s'empêcher de sourire.

– Le département *desinformatzia* du FSB est au travail. Il s'agit bien d'une grosse opération interservices. Donc ordonnée par le Kremlin.

Richard Spicer approuva.

– Ce n'est pas tout. Je viens de recevoir un message de la station de Rome. Boris Tarassov a été rappelé à Moscou il y a une semaine pour une durée indéterminée. Son remplaçant est déjà arrivé.

Une porte de plus qui se fermait…

Les deux hommes s'assirent autour de la table basse et l'Américain résuma la situation.

– J'ai fait vérifier auprès de la Barclay's. Il y a bien un dépôt de cent mille livres sterling au nom de Irina Lopoukine qui n'a jamais été touché. L'origine des fonds est claire : Irina Lopoukine. Elle vous a donc dit la vérité sur ce point.

– Ce qui ne prouve pas que le reste soit vrai, souligna Malko. Le FSB peut parfaitement sacrifier une telle somme pour un intérêt stratégique.

– Lequel ?

– Prouver que Litvinenko était le coupable, pas la victime… Comme ses deux « amis » ex-FSB sont hors de portée, c'est facile de leur faire dire que c'est lui qui les a poussés à liquider Simion Gourevitch. Cela peut sortir dans les prochains jours.

– Dans ce cas, elle n'en aurait pas profité pour vous liquider *vous* ?

L'angoisse de Malko s'était dissipée au fil des heures. S'il avait ingéré du polonium 210, il en aurait déjà ressenti les effets.

– Ce n'était peut-être pas sa mission, répliqua Malko. Mais c'est vrai que son irruption dans le dossier est étrange.

– Je dois rencontrer sir William Wolseley au déjeuner pour faire le point, annonça Richard Spicer. Qu'est-ce que je lui dis ?

Malko avait réfléchi à la question.

– Pour le moment, dit-il, j'aurais tendance à croire Irina Lopoukine : le FSB n'a pas renoncé à liquider Simion Gourevitch. Mais si vous dites cela au « 5 », il vont établir un filet infranchissable autour de lui et les Russes vont comprendre qu'ils doivent laisser tomber pour le moment. Donc, il faudrait simplement mentionner la version de la culpabilité d'Alexandre Litvinenko. Ce qui clôt le dossier. Lui mort, ses complices retournés en Russie, l'affaire est terminée.

– C'est ce que vous pensez ?

Malko secoua la tête.

– Non. Quelque chose me dit que le polonium 210 est toujours à Londres et qu'ils préparent une nouvelle attaque. Où et comment, je n'en ai pas la moindre idée.

– Gourevitch est *très* prudent, souligna l'Américain.

– Rafic Hariri était *très* prudent aussi... Quand vous avez un grand Service contre vous, ils y arrivent toujours.

– Vous avez une idée ?

– Vague, reconnut Malko. Irina Lopoukine a confirmé une de mes hypothèses, cohérente avec la découverte de polonium 210 au restaurant *Itsu*. Alexandre Litvinenko a été en contact avec du polonium 210 *avant* son rendez-vous au *Itsu*, puisqu'on en a trouvé là-bas. Il l'a donc reçu de quelqu'un entre midi et trois heures. Le tout est de savoir qui.

– Comment y parvenir ?

– C'est un *long shot*, reconnut Malko. Mais Giorgio Scarpone m'a peut-être donné une piste. Un des serveurs de l'*Itsu* connaissait bien Litvinenko. Or, celui-ci allait fréquemment dans ce restaurant. Peut-être pourra-t-il me dire avec qui il l'a vu.

L'Américain fit la moue.

– C'est un *very long shot*...

– Vous avez quelque chose d'autre ? Nous sommes pratiquement certains que la *rezidentura* est restée à l'écart de l'opération. Donc, inutile de chercher par là. Si cette piste ne donne rien, on dira tout au « 5 » et je retournerai faire l'ouverture de la chasse en Haute-Autriche. Je vais donc essayer de retrouver ce Pedro.

CHAPITRE XVI

Un écriteau rond collé à la porte du restaurant *Itsu*, fermé et gardé par deux policiers en uniforme, avertissait :

« An international espionage incident has transformed this *Itsu* into a world famous meeting place. We will reopen and we will flourish. Meanwhile enjoy *Itsu* at Hanover Square.[1] »

Coincé entre une boutique de téléphones et une de I-pod, à côté de l'hôtel *Ritz*, sur Piccadilly, le modeste restaurant japonais attirait désormais toute la journée une foule de curieux. Malko nota l'adresse et sauta dans un taxi.

En plein après-midi, l'*Itsu* de Hanover Square était vide. Il s'adressa à la caisse.

– Je cherche un garçon qui travaillait dans votre restaurant de Picadilly. Un certain Pedro. Savez-vous où je pourrais le trouver ?

– Il est là-bas, annonça la caissière.

Elle désigna un garçon très brun, plutôt enveloppé,

1. « Une affaire d'espionnage internationale a transformé cet *Itsu* en un endroit connu du monde entier. Nous rouvrirons. D'ici là, profitez du *Itsu* de Hanover Square. »

en T-shirt et pantalon noir, en train de lire un journal. Malko s'approcha de lui.

– Vous êtes le Pedro qui travaillait à Picadilly ?

– Oui, monsieur, fit le garçon. Pourquoi ?

– J'enquête sur la mort d'Alexandre Litvinenko, expliqua Malko, sans préciser pour qui il enquêtait, et on m'a dit que vous le connaissiez assez bien. C'est exact ?

Le garçon sourit, embarrassé.

– Oh *sir*, pas vraiment, mais c'était un client régulier, très gentil. Un étranger comme moi. Je suis colombien… Il était un peu perdu à Londres.

– Avec qui venait-il à l'*Itsu* ?

Le Colombien eut l'air étonné.

– Toutes sortes de gens. Il prenait toujours la même chose, des sushis et une soupe. Jamais d'alcool.

– Venait-il souvent avec la même personne ?

– Oui, il est venu souvent avec un homme qui portait une calotte blanche et avait une barbe grise. Une sorte d'Arabe. Ils parlaient russe entre eux.

Ce devait être Akhmed Zakaiev, le Tchétchène.

– C'est tout ?

– Euh, non. Depuis deux ou trois mois, il déjeunait souvent avec une femme, très belle. Une Russe aussi. Dans les trente ans, avec des cheveux argentés, plats, coiffée un peu comme un homme. Mais, elle avait vraiment un corps de femme ! ajouta-t-il en riant. Toujours avec un blouson de cuir, un jean très moulant et des bottes à talons.

– Elle a l'air de vous plaire, remarqua Malko avec un sourire.

Pedro lui rendit son sourire.

– *Bueno !* Je suis étudiant et j'aime bien les jolies femmes. Je l'ai draguée un jour que M. Litvinenko était en retard, mais sans succès.

– Elle parlait anglais ?

– Oh, oui, très bien, mais avec de l'accent.

– Vous ne savez rien d'autre d'elle ?
– Elle m'a dit qu'elle était journaliste.
Vieille couverture pour les gens des « Organes ». Malko se dit qu'il avait peut-être touché le jackpot.
– À votre avis, demanda-t-il, elle était quoi pour Alexandre Litvinenko ?
Le Colombien éclata de rire.
– *Bueno*, il avait l'air amoureux d'elle.
– Vous ne l'avez jamais vue sans lui ?
– Non.
– Vous savez où elle habite ?
– Non.
– Merci, dit Malko.
Il trouva un taxi dix mètres plus loin et fonça à Grosvenor Square.
Richard Spicer était en *meeting* et il dut attendre une dizaine de minutes. Quand le chef de station de la CIA débarqua dans son bureau, il lui annonça :
– Il va falloir retrouver une journaliste russe dont je ne sais ni le nom ni l'adresse.
Quand il lui expliqua pourquoi, l'Américain ne montra pas un enthousiasme débordant.
– Vous pensez que cela a un lien avec notre affaire ?
– *Well*, énuméra Malko, il y a trois éléments. Cette inconnue semblait intime avec Litvinenko, or celui-ci a un trou de trois heures le jour de son empoisonnement et nous sommes presque certains qu'il a récupéré le polonium 210 entre midi et trois heures...
– Scotland Yard n'a jamais parlé de cette personne.
– Ils n'ont pas interrogé ce Pedro et se sont focalisés sur les deux Russes qui laissent des traces de polonium partout. Or, ce polonium 210 est bien resté quelque part entre le 25 octobre et le 1er novembre, à Londres.
– C'est vrai, reconnut Richard Spicer. Je vais immédiatement interroger le « 5 ». Ils doivent avoir recensé tous les clandestins russes.

– Elle est peut-être en ouvert, remarqua Malko. Ne leur en dites pas trop…

*
* *

Stephan Gluboviki traversa majestueusement le bar du *Lanesborough*, précédé de sa bedaine contenue en partie par un gilet de soie bordeaux. Demeurant tout à côté dans Landrose Place, c'était un client assidu, généreux avec le maître d'hôtel à qui il demandait parfois des services un peu particuliers… Ce dernier, James, l'aida à s'installer dans un des fauteuils du fond, non loin du pianiste, et demanda avec componction :

– Comme d'habitude, sir Stephan ?

Rien que cette interrogation respectueuse valait un billet de dix livres sterling. Stephan Gluboviki, qui avait commencé dans la vie comme ferrailleur à Autozadovsaïa, une banlieue industrielle de Moscou, avait presque une érection en s'entendant appeler « sir ». Cadeau divin après un parcours tumultueux. Après avoir, dans un moment de colère justifiée, fait exploser le crâne de son associé arménien qui l'avait escroqué, et passé onze ans de sa vie dans un camp à régime sévère, il en était ressorti les dents encore plus longues.

Quelques arnaques plus tard, et grâce à la période folle 1990-1992, durant laquelle il avait acheté une aciérie au prix d'un paquet de cigarettes, il avait acquis malhonnêtement une importante fortune. S'achetant au passage une ravissante épouse brune aux yeux bleus, qui, tout en lui étant modérément fidèle, s'acquittait avec conscience de la seule chose qui éclairait l'existence de l'ancien ferrailleur : une fellation délicate et prolongée, accompagnée de quelques chatteries périphériques.

Tout aurait été pour le mieux dans le meilleur des mondes si, quatre ans plut tôt, il n'avait pas eu un différend avec le chef d'une importante mafia, qui voulait racheter son usine pour une poignée de roubles.

Après avoir décliné cette offre malhonnête, il avait reçu une seconde proposition, sous forme d'une rafale de Kalachnikov tirée sur sa Mercedes blindée, rafale qui, heureusement, n'avait tué que le voiturier de l'hôtel *National* et son chauffeur.

Après avoir pris conseil auprès de quelques amis bien placés au FSB, qu'il arrosait régulièrement, Stephan Gluboviki avait décidé de s'éloigner de Moscou quelque temps, afin de laisser à ses amis le soin de faire le ménage légalement.

Administrateur de Ioukos, la compagnie pétrolière récupérée par le Kremlin, il avait fait une délégation de signature à la personne qu'on lui avait désignée, ce qui lui évitait d'avoir des problèmes avec les « Organes ». Contrairement à Khodorkovski, il n'avait pas envie de terminer ses jours en Sibérie. Ses deux milliards de dollars lui suffisaient amplement. Il avait acheté un hôtel particulier à Londres et y vivait paisiblement entre quelques putes et des dîners pantagruéliques... En attendant de pouvoir revenir à Moscou.

Le maître d'hôtel revint avec une flûte de champagne aux bulles pétillantes.

– Voici votre Taittinger Comtes de Champagne, sir Stephan. *Enjoy*.

Stephan Gluboviki laissa errer son regard sur les quelques créatures appétissantes qui peuplaient le bar. La plupart étaient accompagnées. Jeunes, ravissantes, et extrêmement vénales. L'épouse de sir Stephan étant restée à Moscou, il avait là un vivier de choix.

Il avait bu la moitié de son champagne quand une silhouette massive s'encadra dans l'entrée du bar. Un géant à la couronne de cheveux gris, qui devait friser le quintal et demi, la veste ouverte sur un gilet serré à craquer, un beau visage de patricien un peu empâté, accompagné d'une véritable petite merveille.

Une brune avec un gros chignon, moulée dans une robe de cuir noir qui semblait avoir été découpée sur elle, avec un décolleté carré à donner le vertige et des jambes fuselées. Juchée sur des escarpins de quatorze centimètres, elle n'arrivait quand même qu'à la poitrine de son cavalier.

Le géant, apercevant Stephan Gluboviki, poussa un rugissement à faire trembler les bouteilles du bar.

– Stephan !

Il fonça comme un éléphant dans un magasin de porcelaine, écrasant quelques pieds au passage, sa créature dans son sillage. L'ex-ferrailleur s'était levé aussi vite que le lui permettait sa corpulence. Les deux hommes ne purent faire plus que frotter l'une contre l'autre leurs bedaines, leur physique leur interdisant une étreinte plus intime.

– Piotr ! s'exclama Stephan. Qu'est-ce que tu fais à Londres ? Je te croyais au fond de la Sibérie.

– Je suis venu chasser en Écosse, expliqua Piotr Bogdanov.

Celui-ci était financier, spécialiste des hedge funds, et gérait plusieurs milliards de dollars pour le compte d'entités aussi riches qu'opaques. On murmurait à Moscou qu'elles appartenaient à des gens puissants, proches du Kremlin. De fait, Piotr Bogdanov était très bien vu à Moscou et un fonctionnaire du FSB l'aidait toujours à passer la douane lorsqu'il arrivait dans son Grunman privé.

Il s'assit face à son copain et désigna sa compagne.

– Elena m'accompagne à la chasse. C'est la première fois qu'elle sort de Russie.

Elena essaya de dissimuler son air salope sous un regard modestement baissé. Le maître d'hôtel déboula avec une bouteille de Taittinger Comtes de Champagne Rosé et une boîte de caviar dans laquelle étaient piquées trois cuillères d'argent. Ils trinquèrent à la Russie et à leurs affaires. Stephan Gluboviki ne pouvait s'empêcher de lorgner la jeune Russe, et particulièrement ses lèvres purpurines. Il imaginait déjà sa trompe d'éléphant dans cet écrin délicat.

Le bar se remplissait.

Piotr Bogdanov se pencha à l'oreille de son voisin.

– Dis-moi, tu vois quelquefois Gourevitch ?

L'ancien ferrailleur eut une moue dégoûtée.

– Ce rat ! Non, je l'aperçois ici de temps en temps. Pourquoi ?

Piotr Bogdanov eut un geste évasif.

– Oh, je t'en reparlerai. Quelqu'un à Moscou voudrait lui transmettre une offre qui ne peut que l'intéresser. Il faut un intermédiaire en qui on ait confiance…

Flatté, Stephan Gluboviki demanda :

– De qui s'agit-il ?

– Volodia le Sibérien.

Le surnom d'un colonel du FSB, extrêmement bien avec le pouvoir. C'était lui qui s'était chargé de neutraliser les malfaisants qui s'en étaient pris à Stephan Gluboviki. À lui, ce dernier ne pouvait rien refuser.

– Si je peux rendre service, assura-t-il. *Vsié normalnu*. Tu peux compter sur moi.

– On verra ça quand je reviendrai de ma chasse, conclut Piotr Bogdanov. Ton champagne est délicieux !

Émerveillée par le décor, Elena regardait autour d'elle.

– C'est beau ici, soupira-t-elle. On se croirait dans un palais !

Piotr Bogdanov lui flatta la cuisse, remontant presque jusqu'au ventre avec un regard égrillard.

– Tu veux rester ici pendant que je vais au théâtre ? proposa-t-il. (Tourné vers son copain, il expliqua :) Je dois aller au théâtre avec des clients. Comme Elena ne parle pas anglais, ça va l'emmerder. Tu veux bien t'occuper d'elle pendant deux heures ?

Stephan Gluboviki en bavait déjà de concupiscence.

– *Dobre, dobre!* Je vais m'occuper de cette petite colombe, assura-t-il.

Ils bavardèrent encore un moment, puis Piotr Bogdanov s'esquiva après avoir murmuré quelques mots à l'oreille d'Elena.

Celle-ci buvait le champagne comme un chat lape du lait. Stephan Gluboviki, en la regardant, commençait à éprouver des démangeaisons dans la masse de graisse qui enveloppait ses attributs sexuels. Il échangea un regard avec la jeune Russe et ce qu'il crut lire dans ses yeux lui mit le feu au ventre. D'un geste discret, il appela le maître d'hôtel qui accourut.

– *Yes*, sir Stephan ?

– La 121 est libre ?

– Certainement, sir Stephan. Voulez-vous que j'y fasse transporter le champagne et le caviar ?

– S'il vous plaît.

La 121, c'était la chambre réservée aux très bons clients de l'hôtel qui avaient envie d'une sieste crapuleuse. Au rez-de-chaussée, au fond d'un couloir discret, elle était à un jet de pierre du bar.

Le gros homme adressa à Elena un sourire qui se voulait séduisant.

– Il y a trop de fumée ici, viens, petite colombe, on va à côté.

Elena était déjà debout. Stephan Gluboviki la précéda dans le hall solennel puis dans le petit couloir tapissé de tissu vert jusqu'à la chambre 121 qui donnait sur une cour intérieure. Ce dont ses utilisateurs se moquaient éperdument, vu les activités qu'ils venaient y exercer. La jeune Russe ouvrit de grands yeux devant le luxe, les tentures, les meubles d'époque.

– *Bolchemoi!* Ce que c'est beau !

Pour elle qui avait connu les appartements communautaires, c'était un décor de cinéma. Stephan Gluboviki s'approcha d'elle avec un sourire salace et referma sa grosse main sur un de ses seins.

– Toi aussi, tu es belle ! remarqua-t-il.

Elena baissa modestement les yeux. Encouragé, le gros homme fit courir ses doigts sur tout son corps sans qu'elle proteste, en soufflant comme un phoque. Sans un mot, il glissa sa grosse patte sous la robe de cuir et commença à tripoter les cuisses d'Elena.

Écarlate, il recula jusqu'au lit et s'y assit. Elena le suivit.

– Aide-moi un peu ! demanda-t-il, en posant la main de la Russe sur sa braguette cachée par son énorme panse.

Elena avait été à la bonne école. Docilement, elle défit les boutons, faisant jaillir une énorme verge qui pointa aussitôt verticalement.

– *Davai ! Davai !* grommela Stephan Gluboviki. Fais-moi du bien !

Agenouillée sur l'épaisse moquette, Elena commença à faire aller ses doigts de haut en bas le long du membre dressé. Stephan Gluboviki était aux anges. Il empoigna la nuque d'Elena, lui courbant le visage contre son gros ver. Pour la forme, elle résista trois secondes, avant de refermer sa bouche sur le sexe gonflé et brûlant.

Stephan Gluboviki fantasmait comme un fou, tandis que son membre tressautait contre le palais de sa fellatrice. Tant et si bien qu'il ne tarda pas à lui arroser le gosier avec un grognement de verrat. Se demandant s'il n'allait pas avoir un infarctus tant son plaisir avait été violent. Pourtant, il en avait connu, des salopes ! Mais cette petite bouche purpurine assortie à ce regard de première communiante le rendait fou.

Elena s'était relevée. Elle prit la bouteille de Taittinger et se rinça la gorge d'une grande lampée. Se disant qu'elle n'avait pas toujours la chance d'exercer son sacerdoce dans un environnement aussi luxueux.

Stephan Gluboviki cuvait son orgasme. Pendant qu'un petit bout de son cerveau se demandait ce que ses amis de Moscou voulaient à Simion Gourevitch, mouton noir des oligarques.

***

Malko pénétra dans le bureau de Richard Spicer à onze heures. La veille au soir, il avait appelé Alexandra Portanski à Moscou pour prendre de ses nouvelles et vérifier que Brian King, le chef de station de la CIA, avait tenu ses promesses.

– J'ai deux types qui ne me lâchent pas, lui avait confirmé la jeune Russe. Un des deux a même voulu me violer… J'en ai assez.

– Il vaut mieux être violée que morte, avait conclu Malko. Tu devrais venir à Londres.

– Il faut que j'emmène Alexei, alors…

C'était vraiment trop compliqué…

À la mine du chef de station, Malko comprit immédiatement qu'il y avait un problème.

– Le « 5 » a la liste des journalistes russes en poste à Londres, annonça Richard Spicer. Ils ne sont pas nombreux et il n'y a que deux femmes dont aucune ne correspond au signalement de Pedro. Ce sont de vieilles taupes.

Malko se versa un café, déçu. La mystérieuse amie d'Alexandre Litvinenko avait peut-être menti au garçon du restaurant.

– Qu'est-ce qu'on peut faire ? demanda-t-il.

L'Américain eut un geste découragé.

– Il y a trois cent mille Russes à Londres, avec environ 50 % de femmes. Ça va prendre un siècle de les « cribler ».

– Dans ce cas, conclut Malko, il n'y a plus qu'une possibilité : interroger la veuve d'Alexandre Litvinenko. Peut-être savait-elle qui son mari rencontrait.

Richard Spicer eut un haussement de sourcils.

– D'après le serveur, cette Russe aurait été sa maîtresse. Il n'a pas dû en parler à sa femme.

– On ne sait jamais, rétorqua Malko, il y avait peut-être plusieurs facettes à leur relation. De toute façon, cela ne coûte rien d'essayer.

***

Osier Crescent était une voie proprette, bordée de petits immeubles neufs en brique, tous semblables, alignés comme des jouets. La rue était si récente qu'elle ne figurait même pas sur les plans de Londres. Commençant et finissant à Coppets Road, une rue bucolique montant vers le nord de la ville, c'était déjà presque la campagne.

Le taxi de Malko s'arrêta devant le numéro 140, un immeuble semblable à tous ses voisins, repérable à une tente verte plantée devant et à un fourgon de police garé en face. Là aussi, on avait trouvé du polonium 210 et la maison était *off limits*. Malko descendit s'informer et un policier très poli lui apprit que l'appartement étant condamné, la veuve d'Alexandre Litvinenko demeurait un peu plus loin, au 160, chez M. Zakaiev.

Là, il n'y avait plus de protection policière.

Malko sonna et la porte s'ouvrit sur une petite femme blonde plutôt frêle, un foulard sur la tête. Typiquement russe. Elle inspecta Malko, inquiète.

– *Gostanya* Litvinenko ? demanda Malko en russe.

– *Da*.

– Mon nom est Malko Linge dit-il. J'enquête sur la mort de votre mari pour le compte de la CIA. Je vous ai vue à l'enterrement, à High Gate.

La Russe lui jeta un regard indifférent.

– Que voulez-vous ?

Appuyée contre la porte, elle se méfiait visiblement. Malko insista :

– Je voudrais savoir si votre mari avait des contacts avec des journalistes russes, à Londres.

Marina Litvinenko ne dissimula pas sa surprise.

– Des journalistes russes ! lâcha-t-elle. Mais ils fuyaient mon mari comme un pestiféré ! Ils travaillent tous pour des médias progouvernementaux. La seule qu'il ait vue est la représentante de *Kommerzant*, le journal de Simion Gourevitch, Alexia Potemkine. Elle est basée à Paris et vient de temps en temps à Londres…

Ça ne pouvait pas coller.

– Et d'autres Russes, insista Malko. Des femmes ?

– Non. Il n'y a pas de dissidents femmes. Et Sacha voyait peu de Russes.

– Bon, tant pis, conclut Malko, déçu.

Au moment où il allait s'éloigner, Marina Litvinenko dit brusquement :

– Une seule fois, j'ai reçu un coup de fil d'une Russe qui voulait joindre Sacha. Elle appelait de la part de Akhmed Zakaiev. Une étudiante qui faisait une thèse sur les Tchétchènes. Je lui ai donné le portable de Sacha.

– Vous avez son nom ?

Elle se concentra quelques secondes.

– Valentina quelque chose… Elle m'a dit qu'elle travaillait à l'université de Westminster. C'est tout ce que je sais.

Malko repartit vers son taxi. Il y avait une chance minuscule que cette Russe soit celle avec qui Alexandre Litvinenko avait l'habitude de déjeuner.

Il ne restait plus qu'à la retrouver, au milieu des trois cent mille Russes vivant à Londres. Il se retourna, une voix l'appelait. Marina le rejoignit. Essoufflée.

– Elle m'a dit qu'elle allait souvent chez Kalinka. Une boutique russe du West End, dans King's Road. J'y vais aussi. Elle m'avait vue là-bas, paraît-il.

– Merci, fit Malko.

Il y avait 36 livres au compteur quand il regagna le taxi.

– Nous allons dans le West End, fit-il. King's Road. Je cherche une boutique russe, Kalinka.

CHAPITRE XVII

Rem Tolkatchev s'était fait un point d'honneur de ne pas mentionner l'opération en cours au président, tant qu'elle ne serait pas terminée. Dieu merci, le ratage dû à la dissémination du polonium 210 ne faisait plus guère de vagues. Lui-même avait fait en sorte que les deux « maillons faibles », Dimitri Kovtun et Andreï Lugovoï, soient encadrés pour leur rencontre avec les policiers de Scotland Yard. Ceux-ci n'ayant pas le droit de les interroger directement, le poids de l'opération avait reposé sur les épaules du procureur de Russie qui avait noyé le poisson d'une façon magnifique… En gros, les deux ex-agents du FSB ne comprenaient pas comment on avait trouvé du polonium 210 autour d'eux et ne s'expliquaient pas sa présence. Ils avaient des raisons tout à fait valables de s'être rendus à Londres et comptaient y retourner…

Ce qui était évidemment un énorme mensonge. *Jamais plus* ils ne sortiraient de Russie pour le temps limité qu'il leur restait à vivre.

On ne laisse pas des témoins de cette importance dans la nature. Giorgio Scarpone était retourné en Italie continuer ses petites escroqueries et sa « source » avait été, elle aussi, exfiltrée sur la Russie.

Les Britanniques ne tenaient pas vraiment à une

crise politique avec la Russie. Alexandre Litvinenko ne valait pas un problème majeur. Dans un geste de bonne volonté, sur l'ordre de Rem Tolkatchev, les jeunes partisans de Poutine avaient cessé de harceler l'ambassadeur de Grande-Bretagne à Moscou. D'autre part, la Health Authority britannique avait garanti à Downing Street que la population londonienne ne craignait rien en terme de contagion.

Désormais, la voie était libre pour l'équipe qui, sous la houlette invisible et lointaine de Rem Tolkatchev, avait repris le flambeau. Sans que personne ne se doute de cette machine infernale.

Simion Gourevitch devait mourir comme un rat, dans des souffrances atroces, à la façon d'un rongeur empoisonné par de la mort-aux-rats. Rem Tolkatchev s'en était fait le serment. Il devait cela au général Timokhine qui avait choisi de payer honorablement pour son erreur technique. C'est grâce à des hommes comme lui que la Russie restait un grand pays.

On frappa à la porte du bureau et il alla ouvrir. Ce n'était qu'un « homme en gris » apportant un fax juste décrypté. Rem Tolkatchev le lut attentivement. C'était le rapport journalier de Boris Tavetnoy, le « traitant » d'Igor Vlassov, lâché sur Malko Linge, l'agent de la CIA.

Vlassov avait terminé son travail de repérage et pouvait frapper quand on voulait.

Rem Tolkatchev avait décidé que cette exécution serait le point d'orgue de toute l'affaire. Il fallait *d'abord* régler le compte de la cible principale. De toute façon, cet agent de la CIA n'était pas dangereux puisqu'il n'avait plus aucune piste à suivre. Il se demandait d'ailleurs pourquoi il demeurait à Londres.

Rapidement, il griffonna une note à crypter et à transmettre à la *rezidentura* de Londres, demandant qu'on prenne en charge Malko Linge pendant quarante-huit heures afin de vérifier qu'il ne faisait rien de fâcheux…

Sa ligne directe sonna. C'était la voix grave et chaleureuse de Piotr Bogdanov, qui l'appelait d'Écosse.

– J'ai vu notre ami, annonça-t-il. Il est tout à fait décidé à organiser ce rendez-vous. Je reviens à Londres dans trois jours et nous ferons cela.

– Parfait, approuva Rem Tolkatchev. J'espère que vous serez bientôt à Moscou. Nous discuterons de nos affaires.

Certains des souscripteurs des fonds financiers de Piotr Bogdanov étaient des sociétés très proches du Kremlin à qui il faisait gagner beaucoup d'argent. Aussi n'avait-il rien à refuser à Rem Tolkatchev. Ce dernier alluma une de ses petites cigarettes multicolores, profitant de quelques instants de détente. Le plan B était en route et sa progression se déroulait harmonieusement.

*
* *

La boutique Kalinka, sur King's Road, vendait des produits russes, des cornichons au samovar, en passant par des champignons, des icônes et même du thé. Quand Malko poussa la porte, elle était vide, à l'exception de la vendeuse, une Anglaise au teint pâle, qui s'avança avec un sourire commercial.

– *Sir*, puis-je vous aider ?

– Je voudrais faire un cadeau à une amie qui vient souvent ici, expliqua Malko. Vous devez connaître ses goûts.

– *Well*, de qui s'agit-il ?

– Une jeune femme très séduisante, avec des cheveux plats argentés. Elle est toujours en jean et en bottes. Elle s'appelle Valentina.

Le visage de la vendeuse s'éclaira.

– Ah oui, je vois ! Elle vient assez régulièrement,

elle achète beaucoup de conserves de champignons, des produits typiquement russes. Vous pourriez lui faire un assortiment.

– Bonne idée ! approuva Malko. Est-ce que vous pourriez le lui faire livrer ?

– Bien sûr. Vous avez son nom et son adresse ?

– Pas sur moi, reconnut Malko. Vous ne l'avez pas ?

La vendeuse lui adressa un sourire désolé.

– Hélas non, je sais qu'elle habite assez loin. Un jour, elle m'a parlé de Clapham. Repassez ou appelez-moi pour me communiquer son adresse.

– Je n'y manquerai pas, promit Malko.

Après être ressorti de la boutique, il se posta sur le trottoir d'en face, observant le magasin. Au cas où la vendeuse lui aurait menti et connaîtrait l'adresse de la Russe. Mais la blonde Anglaise ne se rua pas sur le téléphone... Il remonta jusqu'à Sloane Square et alla examiner le plan du métro. Il y avait deux stations, Clapham-North et Clapham-South, sur la ligne Picadilly, au sud de Londres.

Il remonta à la surface et sauta dans un taxi pour rejoindre Grosvenor Square.

***

– Nous recherchons une jeune femme séduisante, aux cheveux plats et argentés, qui habite dans le sud de Londres et possède la nationalité russe. Impossible, évidemment, de s'adresser au consulat de Russie, conclut Malko. Il y a un moyen d'avancer du côté britannique ?

Richard Spicer hocha la tête. Dubitatif.

– C'est un travail de Romain, avec juste le prénom. Je ne sais même pas comment fonctionne le système des Brits.

– Ils doivent forcément recenser les porteurs de titres de séjour, objecta Malko. L'équivalent de la carte verte aux USA. Cette Russe ne séjourne pas à Londres avec un visa de tourisme. Le « 5 » a forcément accès à cette liste. En plus, nous ne sommes pas obligés de leur dire qui nous cherchons, puisque nous ne le savons pas nous-mêmes.

L'Américain transpirait le scepticisme par tous les pores de sa peau.

– Vous pensez que cela vaut la peine de remuer ciel et terre pour retrouver cette Valentina ? demanda-t-il. Nous ignorons même si elle est mêlée à l'affaire. Ce n'est qu'une hypothèse.

– Dans ce cas, rétorqua Malko, je reprends l'avion pour l'Autriche ! À part rendre visite à une voyante, je suis totalement impuissant. Irina Lopoukine est repartie à Moscou, les deux ex-agents du FSB aussi, Giorgio Scarpone est en Italie. Et, de toute façon, ces gens-là ne savent *rien* sur cette Valentina. Même Scotland Yard ne la connaît pas. Le « 5 » vous en aurait parlé. C'est une face cachée de la vie d'Alexandre Litvinenko.

– Peut-être tout simplement une maîtresse, avança l'Américain.

– Possible, reconnut Malko. Mais pour en être certain, il faut la retrouver. Si vraiment elle n'a rien à voir avec l'affaire, notre enquête est terminée. Nous ne trouverons jamais la personne qui a stocké le polonium 210 du 25 octobre au 1er novembre et l'a remis entre midi et trois heures, le 1er novembre, à Alexandre Litvinenko.

– Cela n'a plus qu'un intérêt historique ! soupira Richard Spicer.

Malko lui jeta un regard noir.

– Sauf si, comme me l'a dit Irina Lopoukine, l'opération contre Gourevitch continue.

– O.K., concéda l'Américain, je vais me mettre en chasse.

– Quelquefois, remarqua Malko, les méthodes les plus simples sont les meilleures. À Moscou, j'ai retrouvé la mère de l'assassin d'Anna Politkovskaïa grâce à un listing téléphonique.

– Vous n'aviez pas une liste de trois cent mille noms ! objecta Richard Spicer. Je vais mettre sur le coup quelqu'un que vous connaissez bien : le *case officer* Gwyneth Robertson.

Malko sursauta intérieurement. Agréablement surpris.

– Elle est toujours à Londres ?

Gwyneth Robertson était une ravissante Américaine de la CIA qui l'avait briefé lors de sa dernière mission à Londres. *Case officer* de la CIA et authentique salope, elle mêlait ses deux qualités dans la proportion du pâté d'alouette et du cheval. L'air innocent, extrêmement bien élevée, en dépit de ses pointes de seins anormalement longues, elle avait une grande liberté sexuelle, ce qui lui permettait de « tamponner » les cibles désignées par la CIA avec beaucoup de facilité.

Peu d'hommes résistaient plus de trente secondes à son regard de salope en manque. Et, comme Malko avait pu le constater, elle pratiquait la fellation avec la grâce, la précision et la nonchalance des meilleures *finishing schools* britanniques, bien qu'elle soit née de l'autre côté de l'Atlantique.

– Absolument, confirma l'Américain. L'Agence l'utilise pour contacter certaines cibles moyen-orientales.

– Ça ne va pas beaucoup l'amuser de se plonger dans la bureaucratie, remarqua Malko.

– Ça la ravira sûrement de travailler à nouveau avec vous, assura Richard Spicer. Elle semble vous tenir en haute considération. O.K., je la mets sur le coup et je vous tiens au courant.

***

Simion Gourevitch hésita quelques secondes avant de prendre l'appel annoncé par sa secrétaire. Il n'était pas d'humeur à bavarder. En dépit du calme retrouvé, son angoisse ne se dissipait pas. Son sixième sens lui disait que le danger rôdait encore autour de lui. Comme jadis, lorsqu'il sentait le souffle fétide des Tchétchènes sur sa nuque.

Maintenant, c'était encore plus dangereux, avec un appareil d'État acharné à sa perte…

– *Dobre*, fit-il enfin, passez-le-moi.

– *Dobredin*, Simion Nikolaïevitch ! lança la voix chaleureuse de Stephan Gluboviki. J'espère que je ne te dérange pas ?

Les deux hommes se côtoyaient depuis des années, se tutoyaient, n'ignoraient rien de leurs turpitudes respectives, mais n'avaient jamais été très liés. Bien qu'ils résident à Londres tous les deux, ils ne se voyaient jamais, se croisant parfois dans un dîner ou au bar du *Lanesborough*, QG de tous les Russes fortunés habitant Londres.

– Pas du tout, affirma l'oligarque. Comment vont les affaires ?

S'ensuivit une conversation décousue, faite de ragots et d'informations éculées. Gourevitch ne voyait pas où voulait en venir son compatriote.

Celui-ci entra enfin dans le vif du sujet.

– Tu connais Piotr Bogdanov ?

– Oui, bien sûr, pourquoi ?

Piotr Bogdanov était un acteur incontournable de la galaxie financière russe. En bons termes avec tout le monde, n'ayant qu'un ennemi – son poids –, il promenait sa silhouette imposante de Moscou à Londres et de Paris à New York, toujours accompagné de créatures flamboyantes et dociles. Une seule fois, il s'était fait prendre à partie dans un grand restaurant parisien, par un voisin de table outré : il venait de verser un peu de vodka dans un verre de Château Pétrus… pour lui donner plus de corps.

– Je l'ai vu l'autre jour, expliqua Stephan Gluboviki.

En coup de vent, il partait à la chasse. Il voudrait te rencontrer quelques minutes.

– Aucun problème ! assura Simion Gourevitch. Qu'il m'appelle.

Stephan Gluboviki eut un rire gras.

– Tu connais Piotr, il est *très* prudent. Il tient à ce que cela ressemble à un hasard. Il a un message important à te transmettre.

– De la part de qui ?

Nouveau rire.

– Il te le dira, mais c'est vraiment important. Une offre de paix, si tu veux. *Dobre* : il doit repasser à Londres dans trois jours. J'ai rendez-vous entre sept et huit au bar du *Lanesborough*. Je crois que c'est un endroit que tu aimes bien…

– Oui, reconnut Simion Gourevitch.

– *Dobre*. Je t'appelle dans trois jours. Si tu le souhaites, tu nous retrouves là-bas.

Simion Gourevitch raccrocha, perplexe. Piotr Bogdanov n'était pas un homme à prendre à la légère. Il connaissait ses liens financiers avec le Kremlin. Cela ne pouvait venir que de là. À moins qu'on veuille lui racheter le journal *Kommerzant*. Il pesa le pour et le contre. Il n'y avait pas de risque à passer au bar du *Lanesborough*. De toute façon, il serait avec ses *body-guards*.

Depuis vingt-quatre heures, Malko en était réduit à faire du lèche-vitrines dans Bond Street, téléphonant alternativement aux deux Alexandra. La sienne courait les soirées en se plaignant hypocritement d'être l'objet de convoitises masculines. Malko n'était jamais totalement sûr de sa fidélité, mais avait choisi de ne pas approfondir les choses, n'étant pas lui-même d'une innocence absolue. Et ce qui comptait, c'étaient leurs retrouvailles…

La sonnerie du téléphone le fit sursauter.

– Quelqu'un vous demande, annonça l'employé de la réception.

– Malko !

Un délicieux picotement fit vibrer sa colonne vertébrale.

– Gwyneth !

– Oui. Je viens travailler, annonça la jeune femme. Mais je ne suis pas seule.

– Ah bon, fit Malko, douché. Je t'attends.

Cinq minutes plus tard, il ouvrit la porte. Gwyneth Robertson se tenait dans l'embrasure, légèrement déhanchée, vêtue d'une stricte mais ultracourte robe noire, telle qu'il l'avait laissée un an plus tôt. Il ne put s'empêcher de regarder sa poitrine : les pointes de ses seins saillaient toujours avec autant d'orgueil, comme de jolis petits crayons… Derrière elle, se tenait un des portiers chamarrés du *Lanesborough* avec deux énormes valises.

– Tu viens t'installer ? demanda-t-il en souriant.

– Presque !

Le portier déposa les valises et repartit avec un billet de dix livres. Gwyneth Robertson fit face à Malko, une lueur amusée dans le regard.

– Tu vois, dit-elle, j'obéis aux ordres. Mon chef m'a dit de travailler avec toi…

Elle l'enlaça gentiment et Malko retrouva tout naturellement le chemin de sa culotte.

Et cela se passa exactement comme à leur première rencontre. Agenouillée sur l'épais tapis, Gwyneth commença par lui administrer une fellation royale. Quand elle se redressa, un peu essoufflée, elle lança :

– Maintenant, au travail ! Tu vois ces valises ? C'est la liste de tous les citoyens russes résidant à Londres recensés par les services de l'Immigration britannique.

Il y en a plus de deux cent mille. Il paraît que tu cherches quelqu'un...

*
* *

Valentina Starichnaya revenait d'une conférence à l'université de Westminster, ayant changé deux fois de métro, lorsqu'elle se dit qu'elle avait besoin d'un peu de détente. Au lieu de continuer tout droit pour rentrer chez elle, elle descendit à Sloane Square pour gagner sa boutique favorite, Kalinka. Elle aimait bien marcher dans Londres où les hommes ne la draguaient pas, en dépit de son allure provocante. Son jean dessinait pourtant des fesses à faire exploser l'adrénaline de tous les mâles normaux.

Aujourd'hui, elle avait envie de champignons.

À peine eut-elle pénétré dans la boutique que la vendeuse l'accueillit avec un large sourire.

– Ah je crois bien que j'ai quelque chose pour vous !

Elle sortit de sous son comptoir un gros paquet cadeau et le tendit à la jeune femme.

– Un gentleman de vos amis voulait vous faire porter cela, mais je n'avais pas votre adresse. Je suis contente que vous passiez ! Il devait revenir pour me donner vos coordonnées, mais il ne l'a pas encore fait.

Figée par une brutale poussée d'angoisse, la jeune Russe demanda :

– Vous avez son nom ?

– Non. Vous ne voyez pas de qui il s'agit ?

Valentina Starichnaya se força à sourire.

– Il faut que je réfléchisse. J'ai beaucoup d'admirateurs.

Elle regardait le paquet avec méfiance.

– Ce sont toutes les choses que vous aimez, précisa la vendeuse. C'est moi qui ai fait le choix. Et ce gentleman ne m'a même pas fixé de limite de prix.

– À quoi ressemble-t-il ?

La vendeuse décrivit son acheteur, insistant sur les cheveux blonds et le regard doré, et conclut :

– *A very charming gentleman. You are very lucky...*

Comme elle lui tendait le paquet, Valentina Starichnaya le prit, mal à l'aise. Elle ne voyait vraiment personne qui puisse lui faire ce genre de cadeau. Le seul qui aurait pu était mort. À Londres, elle faisait très attention à ses relations. Ce ne pouvait être la police ou le MI5. Ils ne procédaient pas ainsi.

– Très bien, conclut-elle, quand vous verrez ce gentleman, vous le remercierez !

Elle sortit de la boutique et la vendeuse la suivit des yeux, se disant qu'il y avait des femmes qui avaient de la chance...

Valentina parcourut deux cents mètres avant de trouver une cabine téléphonique.

Une voix russe répondit au numéro qu'elle avait composé et elle annonça aussitôt :

– Je voulais savoir si mon dossier a été enfin complété. Avez-vous reçu les pièces qui manquaient ? Je m'appelle Anna Karina.

Il y eut un court silence, puis son interlocuteur lança d'une voix rogomme :

– Il faut rappeler demain à midi.

Valentina Starichnaya raccrocha et se remit en route vers le métro. Cherchant encore qui pouvait lui avoir fait cet étrange présent. Lorsqu'elle fut arrivée chez elle, elle l'ouvrit sans trouver le moindre mot, ni la moindre explication. Il n'y avait plus qu'à préparer une des boîtes de champignons.

Malgré tout, elle n'était pas tranquille. Elle eut du mal à s'endormir. Cherchant qui, parmi ceux qu'elle côtoyait, pouvait avoir eu cette idée. Et savait qu'elle fréquentait beaucoup cette boutique. Elle eut un début de réponse, beaucoup plus tard. Elle en avait fait mention à Marina Litvinenko, un jour au téléphone.

Cela ne la rassura pas.

***

Ils étaient venus à bout de deux énormes liasses de listings électroniques du *Home Department*. Les noms étaient classés par ordre alphabétique avec la date de demande de la carte de séjour, puis le nom, le prénom, la date de naissance, l'adresse et la durée de validité de la carte, avec le motif pour lequel elle était attribuée.

Comme Malko ne connaissait que le prénom, ils devaient vérifier ligne par ligne. Or, ils avaient déjà trouvé trois Valentina, prénom usuel en Russie.

Malko ne voyait plus les lettres.

– On fait un break ! soupira-t-il. J'ai mal à la tête.

Assise en tailleur sur lit, ce qui permettait d'admirer sa culotte, Gwyneth approuva avec enthousiasme.

– Quel travail de con ! soupira-t-elle. Heureusement que c'est toi. Où m'emmènes-tu ?

– *Annabel's ?*

– Je ne suis pas assez élégante. Il y a un très bon italien dans Curzon Street, le *Papagallo*. J'ai envie de pâtes aux truffes. Ma solde ne me permet pas de me les offrir.

– Va pour le *Papagallo* ! approuva Malko.

Il fallait de la persévérance pour s'atteler à ce travail de bénédictin. Sans même être certain du résultat. La fille que connaissait Alexandre Litvinenko pouvait très bien posséder la nationalité britannique.

***

Il était midi pile et une foule dense se pressait autour de la statue d'Éros dressée au milieu de Piccadilly Circus, les bouches de métro voisines déversant un torrent ininterrompu de voyageurs. Valentina Starichnaya achevait de griller sa seconde cigarette lorsqu'une voix fit derrière elle :

– Je suis un peu en retard.

Elle se retourna, croisant le regard malicieux derrière ses lunettes d'un homme à l'allure bonhomme, plutôt corpulent, avec une horrible cravate jaune et un vieil imperméable. Il s'appelait Boris Tavetnoy, avait le statut de diplomate à l'ambassade de Russie, mais était le numéro 2 de la *rezidentura*. C'est lui qui « traitait » Valentina depuis son arrivée à Londres, avec d'infinies précautions. Celle-ci ne lui demanda même pas s'il risquait d'avoir été suivi. On l'avait surnommé dans son service « le courant d'air », tant il excellait aux ruptures de filature. Même son vieil imper était double face, permettant un « désilhouettage » en quelques secondes à l'aide des accessoires stockés dans les poches : chapeau de toile imitant le feutre, casquette, etc.

Un grand professionnel.

Leur code était toujours le même. Valentina téléphonait au consulat sous un certain nom qui était souligné en rouge dans l'ordinateur. Boris Tavetnoy était prévenu instantanément et fixait l'heure du rendez-vous. Le lieu dépendait du jour. Le lundi, c'était la statue d'Éros, le mardi, le salon de thé de Harrods et ainsi de suite.

– Que se passe-t-il ? demanda le Russe.

Ils se mirent à marcher dans Lower Jermyn Street, perdus dans la foule. Personne ne risquait de les écouter, ni même de les remarquer.

– Peut-être rien, répondit la Russe.

Pendant qu'elle faisait son récit, le Russe prenait des notes sur un bout de papier. Il n'avait jamais de carnet mais la réputation d'être extrêmement bordélique, semant ses bouts de papier dans toute l'ambassade. Lorsque Valentina eut terminé son récit, il était aussi perplexe qu'elle.

– C'est bizarre ! reconnut-il, je vais en référer au

Centre. Il aurait peut-être été utile de laisser votre nom à ce magasin.

– Je n'ai pas voulu le faire sans ordre, dit-elle.

Il hocha la tête.

– Très juste. Vous me recontactez demain.

Ils se séparèrent avant d'arriver à Pall Mall.

*
* *

Dès neuf heures, ils s'étaient remis au travail. Gwyneth avait dormi sur place, car, après le *Papagollo*, ils avaient repris leurs recherches jusqu'à s'endormir dessus. La présence de la jeune femme avait offert à Malko un réveil extrêmement agréable. Le contact du corps tiède de la jeune Américaine avait déclenché chez lui une érection matinale de bonne allure. Lorsqu'elle avait senti ce membre chaud se frotter à ses fesses, Gwyneth, d'elle-même, s'était prosternée sur les draps, la croupe haute, les bras allongés devant elle.

Encore un succès de la *finishing school.*

Malko avait à peine effleuré son ventre pour s'y rafraîchir. Puis, sans scrupule, il avait forcé la croupe de Gwyneth, déjà accoutumée par son amant pakistanais à ce traitement ennemi des droits de la femme, mais néanmoins exquis.

Forant comme un fou cette croupe docile, Malko avait emmagasiné l'énergie nécessaire à la suite de ses recherches. Dieu que c'était bon de sodomiser une femme consentante et active. Car Gwyneth appréciait fort cette forme d'érotisme.

– *My God!* Il est deux heures, s'exclama-t-elle.

Plongés dans leurs listings, ils n'avaient pas vu le temps passer.

– On termine notre liasse, conseilla Malko.

Ils étaient presque arrivés à la fin, ayant considérablement accéléré leur méthode.

Il venait de terminer la sienne lorsque Gwyneth poussa un cri sauvage.

– Bon, encore une !

Elle nota le nom sur une feuille et la tendit à Malko : Valentina Starichnaya, 28 Yukon Road. 2003 July. Il alla consulter l'atlas de Londres pour voir où se trouvait Yukon Road et sentit une tornade d'adrénaline faire exploser ses artères. Cette rue se trouvait à une centaine de mètres de la station de métro Clapham-South.

Or, la vendeuse de Kalinka avait précisé que sa cliente demeurait dans le quartier de Clapham. C'était la première Valentina qu'ils trouvaient demeurant dans cette zone.

– Gwyneth, annonça Malko, je crois que je vais t'offrir un magnum de Taittinger Comtes de Champagne Rosé…

– Pourquoi ? demanda avec une fausse innocence la jeune Américaine. Parce que tu m'as honteusement violée ce matin ?

– Non, répliqua Malko. Pour ça, je ne te dois rien, sinon de la reconnaissance. Mais je me demande si on n'a pas trouvé celle que nous cherchons.

CHAPITRE XVIII

Rem Tolkatchev relut la dépêche de la *rezidentura* de Londres. Son auteur, Boris Tavetnoy, était un vieux *silovik* en qui il avait toute confiance. Donc, il fallait le prendre au sérieux. Ce que signalait Valentina Starichnaya était bizarre, mais pas encore trop inquiétant. Un seul élément l'alertait : le signalement de l'homme qui s'était présenté à la boutique de King's Road, cherchant quelqu'un dont il n'aurait pas dû avoir connaissance. Le Russe avait beau réfléchir, il n'arrivait pas à comprendre *pourquoi* la CIA s'intéressait à Valentina Starichnaya .

Si c'était la CIA...

Le premier réflexe de quelqu'un de moins expérimenté que lui eût été de lâcher les chiens sur cet agent, en le faisant liquider. Mais le remède eût été pire que le mal. Peut-être que la CIA – si c'était elle – procédait à une simple vérification. Après tout, Alexandre Litvinenko avait pu parler de Valentina à des amis.

Le mieux était donc de ne pas réagir... Il fallait encore tenir quelques jours.

Rem Tolkatchev composa une réponse précise, demandant qu'Igor Vlassov prennent en charge sa cible afin de surveiller la suite des événements.

*
* *

Yukon Road était une petite rue calme donnant dans Balham Hill, une avenue commerçante se terminant sur le parc de Clapham Common. Ce quartier du sud-ouest de Londres était peuplé de petits employés logés dans des immeubles victoriens tous semblables. C'était déjà l'Angleterre profonde.

Gwyneth Robertson entra dans Yukon Road, seule, laissant Malko dans Balham Hill Road, au volant d'une Rover banalisée de la station. Il lisait le *Times* et surveillait l'entrée de la rue. Il était quatre heures et bientôt il ferait nuit. La jeune femme arriva au numéro 14. Un petit perron, deux étages, une *townhouse* classique.

La *case officer* de la CIA monta le perron et regarda les quatre sonnettes. Aucun nom, jute des numéros. Au moment où elle les examinait, la porte s'ouvrit sur une femme entre deux âges qui lui jeta un regard méfiant.

– Vous cherchez quelqu'un, *young lady* ?

– Oui, Valentina Starichnaya.

– Ah la Russe ! À cette heure-ci, je ne pense pas qu'elle soit là. Elle est tous les jours à l'université. C'est au second.

Gwyneth Robertson pénétra dans un petit couloir se terminant par un escalier raide desservant les deux étages. Au second, il y avait trois portes et, punaisée sur l'une d'elles, une carte de visite au nom de Valentina Starichanaya, sans autre indication.

Gwyneth Robertson ne sonna pas, mais appela Malko sur son portable.

– Elle habite bien là, annonça-t-elle. Qu'est-ce qu'on fait ?

– Revenez.

Au moment où elle remettait son portable dans son sac, elle entendit des pas dans l'escalier, et presque aussitôt une femme déboucha sur le palier. Grande, les cheveux noirs avec d'étranges reflets argentés pour quelqu'un qui ne devait pas avoir plus de trente ans, vêtue d'un blouson de cuir, d'un jean et de hautes bottes, une lourde besace accrochée à l'épaule.

Elle découvrit Gwyneth Robertson.

– C'est moi que vous cherchez ? demanda-t-elle.

Comme Gwyneth Robertson hésitait à répondre, la Russe enchaîna, la fixant d'un regard froid :

– Ça ne peut être que moi, les deux autres appartements de l'étage sont vides.

Gwyneth comprit qu'elle était coincée et fit contre mauvaise fortune bon cœur.

– Vous êtes Valentina Starichnaya ?

– Oui.

Gwyneth lui tendit la main.

– Gwyneth. Je suis une amie de Marina Litvinenko. Elle a trouvé votre nom dans ses affaires, mais il n'y avait pas de numéro de téléphone. Comme elle n'avait jamais entendu parler de vous, elle voulait savoir qui vous étiez. Vous connaissiez Sacha Litvinenko ?

La Russe mit quelques instants à répondre, puis son visage s'éclaira.

– Oui, fit-elle. Pourquoi ?

– Marina se demande si vous n'étiez pas sa maîtresse… Elle voudrait savoir la vérité.

– Comment la connaissez-vous ?

– Je travaille avec l'agence Bell, qui a un contrat avec M. Simion Gourevitch. Marina Litvinenko s'est adressée à nous parce qu'elle ne parle pas bien anglais et qu'elle est trop timide.

– Je vois, fit la Russe. Venez, je vais vous expliquer.

Elle fit pénétrer Gwyneth dans un tout petit appartement meublé à l'anglaise, plutôt poussiéreux et en désordre.

– C'est un meublé, expliqua Valentina Starichnaya. À Londres, tout est très cher. Vous voulez un peu de thé ?

Gwyneth Robertson s'assit, sur ses gardes. Valentina Starichanaya passa dans la kitchenette et demanda d'un ton banal :

– Vous parlez russe ?

– Non, hélas…

– C'est une belle langue. Vous m'excusez, je dois passer un coup de fil, avant que nous bavardions…

Tandis qu'elle mettait de l'eau à chauffer, elle donna un coup de fil, en russe, assez long, puis revint s'asseoir à côté de sa visiteuse, avec, sur un plateau, des biscuits et du thé.

– C'est exact, commença-t-elle. J'étais la maîtresse de Sacha Litvinenko. Et j'ai été bouleversée par sa mort.

*
* *

Boris Tavetnoy avait senti son pouls grimper au ciel lorsque le portable bleu posé sur son bureau s'était mis à sonner. Il ne sonnait jamais, c'était une ligne réservée aux appels de détresse, lorsqu'un agent se trouvait en grand danger. Seuls cinq « clandestins » à Londres avaient ce numéro et le droit de s'en servir.

– *Da !* répondit-il.

– C'est Micha, annonça une voix de femme. J'ai besoin d'aide immédiate, tous moyens réunis.

Micha était le pseudo de Valentina Starichnaya. Cet appel appelait une réponse immédiate et brutale. C'était un SOS. Boris Tavetnoy écouta, tendu, ce qu'elle relatait. La femme qui se trouvait dans l'appartenant appartenait à un Service. Visiblement, Valentina Starichnaya avait été prise de court. Que devait-elle faire ?

Elle n'en dit pas plus, mais le Russe comprit le sens de sa question. Il était peut-être encore possible de sauver les meubles, mais il n'avait pas le temps d'en référer à Moscou. Il ne fallait pas laisser à ses adversaires celui de s'organiser.

– Retiens-la le plus possible, conclut-il. Au moins une demi-heure. Ensuite, attends encore autant, et va t'installer dans le local de secours en emportant tout. Même si c'est inutile, c'est plus sûr.

À peine eut-il raccroché qu'il se rua hors de la chancellerie et fonça jusqu'à la plus proche cabine téléphonique, le pouls à 150.

Igor Vlassov répondit aussitôt, de son habituelle voix calme. Pourtant, lui non plus n'était pas habitué à être appelé sur ce portable. Boris Tavetnoy lui expliqua la situation et lui demanda où il se trouvait.

– À Oxford Circus. Je peux être là-bas dans vingt minutes si je prends un taxi.

– Prends un taxi et sécurise la sortie de Micha, ordonna le Russe. Dès que tu es en place, tu m'appelles à ce numéro.

Après avoir raccroché, l'agent du FSB alla acheter le *Daily Mail* et s'installa près de la cabine comme s'il attendait quelqu'un, bousculé par les voyageurs entrant et sortant de la station de métro.

Malko consulta sa Breitling : cela faisait plus de vingt minutes que Gwyneth Robertson était entrée dans l'immeuble de Yukon Road et qu'il lui avait dit de revenir. Que s'était-il passé ? La seule explication était qu'elle avait trouvé Valentina Starichnaya... Il composa le numéro de Richard Spicer et le mit au courant.

– Il faudrait prévenir le « 5 », conseilla-t-il. Que cette fille ne nous file pas entre les doigts.

– Attendons un peu, conseilla le chef de station. Ce n'est peut-être pas celle que vous cherchez. Vous êtes sur place, elle ne va pas s'envoler.

La nuit tombait et Malko n'était pas rassuré. Dans

l'obscurité, la Russe pouvait prendre le large. Hélas, il ne pouvait pas, lui-même, avertir les Britanniques.

***

Valentina Starichnaya en était à sa sixième cigarette. Elle fumait pratiquement sans interruption, en racontant à Gwyneth Robertson une histoire qui sonnait juste. Chercheuse à l'université de Westminster, avec une bourse de l'université de Moscou, elle écrivait une thèse sur les Tchétchènes. Dans ce but, elle avait été en contact avec Akhmed Zakaiev, le chef tchétchène en exil. Ce dernier l'avait alors envoyée à Alexandre Litvinenko, qui pouvait la renseigner sur les exactions russes en Tchétchénie.

– Nous avons sympathisé, venait-elle d'expliquer à Gwyneth. Il m'a invitée à déjeuner, cela lui faisait plaisir de parler russe. Et puis, un jour, je l'ai amené ici prendre le thé et nous avons fait l'amour… Voilà. Nous nous sommes revus régulièrement. Je crois qu'il était très attaché à moi. Et comme je vis seule à Londres…

Gwyneth Robertson se dit que Malko avait bien retrouvé la femme mystérieuse dans la vie du défecteur russe mais que cela ne menait nulle part.

– Vous avez rencontré Alexandre Litvinenko le 1er novembre ? demanda-t-elle.

– Oui, confirma aussitôt Valentina. Le matin, je ne vais pas à Westminster. Il est venu me retrouver ici, vers midi et demi, et il est reparti vers deux heures et demie, en me disant qu'il avait un rendez-vous. Je ne l'ai jamais revu.

– Pourquoi n'êtes-vous pas allée le voir à l'hôpital ?

La Russe sourit, embarrassée.

– Je ne voulais pas tomber sur sa femme… Et je pensais qu'il allait guérir. C'est terrible, ce qu'on lui a fait. C'était un homme très bon…

– Il ne vous a jamais parlé de ses problèmes financiers ?

– Si. Il n'avait pas beaucoup d'argent et cela l'angoissait, à cause de sa famille.

– Bon, conclut Gwyneth Robertson, je vous remercie. Je dirai ce qu'il convient de dire à sa veuve. Inutile de lui faire de la peine.

– Dites-lui que j'étais simplement une amie, conseilla la Russe. Elle a déjà assez souffert...

Comme l'Américaine se levait, elle la retint.

– Prenez encore un peu de thé, cela me fait plaisir de parler de Sacha.

***

Igor Vlassov émergea de la station Clapham-South et s'engagea immédiatement dans Balham Hill Road. Durant le trajet en métro, il avait eu le temps d'étudier la topographie des lieux. En approchant de Yukon Road, il inspectait Balham Hill Road avec soin. Juste avant le croisement, il repéra facilement une voiture en stationnement sur un arrêt de bus, avec un homme au volant. Immatriculation anglaise, une Rover. Aussitôt, il rebroussa chemin et regagna la station de métro pour téléphoner d'une cabine publique. À la vitesse à laquelle Boris Tavetnoy décrocha, il devina son anxiété.

Igor Vlassov fit son rapport calmement et Boris Tavetnoy lui donna ses instructions. Très simples : il avait choisi l'option de liquider ceux qui surveillaient Valentina Starichnaya immédiatement, pour ne pas laisser un dispositif plus important se mettre en place

Il était essentiel pour l'opération en cours que Valentina Starichnaya puisse s'exfiltrer immédiatement de ce piège. Toutes les autres considérations s'effaçaient devant cette obligation. Si Scotland Yard la prenait en charge, l'opération Vulcan était vouée à l'échec.

*
* *

Valentina Starichnaya serra longuement la main de Gwyneth Robertson, se retenant visiblement de l'embrasser.

– Je suis contente d'avoir pu parler avec vous de Sacha, dit-elle. Je suis allée sur sa tombe déposer des fleurs, le dernier week-end.

– Je peux prendre votre téléphone ? demanda la *case officer*.

– Bien sûr : 795 5410144. Appelez-moi, nous prendrons le thé.

Gwyneth Robertson se retrouva dehors, perplexe : le raisonnement de Malko était juste, mais apparemment cela ne menait nulle part. La jeune Russe s'était montrée coopérative et ce qu'elle lui avait révélé correspondait avec ce qu'ils savaient. Il restait un seul mystère, mais de taille : puisque Alexandre Litvinenko était avec Valentina entre midi et trois heures, où et comment avait-il récupéré le polonium 210 ?

Évidemment, il ne fallait que quelques minutes pour un rendez-vous.

Malko ne dissimula pas son soulagement en la voyant arriver.

– Vous l'avez trouvée là-bas ?

– Oui, elle arrivait. C'est bien elle, la femme qui venait déjeuner au *Itsu* avec Litvinenko. Mais elle ne semble pas mêlée à l'affaire : c'était tout simplement sa maîtresse.

– Ce n'est pas parce qu'ils couchaient ensemble qu'ils n'avaient pas d'autres raisons de se voir, releva Malko. Le personnel du *Lanesborough* est persuadé que vous êtes ma maîtresse et pourtant, il n'y a pas que cela entre nous…

Gwyneth Robertson ne répondit pas à cette remarque pleine de bon sens. Malko mit son clignotant pour démarrer et jeta un coup d'œil machinal dans le rétroviseur. Aucune voiture n'arrivait mais il aperçut un homme qui marchait d'un pas rapide dans leur direction, les mains dans les poches de son imperméable.

Il allait démarrer quand son subconscient enregistra un détail : l'homme boitait. Instantanément, surgit de sa mémoire un détail révélé par Giorgio Scarpone : la présence en Italie d'un tueur du FSB qui boitait. Sur le moment, Malko s'était contenté d'enregistrer. L'Italien racontait tant de choses... Mais si ce tueur existait vraiment ? Le regard glué au rétroviseur, Malko ne quittait plus des yeux l'inconnu.

Lorsqu'il le vit sortir la main de sa poche, avant même de voir ce qu'il tenait, il lança à Gwyneth Robertson :

– Couchez-vous ! Vite.

En même temps, il démarra, braquant violemment, sans voir un autobus qui descendait l'avenue. Juste au moment où l'inconnu pointait sur la voiture un long pistolet noir prolongé d'un énorme silencieux.

Un trou apparut dans la glace avant droite et Gwyneth Robertson poussa un cri de douleur. Un second projectile, qui aurait dû atteindre la tête de Malko, fracassa la glace déjà étoilée et fit exploser le pare-brise. À l'instant où l'aile avant gauche de la Rover heurtait la carrosserie du gros bus rouge en train de la doubler.

Le choc repoussa la voiture contre le trottoir et le moteur cala. Étourdi, furieux, Malko tourna la tête et vit une silhouette debout à côté de la portière. Il n'eut que le temps d'ouvrir la sienne et de plonger dehors au moment où un troisième projectile faisait exploser la bakélite du volant.

Le bus venait de s'arrêter, vingt mètres plus loin, des passants accouraient. Malko vit la silhouette de l'homme qui avait tiré sur eux se perdre dans l'obscurité. Il se releva, se pencha à l'intérieur de la voiture et appela :

– Gwyneth !

L'Américaine ne répondit pas, affalée sur le siège avant. Il plongea dans la voiture et en tentant de la redresser, sentit un liquide gluant couler sur sa main. Du sang ! Elle avait reçu une balle dans le cou et perdu connaissance.

Des gens se pressaient pour les aider. Le conducteur du bus, furieux, s'écria :

– Vous ne pouviez pas faire attention !

– Il y a une blessée grave dans ma voiture, répliqua Malko. Appelez une ambulance.

Il se pencha sur Gwyneth Robertson, posa l'index sur sa carotide. Elle battait rapidement. Impossible de voir le trajet de la balle. Il n'osait pas toucher la jeune femme qui gémissait faiblement, recroquevillée sur le siège.

Enfin, le hurlement saccadé d'une ambulance se rapprocha. Les badauds étaient de plus en plus nombreux, ne réalisant pas vraiment ce qui s'était passé. Il fallut encore quelques minutes à Malko pour aider les ambulanciers à allonger Gwyneth Robertson sur une civière. Visiblement, elle perdait beaucoup de sang.

– Où l'emmenez-vous ? demanda-t-il.

– St-George's Hospital, répondit un des ambulanciers.

Des policiers s'approchaient, examinant le véhicule. L'un d'eux apostropha Malko.

– Que s'est-il passé, *sir* ? Ce véhicule porte des impacts de balles.

– On a tiré sur nous, répondit Malko.

Sous le nez du policier, il composa le numéro de Richard Spicer.

– Richard, dit-il, cette fille avait une protection. On a tiré sur nous, Gwyneth est blessée. Venez avec des gens du MI5 et de Scotland Yard.

Il vit l'ambulance s'éloigner avec Gwyneth Robertson et, après avoir noté le numéro de l'hôpital, reprit le dialogue avec le constable. Il y était encore quand Richard Spicer arriva dans une voiture banalisée de l'ambassade américaine, en plaques diplo, suivie d'un véhicule de Scotland Yard.

– Mon intuition était juste, dit aussitôt Malko. Cette Valentina Starichnaya est bien la femme qu'Alexandre Litvinenko a rencontrée le 1er novembre. Et elle est sûrement mêlée au complot. Sinon on n'aurait pas essayé de nous liquider.

– Où est-elle ?

– Allons chez elle, c'est à côté, mais je crains qu'elle ne nous ait pas attendus.

CHAPITRE XIX

Valentina Starichnaya, en passant, jeta son portable dans une poubelle de la station de métro Clapham-South. En partant de chez elle, elle avait aperçu les ambulances et l'attroupement dans Balham Hill Road. Elle n'avait emporté qu'un gros sac de voyage ; ce qui lui manquait, elle le rachèterait.

Déjà, elle avait mis une perruque noire pour dissimuler ses cheveux argentés trop reconnaissables. Et elle était sans illusions : dans très peu de temps, Scotland Yard et le MI5 allaient passer Londres au crible pour la retrouver. Ce qui ne la gênait guère. Jusqu'à son intervention finale, elle n'avait plus rien à faire. En plus, la *rezidentura* lui avait donné un authentique passeport russe, avec un visa d'entrée en Grande-Bretagne vieux de trois mois, à un autre nom.

Elle ne craignait donc aucun contrôle de police accidentel, sauf si on la reconnaissait physiquement.

Sa mission accomplie, elle serait exfiltrée.

Elle descendit à la station Fleet Street et continua à pied. Elle était déjà venue plusieurs fois dans le petit studio dont elle avait la clef, pour s'habituer aux lieux. Il était loué par un soi-disant dessinateur cubain, en réalité membre de la DGI cubaine, qui le mettait à disposition du FSB. Elle ouvrit la porte, alluma et commença à s'installer.

***

Malko, suivi de Richard Spicer, pénétra dans la chambre de Gwyneth Robertson. La jeune femme portait une sorte de minerve l'enserrant de la poitrine au menton. Par miracle, le projectile qui avait traversé son cou n'avait touché aucune artère vitale, ressortant par-devant, juste à côté de la trachée-artère. La jeune femme avait perdu beaucoup de sang, mais la transfusion faite immédiatement avait limité les dégâts.

Elle réussit à sourire aux deux hommes et serra très fort la main de Malko.

– Je crois que vous m'avez sauvé la vie, dit-elle. Si vous n'aviez pas démarré, ce type m'aurait mis une balle dans la tête.

– Et à moi aussi ! compléta Malko.

– Pourquoi vous êtes-vous méfié ?

Il eut un geste évasif.

– Giorgio Scarpone avait mentionné un tueur qui boitait, signalé par sa source à Rome. Celui-ci à dû mélanger le vrai et le faux. Alors, quand je l'ai vu dans le rétroviseur traîner la jambe...

– *Well done !* approuva Gwyneth Robertson, combien de temps je vais rester ici ?

– Cela dépend des médecins, répondit Richard Spicer. Ils prévoient trois ou quatre jours, s'il n'y a pas de complications. À tout hasard, vous aurez une protection policière *around the clock*.

– Vous pourriez reconnaître ce type ? demanda Gwyneth Robertson à Malko.

– Je n'en suis pas certain, avoua ce dernier. Il faisait sombre et je n'ai pas eu le temps de l'observer.

– Et Valentina Starichnaya, où est-elle ?

– Disparue. La police s'est rendue chez elle, tout de

suite après. L'appartement était vide, sans aucun désordre, elle y a laissé la plupart de ses affaires. Elle a dû sentir le danger. L'attaque dont nous avons été l'objet n'était pas un hasard. Je pense qu'après votre visite, elle a donné l'alerte et « on » a agi pour sécuriser sa fuite.

– Elle a passé un coup de fil en russe dès son arrivée dans l'appartement…

– Scotland Yard va diffuser un portrait-robot, précisa Richard Spicer qui, tourné vers Malko, ajouta : Allons-y, nous avons rendez-vous.

*
* *

Yukon Road était barrée aux deux extrémités par des voitures de police et les agents ne laissaient passer que les résidents de la rue. Sir William Wolseley en personne les accueillit, accompagné d'un superintendant de la SO 15 de Scotland Yard flanqué d'un homme porteur d'une grosse serviette.

– Nous avons amené notre spécialiste en décontamination, annonça le Britannique. Afin de vérifier votre théorie.

Ils s'engagèrent dans l'escalier. Les occupants de l'immeuble avaient reçu la consigne de ne pas sortir de chez eux. La porte de l'appartement de Valentina Starichnaya était ouverte, gardée par deux policiers armés.

– Nous n'avons rien trouvé, annonça le superintendant de Scotland Yard. Ni armes ni papiers, mais nous allons nous livrer à une fouille plus approfondie.

Le spécialiste de la décontamination était en train de sortir son matériel. Un appareil ressemblait à un compteur Geiger. Il l'activa. Aussitôt, il se mit à émettre un bruit grêle, si assourdissant qu'il dut baisser le son. Le Britannique se tourna vers eux.

– *Gentlemen*, ou il y a du polonium 210 ici, ou il y en a eu…

Il commença à faire le tour de l'appartement. Le détecteur de rayons alpha crépitait par endroits, mais lorsqu'il s'approcha du placard de la cuisine et l'ouvrit, l'appareil se mit à couiner.

Et pourtant, l'étagère était vide…

Les trois hommes se regardèrent. Sir William Wolseley était très pâle.

– Si nous avions découvert cet endroit avant le 1er novembre, conclut-il, Alexandre Litvinenko serait toujours de ce monde.

– Vous ne pouviez pas deviner l'existence de cette femme, assura Malko. Elle n'apparaît dans aucune enquête. C'était la vie secrète de Litvinenko. Je pense que le polonium 210 importé le 25 octobre par les deux ex-FSB a été stocké ici jusqu'au 1er novembre, date à laquelle Litvinenko est venu le chercher, d'après le récit de Valentina Starichnaya à Gwyneth Robertson. Ou elle le lui a remis à un autre endroit.

– Cette Valentina Starichnaya fait donc partie de la structure clandestine du FSB à Londres, conclut Wolseley. Nous ne l'avions jamais détectée.

Malko sourit.

– Je crains qu'il n'y en ait beaucoup d'autres…

Le spécialiste avait terminé son auscultation. Il s'approcha du petit groupe.

– Ça « crache » partout, conclut-il. Il y a eu ici du polonium 210 qui a été manipulé à l'air libre. Cet appartement doit être déclaré *off limits* jusqu'à nouvel ordre.

– J'ai une seule question, dit Malko. Pouvez-vous dire si cette contamination est récente ou non ? C'est-à-dire : ces traces de polonium 210 remontent-elles à quelques semaines ou sont-elles récentes ?

– C'est difficile à dire, reconnut le spécialiste, mais, étant donné l'intensité des rayons alpha, j'aurais tendance à dire qu'il y avait du polonium 210 ici il n'y a pas longtemps.

– Merci, dit Malko.

Lorsqu'ils se retrouvèrent sur le trottoir, il se tourna vers le directeur de cabinet du MI5 et vers Richard Spicer.

– Je pense que cette femme est partie avec le polonium 210 qu'elle stockait chez elle. C'est la raison pour laquelle elle s'est enfuie de cette façon. Car nous n'avions *aucune* charge contre elle. Par contre, elle aurait dû expliquer la contamination de son appartement.

– Ce qui veut dire ? demanda Wolseley.

Malko s'attendait à la question.

– À mon avis, répondit-il, l'opération commencée le 25 octobre avec l'introduction du polonium 210 dans ce pays continue. Avec des acteurs dont nous ne savons rien.

– Quel est leur but ?

– Toujours le même : assassiner Simion Gourevitch.

– Il faut le prévenir immédiatement, suggéra Richard Spicer.

Malko eut un sourire ironique :

– Pour lui dire qu'une équipe du FSB se balade dans Londres avec du polonium 210, mais que nous ignorons tout d'eux ? On va être ridicules. En plus, vous savez bien qu'il ne peut pas quitter l'Angleterre.

– Que suggérez-vous ?

– Il faut les retrouver, affirma Malko. Essayer de prévenir cette nouvelle tentative qui, à mon sens, est déjà en route. Mettre Gourevitch sur écoutes.

– Il y est déjà…

– Alors, tout faire pour retrouver Valentina Starichnaya. C'est elle qui est en possession du polonium 210. Et retrouver le tueur aussi, bien entendu, mais c'est moins important.

– Nous allons demander au Yard de renforcer la protection autour de Simion Gourevitch, conclut le directeur de cabinet du MI5. Vous avez été brillant, *sir* Malko. Cette femme était passée à travers toutes nos recherches.

– Merci, dit Malko, mais nous ne l'avons pas neutralisée. Maintenant, elle est dans la nature, avec le polonium 210.

*
* *

Rem Tolkatchev ne décolérait pas. Le plus frustrant, c'est qu'il ne pouvait blâmer personne ! Il ne s'expliquait pas comment les Services britanniques ou américains étaient remontés jusqu'à Valentina Starichnaya. Celle-ci, heureusement, était en lieu sûr et c'était le principal...

Igor Vlassov n'avait pas eu de chance. Là aussi, il semblait que sa cible eût été sur ses gardes. Pour l'instant, il était retourné à son hôtel où personne ne soupçonnait un touriste portugais venu visiter Londres. Dieu merci, le reste de l'opération Vulcan était bien engagé. Il fallait encore tenir quarante-huit heures. Ensuite, il n'y aurait plus qu'à faire le ménage...

Bien sûr, le fait que Valentina Starichnaya soit désormais repérée par la police était fâcheux, mais elle pouvait facilement changer son apparence physique.

Tout reposait sur elle, désormais.

Cette évidence déclencha à nouveau la réflexion de Rem Tolkatchev. Il fallait mettre toutes les chances de leur côté. Deux personnes pouvaient identifier Valentina Starichnaya, d'après le rapport qu'il avait sous les yeux. La vendeuse du magasin Kalinka et la femme qui lui avait rendu visite, actuellement soignée à l'hôpital St-George. Les tabloïds britanniques avaient publié sa photo, expliquant qu'il s'agissait d'un membre de la CIA.

L'élimination de ces témoins devenait une priorité

absolue. Il rédigea aussitôt un télégramme à l'intention de Boris Tavetnoy.

Sa nervosité était telle qu'il décida de ne pas aller au Bolchoï comme il l'avait prévu. Il attendrait, pour se détendre, que l'opération Vulcan ait réussi.

***

Judy Gallway, la vendeuse de Kalinka, était en train de préparer un paquet quand un client pénétra dans la boutique. Grand, le teint mat, le front dégarni, il n'avait pas du tout le type russe. Elle s'avança vers lui et demanda :

– *Sir, may I help you ?*

Il ne répondit pas et leurs regards se croisèrent. Celui de l'inconnu était sans expression, minéral, effrayant. Judy Gallway éprouva instantanément une peur panique, viscérale, inexpliquée. Bien que ce client inconnu n'ait, en aucune façon, une attitude menaçante.

Il lui semblait soudain qu'il faisait un froid glacial dans la boutique. Avec l'instinct d'un animal, avant même que l'inconnu ait fait le moindre geste, elle se rua vers la porte et jaillit sur le trottoir de King's Road, désert en ce début de matinée. Poussée par une panique aveugle, elle se mit à courir comme une folle vers l'arrêt de bus, espérant y trouver des gens.

Elle ne vit pas que l'homme entré dans la boutique la poursuivait. Soudain, elle entendit des pas derrière elle et, presque aussitôt, ressentit une violente douleur dans le côté. Elle hurla.

– *Help me ! Help me !*

Une dame qui sortait d'une boutique se retourna mais ne broncha pas.

L'homme rattrapa Judy Gallway, la frappa encore, la faisant trébucher. Finalement, elle s'effondra contre la paroi de l'Abribus. En dépit de ses hurlements, l'homme continua à la frapper partout, à la poitrine, au ventre, au cou. Le sang jaillissait à gros bouillons. Le bus venant de passer, il n'y avait personne... Judy Gallway cessa de se débattre. Remettant son long poignard dans sa poche, son assassin s'éloigna tranquillement et tourna dans la rue suivante.

*
* *

– Quatorze coups de couteau ! Elle a reçu quatorze coups de couteau, cette pauvre fille ! Une boucherie.

Le policier du *Homicide Squad* était blanc comme un linge. Dans ce quartier élégant de Londres, ce type de meurtre n'était pas courant...

Malko et Richard Spicer regardaient la forme dissimulée sous une couverture. Perplexes.

– Il y a des témoins ? demanda Richard Spicer.

– Une femme, *sir*, qui a vu l'assassin, répondit le policier. Il est reparti à pied dans cette direction.

– Quel type physique ?

– Plutôt grand, chauve en partie, mince, type européen.

– Est-ce qu'il boitait ?

– On ne sait pas.

– Pourquoi avoir tué cette malheureuse fille ? demanda Richard Spicer. Elle ne vous avait rien appris.

– Rien, confirma Malko, et elle ne savait même pas le nom de Valentina Starichnaya qu'elle connaissait seulement de vue. Je me...

Il s'interrompit soudain et jura.

– *Himmel Herr Gott !*

– Qu'est-ce qu'il y a ? s'étonna Richard Spicer.

– Elle a probablement été tuée parce qu'elle pouvait identifier Valentina Starichnaya, lança Malko.

– Mais beaucoup d'autres personnes le peuvent, objecta Richard Spicer, ses voisins, les gens qu'elle a rencontrés durant son séjour à Londres.

– Ce n'est pas la même chose. Ou alors, il y a une

autre explication, mais je ne la vois pas. Si c'est ce que je pense, Gwyneth est en danger de mort…

– Mais elle est sous la protection de Scotland Yard.

– Cela peut ne pas être suffisant, objecta Malko. Il faut prévenir l'hôpital St-George et renforcer sa protection.

Ils coururent vers la voiture en plaques CD de l'Américain, qui démarra en trombe dans King's Road.

– Vous êtes armé ? demanda Malko.

– Non.

– Passons par Grosvenor Square, on ne peut pas aller là-bas les mains vides et il est plus prudent de laisser une arme à Gwyneth. J'appelle l'hôpital, pour les alerter.

*
* *

Igor Vlassov entra dans le St-George's Hospital par l'entrée de Commonfield Lane et gagna aussitôt le service de traumatologie. Grâce au *Daily Mail*, il savait exactement où trouver Gwyneth Robertson.

Il prit l'ascenseur jusqu'au sixième, réservé aux patients en ICU[1], et trouva très vite ce qu'il cherchait. Un local avec du matériel et des blouses blanches pendues à des patères. Il en enfila une et reprit l'ascenseur jusqu'au 10e étage, celui des « traumas ».

Il ouvrit d'abord la porte donnant sur le couloir de gauche sans apercevoir la moindre protection policière. Une infirmière qui sortait d'une des chambres l'interpella.

– *Sir*, vous cherchez quelqu'un ?

– Oui, fit le Russe, une jeune femme blessée qui est gardée par la police. Je suis son médecin traitant.

– Ah, elle est juste en face.

Igor Vlassov retraversa le palier et poussa les portes

1. Intensive Care Unit : réanimation.

battantes, tombant sur deux policiers en uniforme, pistolet-mitrailleur sur les genoux, assis de part et d'autre du couloir. Voyant un homme en blouse blanche, ils ne réagirent pas.

Celui de gauche ne vit même pas Igor Vlassov sortir un pistolet de sa poche et lui tirer une balle dans l'oreille à bout portant. Il était déjà mort quand il toucha le sol.

Le second policier avait sauté sur ses pieds, tout en armant son pistolet-mitrailleur. Il n'eut pas le temps de s'en servir. À quelques centimètres, le Russe lui tira deux balles en plein visage. Puis s'immobilisa, regardant autour de lui. Le faible bruit des détonations amorti par le silencieux n'avait alerté personne. Il lui restait encore six balles dans son chargeur.

Il tourna la poignée de la chambre marquée «*No entry*», là où se trouvait sa cible.

CHAPITRE XX

La Chrysler du chef de station de la CIA arriva pratiquement en même temps qu'une nuée de voitures de police qui stoppèrent en face du St-George's Hospital, toutes sirènes hurlantes. Des hommes de la *Special Branch* de Scotland Yard, casqués, armés de pistolets-mitrailleurs, de grenades, de pistolets, qui se ruèrent vers l'aile où était hospitalisée Gwyneth Robertson.

Malko et Richard Spicer trouvèrent dans le hall le représentant du SO 15 de Scotland Yard, alerté par le MI5.

– Deux policiers ont été abattus, annonça le Britannique. Le bâtiment est fouillé et cerné.

– Et Gwyneth Robertson ? demanda aussitôt Malko.

– Je ne sais rien, avoua le Britannique.

– On y va ! lança Malko. Toutes les issues sont bouclées ?

– Nous le faisons en ce moment, confirma l'homme du SO 15.

Toutes les issues de l'hôpital, y compris les accès aux parkings souterrains, étaient bouclées mais il y avait évidemment un handicap : ils n'avaient aucune idée de l'apparence physique de l'homme qui avait abattu leurs deux collègues.

Dans le doute, personne n'avait le droit de quitter l'hôpital, jusqu'à nouvel ordre. Dans l'ascenseur Malko fit un calcul rapide. D'après les déclarations du personnel, le meurtre des deux hommes de garde du dixième étage remontait à six minutes au plus. Il y avait une bonne chance pour que le meurtrier se trouve encore dans l'établissement.

Dans le couloir, les corps des deux policiers avaient déjà été recouverts d'un drap, il ne restait que les traînées de sang sur les murs. Malko interpella une infirmière.

– Où est la malade de la chambre 1024 ?

Elle les guida jusqu'à la chambre 1032, devant laquelle se tenaient quatre policiers et un responsable du service.

– C'est vous qui vous êtes occupé du transfert ? demanda Malko.

– Exact, *sir*, dès que j'ai reçu votre appel. Malheureusement, je n'ai pas eu le temps de prévenir ces deux policiers. Quand je suis arrivé, ils venaient d'être abattus.

– Vous n'avez vu personne ?

– Non. Des malades m'ont dit qu'un homme en blouse blanche avait jeté un coup d'œil dans leur chambre. Heureusement, celle de Mrs Robertson était fermée à clef sur mon ordre.

– Vous lui avez sauvé la vie, conclut Malko. Je viendrai la voir tout à l'heure.

Pour l'instant, il fallait tenter de retrouver l'assassin. Il alla au bout du couloir et vit un escalier de secours. Probablement l'itinéraire de fuite du tueur. Richard Spicer et un homme du SO 15 s'y engagèrent à sa suite.

À chaque étage, ils interrogeaient les infirmières : aucune n'avait remarqué de personnes étrangères au service.

C'est entre le deuxième et le premier étage qu'ils découvrirent une blouse blanche abandonnée par terre.

– Il est passé par là ! conclut Malko.

Ils émergèrent dans le grand hall où se mélangeaient les patients ambulatoires, les visiteurs et les policiers en uniforme et en civil. Malko regarda les gens assis un peu partout. Si le meurtrier se trouvait encore dans l'hôpital, il s'était peut-être dissimulé au milieu de ces gens.

***

Igor Vlassov s'était installé au milieu du hall, à côté d'une jeune femme avec un bébé, et bavardait avec elle. De loin, on pouvait croire qu'ils étaient ensemble. Il s'en était fallu de quelques secondes qu'il puisse s'enfuir. Seulement, au dixième étage, il avait perdu du temps. Après avoir découvert la chambre de Gwyneth Robertson vide, il avait parcouru tout le couloir à sa recherche, inspectant les autres chambres, en trouvant une fermée à clef. Il s'apprêtait à faire sauter la serrure d'un coup de pistolet quand des gens avaient surgi de partout, et il avait dû battre en retraite. La sortie donnant sur les ascenseurs lui était interdite, car il y avait déjà du monde autour des corps des deux hommes qu'il avait abattus. Il lui restait l'escalier de secours. Il avait abandonné sa blouse blanche avant de débarquer dans le hall, juste au moment où les policiers bloquaient toutes les issues de l'hôpital. Ne perdant pas son sang-froid, il s'était assis au milieu des visiteurs. Les choses se calmeraient et il pourrait sortir plus tard. Au pire, il abandonnerait son arme dans les toilettes pour affronter une fouille possible. Fou de rage, il ne comprenait pas comment la police était arrivée aussi vite…

Soudain, la jeune femme avec qui il bavardait se leva.

– *Well*, je vais repartir ! dit-elle.

– Moi aussi, fit le Russe. Laissez-moi vous aider.

Il s'empara d'autorité de la poussette, lui laissant son bébé dans les bras, et se dirigea vers la sortie principale. Il s'apprêtait à glisser discrètement son arme dans le landau du bébé lorsque son regard aperçut un visage connu, près du comptoir des admissions.

L'agent de la CIA qu'il avait reçu l'ordre d'abattre.

Un flot d'adrénaline se rua dans ses artères. Lui pouvait peut-être l'identifier. Les chances étaient de 50-50. Il décida de ne pas modifier son plan.

***

Malko parcourait le hall d'un regard circulaire. Soudain, sa vision périphérique accrocha un couple qui se dirigeait vers la sortie. Une femme, un bébé dans les bras, accompagnée d'un homme poussant un landau.

Ce dernier boitait légèrement.

Le sang de Malko ne fit qu'un tour. Il hâta le pas pour rattraper le couple et sortit le Beretta 92 remis par le chef de station. Si l'homme qu'il soupçonnait n'était pas le bon, il en serait quitte pour la peur.

***

Igor Vlassov aperçut dans la grande baie vitrée le reflet d'un homme sortant une arme de sa ceinture et en même temps le reconnut... Il lui restait une dizaine de mètres à parcourir. Sans hésiter, il lâcha le landau, le poussant vers les policiers en faction, se glissa derrière la femme portant son bébé, se collant à elle. Passant son bras gauche autour de son cou, il braqua le pistolet sur la tête du bébé et se retourna.

L'homme qu'il avait essayé de tuer deux jours plus tôt avançait sur lui, une arme à bout de bras.

– *Drop your gun!* lança le Russe. *Fast*[1] *!*

Tout le monde s'était figé. Un policier avait récupéré le landau. Folle de terreur, l'otage restait muette.

1. Lâchez votre arme ! Vite !

Calmement, Malko se baissa et posa son arme par terre. Aussitôt le Russe fit un pas en avant et l'envoya promener d'un coup de pied. Ensuite, il se retourna et marcha vers la sortie côté Blackshaw Road, collé au dos de son otage, le canon de son pistolet toujours appuyé contre la tête du bébé.

– Laissez-le passer ! cria Malko. Il est très dangereux.

Les policiers s'écartèrent ; personne ne pouvait prendre la responsabilité de mettre en danger la vie du bébé. En quelques secondes, Igor Vlassov se retrouva dehors, dans Blackshaw Road, face au Lambeth Cemetery. Toujours protégé par son otage, il se retourna pour surveiller ses poursuivants et s'éloigna à reculons.

Malko, dans le hall, avait couru récupérer son arme. Il franchit la porte et se retrouva dans Blackshaw Road. Le Russe s'éloignait sur le trottoir d'en face, serrant toujours la femme contre lui. Il arriva à la hauteur de l'entrée du Lambeth Cemetery et, lâchant la femme et son bébé, s'y engouffra.

Malko accéléra, atteignit la grille contre laquelle l'otage, tétanisée, n'osait pas encore bouger et pénétra dans le cimetière.

Le Russe avait disparu.

Le Lambeth Cemetery, tout en longueur, était hérissé de nombreux monuments funéraires qui bloquaient la vue. Au hasard, Malko repartit sur la droite, inspectant au passage les allées perpendiculaires à la sienne. À la sixième, il s'arrêta net : un homme s'éloignait en courant. Il fonça derrière lui. Cent mètres plus loin, celui qu'il poursuivait se retourna.

Calmement, il s'arrêta, prit son arme à deux mains et visa. Malko plongea derrière un caveau. Un éclat de pierre jaillit à quelques centimètres de lui. Risquant un œil, il visa à son tour le Russe, et tira deux fois.

Il rata le Russe qui riposta aussitôt. Malko eut l'impression qu'on lui donnait une bourrade et ressentit une violente brûlure à l'épaule droite. Il baissa les yeux et vit un beau petit trou rond dans son Burberry. La balle l'avait atteint en seton.

Il avança à nouveau : le Russe s'était remis à courir. Il approchait du mur séparant le cimetière de Mead Path. Il le franchit pratiquement d'un seul élan, disparaissant aux yeux de Malko.

Lorsque ce dernier voulut le franchir à son tour, son épaule était si douloureuse qu'il dut renoncer.

Fou de rage, il revint sur ses pas, se heurtant aux policiers lancés à la poursuite du tueur.

– Il a sauté le mur, annonça-t-il laconiquement.

Ils se ruèrent dans la direction indiquée. Lorsque Malko arriva à l'hôpital St-George, la coulée de sang le long de son bras avait atteint son poignet. Richard Spicer l'emmena immédiatement aux urgences. Sa chemise était trempée de sang et un long sillon à vif lui marquait horizontalement l'épaule.

*
* *

Le regard de Gwyneth Robertson aurait fait fondre un iceberg. Malko, le bras droit en écharpe, avait quand même été secoué et sa pâleur en témoignait.

– Vous m'avez sauvé la vie ! fit Gwyneth Robertson. Sans votre idée de me changer de chambre, ce type m'abattait comme ces deux malheureux policiers.

– C'est probable, reconnut Malko. Désormais, il faudra prendre encore plus de précautions...

Un policier entra dans la chambre et dit quelques mots au représentant de Scotland Yard.

– Ils ne l'ont pas rattrapé, annonça ce dernier, mais nous avons son signalement. Nous allons sûrement le retrouver.

Malko ne partageait pas son optimisme. Ce Russe était un tueur soutenu par une organisation d'État, un professionnel. La façon dont il avait réagi prouvait son sang-froid et sa détermination ; de toute façon, après avoir abattu froidement deux policiers, il était bon pour le gibet. Il ne prendrait aucun risque.

– Si vous avez le courage, proposa Richard Spicer, venez avec moi. Sir William Wolseley nous attend au « 5 » pour un *crash meeting*.

***

La Rover bleu métallisé avec un gyrophare sur le toit s'engouffra dans Thorney Street pour freiner quelque trente mètres plus loin devant l'énorme porte blindée du MI5 en train de coulisser, tandis que la herse s'escamotait dans le béton du sol. Une demi-douzaine de policiers, gilets pare-balles et pistolets-mitrailleurs, veillaient, et la porte se referma immédiatement.

Depuis la roquette tirée par l'IRA sur l'immeuble de Millbank, on était prudent.

Un planton les mena jusqu'au bureau de sir William Wolseley, qui lui donnait sur la Tamise, protégé quand même par des vitres blindées.

– Ce Russe n'a pas été retrouvé, annonça-t-il d'emblée. Nous avons prévenu tout le monde, les aéroports, l'Eurostar, les ferries.

– Il ne cherchera pas à quitter la Grande-Bretagne, avança Malko en s'asseyant dans un profond canapé de cuir.

– Pourquoi, sir Malko ?

En gentleman avisé, le directeur de cabinet du MI5 n'avait fait aucun commentaire sur le bras en écharpe de Malko. Il savait ce qui s'était passé au St-George's Hospital.

– Je pense que l'opération polonium 210 n'est pas terminée, répondit Malko. Cet homme et Valentina Starichnaya en font partie.

– Comment arrivez-vous à cette conclusion ? demanda d'un ton étonné le Britannique.

Malko eut un sourire teinté d'amertume.

– Pourquoi voulez-vous qu'on ait essayé de me tuer, qu'on ait assassiné sauvagement cette malheureuse vendeuse du magasin Kalinka, et tenté d'achever sur son lit d'hôpital le *case officer* Robertson ? Parce que ces personnes sont capables d'identifier *positivement* la Russe.

– Et alors ?

– Je pense que cette femme joue un rôle essentiel dans l'opération en cours et que les Russes veulent mettre toutes les chances de leur côté. Même si Valentina Starichnaya tente de changer son apparence physique, Mrs Robertson pourra toujours la reconnaître. Comme la vendeuse de Kalinka l'aurait pu. C'est pour cela qu'elle est morte.

– *Disgusting !* laissa tomber le Britannique. Mais en quoi consiste l'opération à laquelle vous faites allusion ?

– Le meurtre de Simion Gourevitch. Ce qui était prévu au départ. La mort d' Alexandre Litvinenko n'est qu'un accident...

Lorsqu'il eut terminé de développer sa théorie, le directeur de cabinet du MI5 resta silencieux quelques minutes avant de demander :

– Que pouvons-nous faire ? Prévenir Simion Gourevitch ?

– Je pense que cela ne changera pas grand-chose, fit prudemment Malko. Il *sait* que le Kremlin veut le voir mort. À mon avis, il se doute qu'on n'a pas mis en branle une telle opération pour seulement liquider Alexandre Litvinenko, qui ne disposait d'aucune protection. Évidemment, si on retrouve cette femme, cela changera tout. Parce que c'est elle qui est en possession du polonium 210.

– Nous ferons tout pour cela. Mais...

Un ange passa, d'un vol lent et fatigué. Le MI5 n'était jamais parvenu à découvrir les cellules dormantes de l'IRA à Londres. Or, les Russes étaient aussi bons que les Irlandais.

– Tout tourne autour de Gourevitch, expliqua Malko. Je pense que les Russes procéderont comme ils l'ont toujours fait. À travers un intime « retourné » ou manipulé. Comme c'était le cas avec Alexandre Litvinenko.

– Vous comptez rester à Londres, sir Malko ? demanda le directeur de cabinet du MI5.

– Si vous le souhaitez.

– Je le souhaite. Que préconisez-vous ?

On sentait que Wolseley était plus un homme de dossier et d'administration que de terrain.

– La mesure la plus efficace est d'écouter en temps réel les différents téléphones de Simion Gourevitch pour essayer de découvrir tout élément suspect.

– Excellent ! approuva le Britannique. Je vais donner des ordres pour que ces comptes rendus d'écoutes vous soient délivrés toutes les quatre heures au *Lanesborough*. Et maintenant, prenez un repos bien mérité. Votre attitude a été *superb* !

L'épaule de Malko le brûlait horriblement et il eut un mal fou à grimacer un sourire... Dans la Rover qui les ramenait au *Lanesborough*, Richard Spicer remarqua :

– Je ne sais pas si on réussira à stopper cette opération, mais vous êtes bien placé pour recevoir l'ordre de la Jarretière. C'est la première fois que j'entends Lord Wolseley donner du « sir » à un non-Britannique.

– C'est la solidarité du gotha, conclut Malko.

Se demandant d'où allait venir la prochaine attaque. Le dispositif russe était intact et il était persuadé que les Russes n'avaient pas renoncé à tuer Simion Gourevitch.

Il entra dans sa chambre et s'immobilisa, le cœur dans la gorge. Il y avait quelqu'un dans la chambre. Il n'eut pas le temps de saisir son Beretta 92. La voix posée de Gwyneth Robertson, installée dans un fauteuil, annonça :

– Je ne pouvais plus rester dans cet horrible hôpital où on ne me protégeait même pas. Nous allons pouvoir nous soigner mutuellement.

CHAPITRE XXI

Le portrait-robot de l'assassin du St-George's Hospital s'étalait à la une de tous les quotidiens londoniens, avec les photos des deux policiers assassinés. Plus le récit de la femme prise en otage. Aucune trace de l'homme recherché, en dépit du réseau dense de caméras qui couvrait Londres.

À l'intérieur, par contre, on trouvait une photo de Valentina Starichnaya reproduite d'après sa carte de l'université de Westminster. Là-bas, elle n'avait pas attiré l'attention, ne se liant avec personne. Il y avait beaucoup d'étrangers et, à part ses étranges cheveux argentés, elle ne présentait aucun signe particulier. Elle aussi s'était volatilisée, après son entretien avec Gwyneth Robertson. Elle n'était pas à proprement parler recherchée, mais Scotland Yard avait fait savoir qu'on souhaitait vivement l'entendre comme témoin dans l'affaire Litvinenko.

Malko replia les journaux et appela Richard Spicer. Depuis l'arrivée de Gwyneth Robertson, il avait changé sa chambre pour une suite comportant une *sitting room*, ce qui leur donnait plus d'espace.

– Rien de nouveau ? demanda-t-il.

– Ici, non, fit l'Américain, les Brits nagent. Et pourtant, ils se donnent du mal… Mais, du côté de Moscou, il y a du nouveau. La station a retrouvé la trace de Valentina Starichnaya : elle a été pendant trois ans relations publiques de l'Elbim Bank, qui est une des « infrastructures » du SVR.

Autrement dit, la sage étudiante avait *déjà* un lien indirect avec l'ancien Premier Directorate du KGB.

On commençait à y voir plus clair.

– Scotland Yard a posé des questions aux Russes d'ici ?

– Oui. Ils ont répondu qu'ils ne la connaissaient pas...

– Il fallait s'y attendre... J'attends les premiers comptes rendus d'écoutes de Gourevitch.

– *Take care*, recommanda l'Américain. Je vais vous mettre des « baby-sitters » à l'hôtel. Je suis responsable de Gwyneth.

Dès qu'il eut raccroché, Gwyneth Robertson s'approcha de lui. Elle portait toujours une sorte de minerve qui recouvrait le pansement de son cou et l'empêchait de bouger la tête. Le moindre mouvement était horriblement douloureux. Ce qui ne l'avait pas empêchée de faire l'amour avec Malko, le soir même de son arrivée. Toutefois, provisoirement, la fellation lui était interdite, ainsi que tout mouvement brusque. Elle vint s'appuyer contre lui de tout son corps et l'embrassa légèrement.

– Tu m'a sauvé la vie, dit-elle. Deux fois. Je crois que je suis amoureuse de toi.

– Il ne faut pas, assura Malko. Même s'il n'y avait rien eu entre nous, j'aurais agi de la même façon.

***

Igor Vlassov, avec son épaisse chevelure noire frisée – une moumoute collée – et sa moustache, son teint artificiellement foncé, avait l'air de tout sauf du portrait-robot diffusé par les journaux. Il regarda autour de lui, quand même sur ses gardes. Il attendait son « contact » en face de Westminster Station.

Boris Tavetnoy surgit du métro et lui adressa un signe discret, s'éloignant le long de la Tamise. Igor Vlassov le rejoignit.

– Tu t'en es bien sorti, laissa tomber Boris Tavetnoy, mais tu ne peux pas rester à ton hôtel. C'est trop dangereux.

– Je l'ai quitté tout à l'heure, fit simplement Igor Vlassov et j'ai changé d'apparence dans les toilettes de la station Oxford Circus…

C'était vraiment un bon professionnel.

– Vous voulez m'exfiltrer ? demanda-t-il.

– Pas encore. Nous avons besoin de toi.

Boris Tavetnoy lui expliqua ce qu'il attendait de lui, et conclut :

– Tu vas t'installer à Fleet Street pour quelques jours. Valentina est déjà là-bas. Tu as tout ce qu'il te faut avec toi ?

– Oui, assura Igor Vlassov, montrant son sac à dos verdâtre.

– *Dobre*, conclut Boris Tavetnoy, on continue à communiquer de la même manière. Il n'y en a plus pour longtemps. Ensuite, on t'exfiltrera et tu pourras aller te reposer en Crimée.

***

Rem Tolkatchev avait perdu le sommeil. L'opération Vulcan accumulait les contretemps. L'affaire du St-George's Hospital était fâcheuse, parce qu'elle avait déchaîné Scotland Yard, ce qui n'était vraiment pas le moment. Il en portait la responsabilité : c'est lui qui avait ordonné l'élimination de cette agente de la CIA.

Peut-être avait-il été trop prudent, en voulant éliminer les témoins capables de reconnaître Valentina Starichnaya, mais il était trop tard pour avoir des regrets.

Il n'avait pas escompté une telle bavure, mais désormais, il fallait gérer la situation. Le dénouement de Vulcan était proche, une question de jours. Valentina et Igor étaient des professionnels aguerris. Ils s'en sortiraient.

Il n'attendait plus qu'un coup de fil pour signaler que le rendez-vous avec Simion Gourevitch était calé. Après cela, il n'y aurait plus qu'à donner l'estocade. Ensuite, tous les protagonistes disparaîtraient comme dans un théâtre d'ombres, et bientôt le tsar pourrait jouir en paix de son pouvoir.

***

– Scotland Yard a raté l'assassin du St-George's Hospital, annonça Richard Spicer. Il séjournait dans un petit hôtel, le *Marlborough*, sous le nom de Roberto Neto, avec un passeport portugais. Le concierge l'a reconnu sur le portrait-robot, mais il avait déjà quitté l'hôtel quand la police a débarqué. Il est de nouveau dans la nature et a sûrement changé son apparence physique.

Ce n'était pas une bonne nouvelle... Malko se dit qu'il fallait redoubler de précautions.

***

La secrétaire de Simion Gourevitch annonça dans l'interphone :

– Stephan Gluboviki sur la une.

L'oligarque qui venait d'arriver du Surrey prit l'appel. Aussitôt la voix chaleureuse du milliardaire russe éclata dans la pièce.

– Simion Nikolaïevitch, notre ami est de retour à Londres, mais il ne reste pas longtemps. Il propose qu'on vide une bouteille de champagne demain ou après-demain à *The Library*.

– Il ne veut pas venir ici ?

Stephan Gluboviki eut un rire gêné.

– Il préfère un endroit neutre. Il faut qu'il ménage *ses* amis. Il y a des gens qui ne t'aiment pas à Moscou. Tu n'apprécies pas le bar du *Lanesborough* ? C'est gai pourtant…

– Si, si, affirma Simion Gourevitch. J'y vais de temps en temps. *Dobre*, je préfère mercredi. Vers sept heures. Tu es sûr qu'il a quelque chose d'important à me dire ?

– Sinon, je ne te demanderais pas de le rencontrer.

– *Dobre*, à mercredi, conclut Simion Gourevitch.

Après avoir raccroché, il se dit qu'un moment au bar du *Lanesborough* lui ferait du bien. Et il était curieux de savoir quel message on voulait lui transmettre. Peut-être que Vladimir Poutine, après l'affaire Litvinenko, avait renoncé à sa vendetta et allait lui proposer un deal à la Abramovitch… De toute façon, avec ses « baby-sitters », il ne risquait rien. On n'était pas à Moscou où on risquait de se faire rafaler à la Kalach à tous les coins de rue…

***

Valentina Starichnaya sursauta en entendant la sonnette. Puis, il y eut deux coups longs et un bref et elle se détendit. C'était Boris Tavetnoy

Il se glissa à l'intérieur, avec son habituel sourire paisible, portant sa serviette et un sac en papier. Lui aussi avait hâte que cette affaire se termine. Il en avait assez des ruptures de filature acrobatiques. Ce n'était plus de son âge. En plus, il ne devait pas donner l'impression à d'éventuels suiveurs qu'il dissimulait quelque chose.

– Igor est là ? demanda-t-il.

– Non, il est sorti. Tu voulais le voir ?

– Non, c'est toi que je venais voir.

Ça l'ennuyait un peu d'avoir regroupé les deux agents dans le même local, mais il n'en avait pas d'autre aussi sûr. Et puis, ils s'entendaient bien. Mais, s'il y avait un pépin, la police ferait coup double. Et il ne se faisait pas d'illusions : en ce moment, le MI5 et Scotland Yard ratissaient Londres à la recherche des deux fugitifs. Aidés par des milliers de caméras disposées pratiquement à chaque coin de rue…

Il ouvrit sa serviette de cuir fatigué et en sortit une boîte en plastique.

– Voilà le matériel, annonça-t-il.

Il étala sur le petit bureau des gants de chirurgien, un masque étanche en caoutchouc blanc et quelque chose qui ressemblait à une fleur artificielle, une sorte d'orchidée en laque noir et rouge, style Harrods. Une broche très élégante. Il la retourna, révélant un dispositif curieux. La partie postérieure s'ouvrait comme le couvercle d'une montre, découvrant une cavité d'où partait un fin conduit en plastique qui se terminait au centre de la fleur, pratiquement invisible quand on la regardait. Un tuyau d'un millimètre de diamètre et long d'une quarantaine de centimètres aboutissait à une poire ressemblant à celle d'un vaporisateur.

– Tu vas remplir ce réservoir avec la « substance », expliqua le Russe. Tu mets ces gants et ce masque, sinon tu risques ta vie. Ensuite, tu fixes la fleur sur cette veste.

Il sortit du sac en papier une très belle veste en velours rebrodé rouge et continua :

– Tu fixes la broche au revers et tu fais passer le tuyau dans la doublure jusqu'à la poche de la veste. La poire sera dissimulée à l'intérieur. Tu porteras la veste ouverte avec un haut décolleté, de façon à attirer l'attention sur ta poitrine. Il faudrait un vêtement un peu transparent. Comme de la mousseline.

– Et ensuite ? demanda Valentina, un peu intimidée.

Depuis l'affaire Litvinenko, elle savait qu'elle flirtait avec la mort en transportant du polonium 210. Avant, personne ne lui avait rien dit.

– Ensuite, continua Boris Tavetnoy, c'est à toi de jouer. Il faut qu'à un moment, tu sois à moins d'un mètre de la cible. À ce moment, tu presseras sur la poire dissimulée au fond de ta poche, ce qui projettera un brouillard contenant la substance. Tu ne dois pas être trop loin et avoir des gestes naturels.

– Qu'est-ce qui va se passer ? demanda Valentina Starichnaya, inquiète.

Le Russe sourit.

– Pour toi, rien. Pour lui, rien non plus, immédiatement. Il va respirer quelques particules de polonium 210 qui flottent dans cette émulsion. C'est suffisant. Le lendemain, il commencera à ressentir les premiers symptômes, mais tu seras loin.

Valentina Starichnaya n'était pas rassurée.

– Il n'y a pas de précautions à prendre ?

– Si, quand tu vas remplir la poche. Ne respire surtout pas. Et quand tu projetteras l'émulsion. Elle est très volatile et tu ne dois pas respirer pendant quelques secondes.

– Et les gens qui sont autour de lui ?

Le Russe eut un geste fataliste.

– *Normalement*, ils ne seront pas touchés...

Valentina Starichnaya ne releva pas le « normalement ».

– Ensuite, qu'est-ce que je fais ?

– Rien. Tu passes la soirée avec Piotr Bogdanov. C'est lui qui va t'exfiltrer dans son avion privé. Avec l'identité et le passeport d'une fille qui est arrivée avec lui de Moscou la semaine dernière, Elena. Nous avons changé sa photo et tout est en ordre. Je peux te dire qu'à Moscou, tu seras chaudement félicitée. Tu as compris ?

– *Vsié normalnu*, assura la jeune femme.

Boris Tavetnoy se leva et posa une liasse de billets sur la table :

– Va t'acheter de quoi te faire très belle. Le rendez-vous est fixé à six heures, à la résidence de Piotr Bogdanov, dans Belgravia Square. À partir de ce moment, tu es prise en charge.

Il lui serra la main et s'éclipsa, le cœur plus léger. Son rôle était quasiment terminé et il en était soulagé. À Moscou, on n'aimait pas les « diplomates » qui se faisaient expulser. Ils passaient le reste de leur carrière dans un bureau.

*
* *

Malko lisait le compte rendu d'écoutes que venait de lui apporter un coursier du MI5. Simion Gourevitch n'était pas très bavard au téléphone. Du business, quelques mots à sa femme, ou à Zakaiev. Il tiqua soudain sur un dialogue bref entre l'oligarque et un certain Stephan Gluboviki qui lui proposait un rendez-vous au bar du *Lanesborough*, dans un ou deux jours.

– Tiens, dit-il à Gwyneth, Gourevitch va sortir de sa tanière. On ira le voir. Je ne sais pas s'il se souvient de moi…

Il appela Richard Spicer et lui demanda de vérifier l'identité de ce Stephan Gluboviki. À travers le « 5 », cela devait être facile. Gwyneth s'approcha de lui, noua les bras autour de son cou, en mesurant ses gestes.

– J'ai faim, dit-elle. Si on retournait au *Papagallo* ? Ce n'est pas loin et c'est bon.

– *Davai !* approuva Malko.

Ils traversèrent le hall sans se presser et déclinèrent le taxi offert par le portier galonné. Curzon Street était à deux pas et il faisait un temps splendide.

*
* *

Igor Vlassov posa un billet de cinq livres à côté de son thé et se leva. D'où il s'était installé, dans le salon de thé précédant le bar du *Lanesborough*, il pouvait voir tous les gens qui passaient dans le hall.

Avec sa moustache et sa perruque, il était méconnaissable. Un Latino, comme Londres en fourmillait. Il traversa le hall sans se presser et attendit que sa cible traverse The Carriage Road en longeant Hyde Park pour se mettre en route. Il se méfiait : déjà une fois, il s'était fait avoir, il n'avait pas envie de recommencer. Il savait où il allait frapper. Le couple allait sûrement utiliser un passage souterrain qui allait de la statue d'Achille, devant Hyde Park, à l'*Intercontinental*, de l'autre côté de Park Lane.

Ce passage souterrain, carrelé de faïence comme un couloir de métro, était toujours désert. Il pourrait s'enfuir d'un côté ou de l'autre et il n'y aurait que peu de témoins. Devant l'hôtel, il y avait toujours des taxis, ce qui lui permettrait de prendre du champ sans perdre une seconde.

Dans sa poche, sa main droite serrait la crosse de son pistolet prolongé du silencieux. Si on trouvait cette arme sur lui, il allait droit au gibet. C'était celle avec laquelle il avait abattu les deux policiers du St-George's Hospital.

Mais il n'avait pas ce genre de pensée. Quand on a échappé aux moudjahidin afghans, on n'a plus peur de grand-chose.

La seule chose qu'il ne saisissait pas bien était l'acharnement de Moscou à liquider cet agent de la CIA. Mais lui n'était qu'un rouage modeste qui n'était pas au courant de tous les tenants et aboutissants de l'opération.

CHAPITRE XXII

Le long couloir tapissé de faïence blanche à la voûte cintrée était vide, à l'exception d'un guitariste installé au milieu, assis sur le sol, à côté de l'entrée d'un parking. Le passage était surtout utilisé aux heures de pointe.

Igor Vlassov pressa le pas. Le guitariste ne le gênait pas : ce n'était pas le genre d'homme à intervenir. Après avoir abattu ses deux cibles, le Russe courrait jusqu'à la sortie côté Mayfair et plongerait dans un taxi. Au moment où il n'était plus qu'à une quinzaine de mètres derrière le couple, la femme s'arrêta devant le guitariste et son compagnon en fit autant. Surpris, Igor ne put que ralentir : s'arrêter complètement eût attiré l'attention... Mais dans quelques secondes il allait arriver à leur hauteur.

***

Gwyneth Robertson était en train de fouiller dans son sac pour y trouver de la monnaie, quand Malko se tourna machinalement, découvrant un moustachu qui avançait dans la même direction qu'eux. Il n'y aurait prêté aucune attention si la démarche de l'homme ne lui avait pas semblé bizarre... Du coup, il ne le quitta plus des yeux, toujours sur ses gardes. L'homme passa à côté d'eux, regardant droit devant lui, puis les dépassa. Juste au moment où Gwyneth laissait tomber des pièces sur la couverture étalée devant le guitariste.

– *Thank you, miss*, fit ce dernier en saluant l'obole d'un accord de guitare.

Ils repartirent. L'homme, désormais, marchait devant eux, d'une démarche saccadée. Au passage Malko l'avait scruté, sans trouver aucune ressemblance avec celui qui avait tiré sur lui : il faut dire qu'il faisait alors très sombre. Et soudain, il comprit ce qui le troublait : l'inconnu se donnait un mal fou pour marcher normalement, mais il boitait.

– *Himmel !* fit-il, c'est le type qui a tiré sur nous dans la voiture, et à l'hôpital.

La jeune femme pâlit.

– *My God !*

Déjà, Malko hâtait le pas, tout en saisissant la crosse du Beretta 92 glissé dans sa ceinture. Problème : il n'y avait pas de cartouche dans le canon et l'autre était évidemment armé. Il avait d'abord projeté d'arriver jusqu'à lui et de le braquer. Ce n'était plus possible...

Sans ralentir, il tira la culasse en arrière pour faire monter une cartouche dans le canon et la fit revenir en avant. Il l'avait retenue le plus possible mais cela produisit quand même un claquement métallique caractéristique.

Le pouls à 200, Malko s'immobilisa et cria :

– Stop ! *Freeze !*

Le Russe se retourna à la vitesse d'un cobra, tout en sortant la main de sa poche.

Malko avait quelques dixièmes de seconde d'avance. Il pressa la détente du Beretta, visant la poitrine, juste comme le Russe levait son arme. La détonation se répercuta longuement sous la voûte. L'homme tituba, mais ne lâcha pas son pistolet. Malko savait avoir affaire à un professionnel. Il ne prit pas de risque et tira une seconde fois.

Le Russe, cette fois, s'effondra sur place, trouvant encore la force de tirer en tombant. Il y eut un « plouf » sourd et très faible et la balle ricocha sur la faïence d'une des parois, en arrachant un éclat.

Le guitariste s'était levé d'un bond, médusé et terrifié. Malko s'avança lentement, son arme braquée, craignant une ruse. Arrivé à côté de l'homme, il écarta d'un coup de pied le long pistolet noir que la main droite du tueur serrait encore, et se pencha ensuite sur lui. Il avait déjà les yeux vitreux.

Des gens qui arrivaient en face passèrent presque sans s'arrêter, ne remarquant ni le pistolet ni le sang, et prenant le mourant pour un ivrogne…

Gwyneth Robertson, choquée, était en train de téléphoner à Richard Spicer. Ils attendirent près du cadavre une dizaine de minutes avant que ne déboule une équipe de Scotland Yard, rejointe d'abord par deux hommes du MI5 puis par Richard Spicer.

Un des hommes du « 5 » examina l'arme du mort, un automatique de calibre .32 prolongé par un énorme silencieux.

– Il n'y aucune marque, annonça-t-il. C'est de la fabrication interne…

Son collègue examinait les papiers du mort : un passeport portugais au nom de Fernando Garcia, né à Porto en 1963. Il avait de l'argent, un mouchoir, une clef et deux chargeurs de rechange dans ses poches, mais aucune indication sur sa planque.

Il fallut ensuite que Malko, encadré par les agents du MI5, aille faire sa déposition à Scotland Yard, accompagné du chef de station de la CIA.

***

– Pourquoi se sont-ils acharnés sur vous ? demanda Richard Spicer à Malko.

Presque trois heures s'étaient écoulées depuis l'incident. La bureaucratie policière britannique était lente. Il avait fallu que sir William Wolseley appelle Scotland Yard pour aplanir les choses. Gwyneth Robertson était repartie au *Lanesborough* se reposer tandis que Richard Spicer et Malko faisaient le point dans le bureau du chef de station.

– Il nous manque une pièce du puzzle, conclut Malko. Ils considèrent que je représente un danger pour la suite des opérations. J'ignore en quoi...

– Il ne reste donc plus que cette Valentina Starichnaya dans la nature, remarqua Richard Spicer.

– Sans parler de ceux que nous ne connaissons pas, corrigea Malko. Ce qui s'est passé aujourd'hui confirme mon intuition : il y a toujours une opération en cours et ils essaient de dégager le terrain au maximum.

– Si ce faux Portugais devait abattre Simion Gourevitch, remarqua l'Américain, le danger est écarté.

– Je ne le pense pas, fit Malko. Ils ont d'autres méthodes. Moi, je suis un étranger, ma mort n'aurait pas remué les foules. Un espion tué par un autre espion. Pour Simion Gourevitch, les Russes ne peuvent pas procéder de la même façon. Le tuer ouvertement déclencherait une très vive réaction du gouvernement britannique qui l'a pris sous sa protection.

Un ange passa, les ailes aux couleurs de l'Union Jack. Depuis la guerre des Malouines, on savait que la Grande-Bretagne ne plaisantait pas avec son honneur.

Une secrétaire entra et déposa sur le bureau du chef de station un document d'une page. Richard Spicer l'examina rapidement.

– C'est la réponse du « 5 » concernant Stephan Gluboviki, annonça-t-il. Je ne le recommanderais pas à mon club, mais il semble *clean* par rapport à ce qui nous intéresse. C'est un oligarque « ordinaire » qui est arrivé à voler deux milliards de dollars pendant la période bénie 1991-1995, et à les garder. Il vit partiellement à Londres où il consomme modérément quelques attrayantes putes de passage. On ne lui connaît aucun lien particulier avec le FSB et il ne s'intéresse pas à la politique.

– Il est proche de Simion Gourevitch ?

– On ne sait pas. Il ne fait pas partie de ses intimes en tout cas… Mais ce n'est pas extraordinaire qu'ils se rencontrent.

– C'est pour après-demain, au bar de *Lanesborough*, d'après la conversation interceptée, précisa Malko. J'y serai.

– Le Yard y sera aussi, assura Richard Spicer. On va leur faire une note.

Ça allait faire du monde au *Lanesborough*.

– Bien, conclut Malko dont l'épaule le tirait encore, je vais me reposer.

– *Hold it*[1] *!* lança Richard Spicer. Vous ne sortirez pas d'ici sans des « baby-sitters ». Londres est devenue une ville dangereuse pour vous.

Il était déjà au téléphone.

Vingt minutes plus tard Malko quittait l'ambassade américaine à l'arrière d'une Ford dont la banquette avant était occupée par deux *case officers* armés jusqu'aux dents. Tout cela pour parcourir un peu plus d'un kilomètre. Les deux Américains prirent position de part et d'autre de l'entrée du *Lanesborough*, ce qui étonna considérablement les portiers, puis accompagnèrent Malko jusqu'à sa suite.

À peine y eut-il pénétré que Gwyneth Robertson, enfoncée dans un profond fauteuil club, se leva et vint vers lui, comme attirée par un aimant. Enlaçant Malko, elle sentit la masse du pistolet glissé dans sa ceinture. Le Beretta 92 utilisé contre le tueur russe ayant été

1. Attendez !

confisqué par la police, Richard Spicer lui avait fourni une autre arme, un Glock 9mm. Pendant quelques instants, elle se serra encore plus fort contre Malko et il sentit son ventre appuyer impérieusement contre le sien. Levant les yeux, elle lui lança un regard trouble et marmonna :

– Je crois que je suis une salope.

Pour Malko, c'était une évidence, mais il voulut savoir pourquoi la jeune Américaine prenait brusquement conscience de ses qualités.

– Pourquoi ? demanda-t-il.

– Dans le passage souterrain, quand tu as tiré et que cet homme est tombé, j'ai ressenti quelque chose dont j'ai un peu honte…

– Quoi ?

– Comme si on me prenait très fort. Rien qu'en y repensant, j'ai envie de faire l'amour.

Appuyée au guéridon Queen Ann, elle s'offrait ouvertement. Malko voulut se débarrasser du Glock imprimé entre leurs deux corps. Gwyneth souffla aussitôt :

– Non, ne l'enlève pas.

Elle était déjà en train de faire glisser sa culotte le long de ses jambes, puis elle libéra Malko. Il n'eut qu'à retrousser sa jupe pour trouver son ventre nu. Elle poussa un bref gémissement lorsqu'il s'enfonça en elle, avec l'impression de plonger dans un pot de miel brûlant.

– Oh, *my God* ! murmura-t-elle, *it's so good.*

Elle se laissa aller en arrière sur le guéridon, balayant les magazines et le vase de fleurs, la main gauche crispée sur le Glock, comme pour l'empêcher de tomber. Apparemment, Éros et Thanatos faisaient très bon ménage dans sa tête.

Ils crièrent ensemble.

*
* *

La *rezidentura* de Londres avait transmis à Rem Tolkatchev les unes de tous les journaux britanniques exposant le corps inanimé de Igor Vlassov tenant encore son arme à la main. L'« homme en gris » du Kremlin eut une brève pensée émue pour ce héros qui était tombé pour la *rodina*. Il serait enterré sous un nom qui n'était pas le sien dans un pays qui n'était pas non plus le sien, car personne ne réclamerait le corps d'Igor Vlassov. Rem Tolkatchev veillerait à ce que son nom soit gravé sur la plaque du musée du KGB honorant tous ceux qui étaient tombés d'abord pour l'Union soviétique, et ensuite pour la Russie éternelle.

La minute d'émotion de Rem Tolkatchev ne se prolongea pas outre mesure. Ce n'était pas un sentimental. Il lut le rapport de la *rezidentura* qui le rassura. Igor Vlassov ne serait pas identifié par les Britanniques et resterait éternellement un « soldat inconnu ». Jadis, l'assassin de Trotski, pourtant arrêté et jugé, avait pu dissimuler sa nationalité belge pendant des années.

Il réfléchit aux conséquences de cette mort. Igor Vlassov n'était pas indispensable pour la fin de l'opération. De toute façon, il aurait été exfiltré.

Quand à l'agent de la CIA qui l'avait abattu, il avait décidément sept vies, comme les chats. Mais lui non plus ne menaçait pas *directement* l'opération en cours.

Les dés étaient jetés. Il restait vingt-quatre heures de suspense.

***

Simion Gourevitch ôta son gilet et enfila à la place un gilet pare-balles en Kevlar, extrêmement léger, mais capable d'arrêter le projectile d'un fusil d'assaut. Le responsable de sa sécurité, qui avait exigé cette précaution, l'ajusta et l'aida à passer sa veste par-dessus. L'oligarque détestait ce genre de « déguisement ». Les fois où on avait tenté de le tuer, la présence d'un gilet pare-balles n'aurait rien changé.

Il avait affaire à de vrais brutaux...

Mais, après tout, il payait très cher des gens pour le protéger et était contraint de les écouter. Pourtant, *The Library*, le bar du *Lanesborough*, n'était pas un terrain vague au fin fond de la banlieue, mais un des endroits les plus selects de Londres...

« *Nitchevo !* se dit-il, quand on doit mourir, on meurt. »

Les quatre gardes qui l'accompagnaient l'encadrèrent jusqu'au coupé Bentley blindé stationné en face du 7 Down Street. Une seconde voiture de protection avec deux hommes à bord était arrêtée derrière.

Il regarda le temps : quel dommage de ne pas pouvoir aller là-bas à pied ! Sa Breitling en or massif indiquait sept heures moins dix. Il était à l'heure.

Cinq minutes plus tard, la Bentley le débarquait en face du *Lanesborough*. Il franchit le porche encadré par ses quatre gorilles et gagna *The Library*. Salué respectueusement par le maître d'hôtel qui le conduisit aussitôt à la table de Stephan Gluboviki, tout au fond de la deuxième salle, à côté du pianiste.

Celui-ci se leva et frotta sa panse énorme contre le ventre plat de Simion Gourevitch, l'assurant de son amitié éternelle et se lamentant de ne pas le voir plus souvent. Simion Gourevitch écoutait, le visage un peu crispé. Le numéro de faux-cul du gros Russe l'agaçait.

Ce dernier se rassit et glapit :

– James !

Le maître d'hôtel était déjà en train d'apporter une bouteille de Taittinger Comtes de Champagne accompagné d'un bol rempli à ras bord de caviar.

Modestement, Simion Gourevitch commanda un verre d'eau minérale.

– Ton ami n'est pas encore là ? demanda-t-il.

Stephan Gluboviki allait dire « non » quand il aperçut la haute silhouette de Piotr Bogdanov à l'entrée du bar.

– Le voilà ! dit-il.

Simion Gourevitch tourna la tête et aperçut le géant au crâne dégarni, se disant qu'il devait bien peser un quintal et demi. Il avançait comme un paquebot, majestueux, une fille absolument magnifique dans son sillage.

Une très grande blonde, les cheveux cascadant jusqu'aux reins, une élégante veste noire gansée de rouge ouverte sur un chemisier noir en mousseline qui ne laissait pas ignorer grand-chose d'une poitrine arrogante. Sa jupe noire, fendue sur le côté gauche, découvrait des jambes magnifiquement galbées, voilées de nylon.

– Je vous présente Mariana, annonça Piotr Bogdanov. Elle remplace Elena qui a dû repartir à Moscou. Mariana adore Londres…

La blonde s'assit en face de Simion Gourevitch et de Stephan Gluboviki et croisa les jambes avec une lenteur calculée. Ce qui permit aux deux hommes d'admirer ses cuisses presque à leur naissance.

– *Dobrevece !* lança-t-elle, je suis heureuse d'être dans cet endroit merveilleux.

CHAPITRE XXIII

Malko pénétra dans le bar du *Lanesborough* en compagnie de Gwyneth Robertson, toujours engoncée dans sa minerve, quelques minutes après l'arrivée de Piotr Bogdanov et de son éblouissante compagne. Il ne remarqua d'abord pas Simion Gourevitch, caché par la longue crinière de la blonde assise en face de lui.

Le pianiste avait commencé à jouer et on s'entendait à peine. On installa Gwyneth et Malko de l'autre côté du piano et, cette fois, ce dernier aperçut l'oligarque. Il discutait en russe avec ses deux amis. La blonde se pencha pour allumer une cigarette et il put admirer son profil parfait. Une des innombrables putes qui traînaient avec les milliardaires russes. Interchangeables, dociles et avides comme des vautours. Lui aussi commanda une bouteille de Taittinger. Gwyneth Robertson flottait sur un petit nuage, sa main posée sur la cuisse de Malko. Elle en oubliait sa minerve et son cou transpercé.

– Tu vois, dit-elle, je crois que je suis aussi vicieuse qu'Aisha Moktar ! Tu l'as revue ?

– Non, assura Malko. Tu me suffis.

Gwyneth Robertson assurait parfaitement les fantasmes préférés de Malko, lui offrant ses reins chaque fois qu'il en avait envie. Comme la Pakistanaise qui, elle, n'aimait *que* cela. Décidément, Londres était la capitale des salopes... On leur apporta le champagne et ils trinquèrent.

– À la vie, dit Gwyneth ! Tu sais que je vais être pensionnée par l'Agence ! Et décorée...

– Un peu plus, remarqua Malko, et tu avais *aussi* droit à une place à Arlington...

Du coin de l'œil, il surveillait la table des Russes, sans rien discerner d'inquiétant. Au bar, deux des gorilles de Simion Gourevitch scrutaient tous les nouveaux arrivants. Dehors, dans le hall, les deux autres en faisaient autant. *The Library* accueillait la faune habituelle. Seule à une table, une Black absolument inouïe, à la moue boudeuse, n'avait pas touché à son Martini. Serrée dans une robe de cuir qui se confondait avec sa peau, elle avait des yeux immenses et des jambes de deux kilomètres.

Avec ses boiseries sombres, ses rayonnages garnis de belles reliures, son feu de cheminée et le majestueux coffre à cigares posé entre les deux pièces du bar, *The Library* évoquait un château écossais, mais un château racheté aux Russes par le sultan de Brunei, lequel s'était sagement gardé de modifier le « mix » qui en faisait un des endroits les plus courus de Londres.

Malko sentit soudain les ongles de Gwyneth Robertson s'enfoncer dans sa cuisse. Il tourna la tête vers elle. La *case officer* de la CIA ressemblait à un chat qui vient d'apercevoir un pigeon bien dodu.

– Qu'est-ce qu'il y a ? demanda-t-il.

Dans un souffle, l'Américaine lâcha d'une voix étranglée :

– La blonde, avec les Russes, c'est Valentina Starichnaya, la fille que je suis allée voir.

Malko sentit son pouls s'envoler.

– Tu es sûre ?

– Certaine. Sa façon de tenir sa cigarette...

Malko fixa à son tour l'éblouissante blonde. Si elle était là, ce n'était pas par hasard. Surtout avec Simion Gourevitch. Ce dernier, visiblement, ne se méfiait pas d'elle, semblant surtout intéressé par sa silhouette.

Or, si elle se trouvait là, conclut Malko, c'était pour le tuer.

*
* *

Penché au-dessus de la table, Simion Gourevitch conversait à voix basse avec Piotr Bogdanov.

– Quel est le message que vous devez me transmettre ? demanda-t-il. Et de qui vient-il ?

– De Vladimir Vladimirovitch.

L'oligarque esquissa un sourire ironique, sachant la haine que lui vouait Vladimir Poutine.

– Vous en êtes certain ? insista-t-il.

– C'est lui-même qui me l'a dit, confirma Piotr Bogdanov.

– Que veut-il ?

– Il souhaite que vous veniez à Moscou vous expliquer avec lui pour mettre fin à votre conflit…

Simion Gourevitch faillit s'étrangler.

– Il m'a chassé de Russie et a ordonné au procureur général de lancer un mandat d'arrêt contre moi pour malversation. Je n'ai pas envie de finir comme Khodorkovski au fond de la Sibérie.

Piotr Bogdanov eut un geste apaisant.

– Je vous jure qu'il ne veut plus la guerre. Un mandat, cela se retire aussi facilement que cela s'émet… Avant la prochaine élection, il souhaite faire la paix avec tout le monde.

« La paix des cimetières », pensa Simion Gourevitch. Mais il s'imposa de continuer le dialogue.

– Qu'est-ce qui me garantit que je pourrai ressortir de Russie ?

– Moi. Si vous acceptez, vous viendrez dans mon avion privé et vous repartirez de même. Je vous accompagnerai au Kremlin et vous en ressortirez avec moi.

Malgré tout, Simion Gourevitch était ébranlé… Piotr Bogdanov était un homme respecté de tous, et pas seulement à cause de sa fortune. Il n'avait jamais trahi personne.

– Je repars demain matin, annonça-t-il.

– C'est trop court, coupa Simion Gourevitch. Je dois réfléchir. Quand revenez-vous ?

– Dans quinze jours.

– Je vous donnerai une réponse à ce moment-là.

– *Dobre*. J'espère que vous restez dîner avec nous…

– Impossible, ma femme m'attend.

– Alors, prenez encore un peu de champagne. (Il baissa la voix.) Si vous souhaitez passer une soirée avec Marina, elle est à vous. C'est une fille très gentille, très agréable.

– Merci, dit Gourevitch.

Il regarda sa montre et croisa le regard de Marina qui lui adressa un sourire à faire fondre instantanément la calotte de neige du mont Blanc.

– J'ai beaucoup entendu parler de vous, monsieur Gourevitch, dit-elle. Il paraît que vous êtes un mathématicien brillant…

– J'étais ! corrigea l'oligarque. Maintenant, je suis un businessman.

***

Une perle de sueur glissa le long du dos de Valentina Starichnaya. Elle était si tendue que tous ses muscles lui faisaient mal.

Dans sa poche droite, ses doigts en sueur étaient crispés sur la petite poire destinée à projeter la solution de polonium 210 dans le visage de Simion Gourevitch.

Hélas, jusqu'ici, il était resté enfoncé dans son fauteuil, de l'autre côté de la table, sans se pencher dans sa direction. Trop loin pour être atteint à coup sûr par le nuage mortel.

Elle se dit qu'au moment du départ, elle trouverait forcément une occasion, quand il se lèverait et lui dirait au revoir. Sachant qu'elle repartait le lendemain matin pour Moscou dans le jet de Piotr Bogdanov, elle ne pouvait pas se permettre d'échouer.

***

Malko était tétanisé. Depuis qu'il observait la blonde identifiée par Gwyneth comme étant Valentina Starichnaya, il avait remarqué que sa main droite restait obstinément au fond de la poche de sa veste. Une chose était certaine : si elle était là, c'est que le polonium 210 n'était pas loin…

Ainsi, le FSB avait quand même réussi à mettre son agent en contact avec Simion Gourevitch, déjouant la méfiance de ce dernier…

– Qu'est-ce qu'on fait ? souffla Gwyneth Robertson.

Malko hésitait. Certes, il était armé, mais le polonium 210 ne pouvait pas se neutraliser à coups de pistolet… Cette Russe pouvait tuer en quelques fractions de seconde tous ceux qui se trouvaient dans ce bar, lui compris.

À force de l'observer, il pensait avoir compris comment elle comptait agir. La grosse broche en forme de fleur qui ornait le revers de sa veste de tailleur lui rappelait les farces et attrapes de sa jeunesse. Une fausse fleur projetant un jet d'eau dans le visage de la victime. Seulement, ici, il ne s'agissait pas d'eau, mais d'un poison mortel.

Avant tout, il fallait lui ôter sa cible : Simion Gourevitch. Il se pencha vers Gwyneth.

– Sortez, comme si vous alliez aux toilettes. L'hôtel est plein de policiers. Trouvez-en un. Il faut que le maître d'hôtel vienne dire à Simion Gourevitch qu'on le demande au téléphone au bar.

– Et si elle tente quelque chose ?

– J'aviserai. *Davai.*

Dans son trouble, il avait parlé russe. Gwyneth Robertson se leva et se dirigea vers la sortie. Discrètement, Malko déplaça le Glock glissé dans sa ceinture afin de pouvoir le sortir plus facilement. Il se tint prêt à tout. Sans garantie de réussite. Pour appuyer sur une poire, il faut une fraction de seconde. Et le polonium 210 une fois respiré, c'était terminé.

*
* *

Gwyneth Robertson discutait à voix basse avec un policier de la *Special Branch.* Elle s'était fait connaître et ce qu'elle demandait était simple : qu'on « exfiltre » Simion Gourevitch du bar. Pourtant, les policiers étaient réticents.

– Si cette femme est dangereuse, remarqua l'un d'eux, nous sommes assez nombreux pour la neutraliser… Même si elle est armée.

Gwyneth Robertson lui jeta un regard de commisération.

– Vous avez entendu parler du polonium 210 ? Cette femme en a avec elle et nous ignorons sous quelle forme.

Cela mit fin à la discussion. On convoqua dans le salon de thé le maître d'hôtel et le policier lui expliqua ce qu'il avait à faire.

Le maître d'hôtel, qui n'en menait pas large, regagna *The Library* et décrocha le téléphone qui se trouvait sur le bar. Ensuite il se faufila à travers les tables, jusqu'à celle du fond.

– *Sir*, dit-il à Simion Gourevitch, quelqu'un vous demande au téléphone au bar.

Il en avait la bouche sèche. L'oligarque hésita, puis se leva, si vite qu'il était déjà à deux pas quand Valentina Starichnaya réalisa. Puis il se dirigea vers le bar. À peine l'avait-il atteint qu'il fut entouré par ses gardes du corps et des policiers de Scotland Yard. Ils l'entraînèrent hors de la pièce en un clin d'œil, et le policier du Yard s'expliqua.

– *Sir*, nous avons appris qu'une des personnes qui se trouvent avec vous dans ce bar projette un attentat contre vous…

L'oligarque sentit son pouls grimper au ciel.

– Qui ? croassa-t-il.

– La femme. Nous allons la neutraliser, mais il fallait d'abord vous mettre en sécurité.

Simion Gourevitch se laissa entraîner vers le hall, entouré par une véritable muraille humaine.

Choqué.

*
* *

Malko comptait les secondes. Gwyneth Robertson revint s'asseoir à côté de lui.

– C'est sécurisé, dit-elle à voix basse.

L'absence de Simion Gourevitch se prolongeait. Ses amis semblèrent soudain s'en apercevoir.

– Où est Simion ? demanda Stephan Gluboviki.

Il se retourna et ne le vit pas au bar. Soudain, ils remarquèrent que la première salle de *The Library* était en train de se vider, comme si tous les clients avaient décidé de partir en même temps.

– Qu'est-ce qui se passe ? demanda Stephan Gluboviki.

Les conversations avaient brutalement cessé. Seul, le pianiste continuait à égrener *Strangers in the Night*. Il y eut quelques secondes de flottement. La blonde se leva soudain, pivota comme si elle voulait partir aussi. Son regard parcourut le bar et s'arrêta sur le couple installé de l'autre côté du pianiste. Elle ne connaissait pas l'homme, mais elle reconnut la femme. Et comprit instantanément ce qui se passait.

Et aussi que Simion Gourevitch ne reviendrait pas. Elle avait raté sa mission.

D'un pas d'automate, elle se dirigea vers le couple

*
* *

Malko sentit son sang se figer dans ses veines. Il ne voyait plus que l'énorme fleur accrochée au revers du tailleur de la blonde, et la main plongée dans sa poche. Elle se trouvait encore à trois mètres de lui. Il *savait* que si elle arrivait à un mètre et déclenchait son spray, il aspirerait le polonium 210, même à son corps défendant, et mourrait dans des souffrances atroces.

Gwyneth Robertson avait enfoncé ses ongles dans sa cuisse.

Le pianiste, avec un sourire béat, continuait de massacrer *Strangers in the Night*.

Malko se leva brusquement, arrachant le Glock de sa ceinture et le braquant sur Valentina Starichnaya.

– N'avancez plus ! lança-t-il. *Freeze !*

Il répéta le même ordre en russe.

La blonde marqua un temps d'arrêt imperceptible puis fit un pas en avant. On lui avait appris à ne jamais renoncer. Un objectif secondaire valait mieux que pas d'objectif du tout. De toutes ses forces, Malko priait pour qu'elle s'arrête, qu'elle sorte la main de sa poche.

Le pianiste sembla enfin s'apercevoir que quelque chose d'anormal se déroulait et cessa de jouer. Malko était moralement dos au mur. Il répéta en russe :

– Valentina ! *Nié oviastré*[1] !

Le bras tendu, il la menaçait du pistolet. Cloués dans leurs fauteuils, les deux Russes, médusés,

1. Ne bougez pas !

contemplaient la scène. Malko calcula qu'il avait encore vingt centimètres de marge.

– *Pajolsk!* lança-t-il d'une voix suppliante.

Valentina Starichnaya continua à avancer.

La détonation assourdissante fit trembler les lumières du bar. Valentina Starichnaya fut rejetée en arrière par l'énergie cinétique du projectile qui l'avait atteinte en pleine poitrine. Malko vit son visage se crisper sous l'effet de la douleur, mais elle ne retira pas la main de sa poche. Au contraire, il sembla à Malko qu'elle tentait de repartir vers lui !

Il tira pour la seconde fois. Touchée à nouveau en pleine poitrine, Valentina Starichnaya tomba d'abord à genoux, puis sur le côté.

Sans avoir ôté la main de sa poche.

Malko avait envie de vomir, son cœur battait la chamade. Dieu que la vie était bête.

Une nuée de policiers envahit *The Library*, criant aux clients restants :

– *Keep away! Please go out!*

Même les deux Russes obéirent, pâles comme des linges. En quelques instants il ne resta plus que le corps inanimé de la blonde, coincée entre les fauteuils vides. Malko poussa Gwyneth Robertson vers la sortie. Il n'osait pas se pencher sur le corps de la Russe qui pouvait être entourée d'un nuage de polonium 210.

Il croisa à la sortie une équipe d'hommes en tenue ABC[1], équipés de matériel de détection, et s'arrêta.

L'un deux commença à promener son détecteur de rayons alpha au-dessus du corps de Valentina Starichnaya. L'appareil se mit aussitôt à crépiter à un rythme frénétique.

Des particules de polonium 210 s'élevaient du corps de la Russe en un nuage mortel.

1. Atomique, bactériologique, chimique.

LE SAN-ANTONIO

DE L'ESPIONNAGE

prix France ttc : 5,80€